珍藏版

DAQING QIAN YUANAN

大清奇案冤案

悲大清十二朝怨鬼冤魂

周浩文 编著

严刑峻律枉空前 怨鬼冤魂诚可怜

漫问众生夸盛世 举头何处有青天

中国华侨出版社

图书在版编目（C I P）数据

大清奇案冤案/周浩文编著.—北京：中国华侨出版社，
2007.10

ISBN 978 - 7 - 80222 - 482 - 7

Ⅰ.大… Ⅱ.周… Ⅲ.案件—史料—中国—清代

Ⅳ.K249.06

中国版本图书馆 CIP 数据核字（2007）第 163316 号

大清奇案冤案——悲大清十二朝怨鬼冤魂

编　　著：	周浩文	
责任编辑：	滕　森	
装帧设计：	武晓强	
经　　销：	新华书店	
开　　本：	720×1000 毫米　1/16 开　印张/ 18　字数/ 260 千	
印　　刷：	北京铁建印刷厂	
版　　次：	2007 年 12 月第 1 版　2007 年 12 月第 1 次印刷	
印　　数：	0001 - 5000 册	
书　　号：	ISBN 978 - 7 - 80222 - 482 - 7/K·26	
定　　价：	28.00 元	

中国华侨出版社　　北京市安定路 20 号院 3 号楼 305 室　　邮编：100029

法律顾问：陈鹰律师事务所

编辑部：（010）64443056　64443979

发行部：（010）64443051　　传真：（010）64439708

网　址：www.oveaschin.com

e - mail：oveaschin@ sina.com

前　言

　　大清三百年岁月，能积淀下多少悬谜？十二朝帝后，又孕育出多少疑案？官史煌煌，总有不敢说、不便说、故意不说之处；野史芸芸，又有不会说、不好说、有心胡说之事。所以，这个大清，说来说去，总还是说不大清。但也正因如此，才说不尽也听不够，也才有了我们这部换一种说法的《大清奇案冤案》。

　　崛起于建州、半游牧半农耕的大清，最初并没有一套完善的法律制度。顺治朝入关之后，为了统治泱泱大国芸芸众生的政治需要，才从大明朝的府库里，翻出那部"大明律"，几乎毫不走样地照抄照搬一遍，大清国总算有了"自己"的第一部法典。

　　法典虽然有了，可大清的帝王们似乎从来就没打算用它来规范自己的行为。历来的封建统治者多是如此——棍子只是用来打人，绞刑架总是给别人预备的。所以，大清三百年来，年年都少不了有那些"斩监侯"的倒霉蛋在黑牢里等着秋后那一刀，处处都看得到血腥场面。

　　君可知，天命汗王努尔哈赤是以哪些冠冕堂皇的借口诛杀了手足兄弟？又可知，他那年轻貌美的大福晋是怎样被活生生地强行殉葬？摄政王迎娶皇太后惹下了什么样的身后惨祸？一句"清风不识字，何故乱翻书"的诗句，为什么会招来九族灭尽？一道"维民所止"的八股试题，又是怎样被牵强附会成"雍正去头"的政治诅咒？贵为封疆大吏，却怎么会因为剃个头就掉了脑袋？有好官之美誉的椿寿老先生，究竟被什么逼得自寻绝路？神武门内待选的秀女怒骂当朝皇帝，会遭遇什么样的劫难？冒天下之大不韪假充大清皇帝，又会得到怎样的结局……

　　这就是历史之谜，更是人性之谜！不熟稔历史，不可以解此谜；不谙知人性，不足以解此谜！我们这部书正欲通过讲述大清奇案冤案，把案里案外那些鲜为人知或者虽为人知却知之不多的历史之谜、人性之谜，综合立体而又轻松有趣地展现在大家面前，非特为猎奇也，实在是想让大家在捧卷展读之后，能够多一点对历史的思考，多一份对人性的认知，多一些有益于自我的养分。

目　录

一　太祖太宗时期奇案冤案揭秘　　　　　　　　1

这是为皇权和政权而战斗的年代，是大清的雏形时期，一切以"夺取新政权、扩张自己的势力"为中心。所以任何反对或不利于这群统治者的利益的人或事，都会遭受到不可思议、惨无人道的厄杀，即便父母、兄弟、姐妹以及亲生子女，也不放过。正因为这帮权力统治者的不择手段和惨无人道，才上演出一幕幕令人惊悚、催人感愤的千古奇案和冤案……

1. 努尔哈赤诛杀亲弟奇案　/ 3

2. 褚英被囚死奇案　/ 5

3. 活殉大福晋冤死案　/ 6

4. 家奴告主奇案　/ 9

5. 多铎预谋帝位奇案　/ 13

二　顺治朝奇案冤案揭秘　　　　　　　　　　17

这位十四岁才亲政，拿到皇权不过十年的小皇帝，火气不小，他一手制造了诛杀无数无辜者的"多尔衮谋逆"奇案和大清王朝第一起文字大狱即函可《变纪》冤案。但他在后宫情感上却一反常态，独一份痴爱董妃，以致成为后人都无法断论的一桩奇案——此董妃究竟哪方美人儿？

1. 孝庄皇太后下嫁睿亲王奇案　/ 19

2. 《变纪》书稿冤案　/ 23

3. 董妃与董小宛的清宫奇案　/ 29

大清
奇案
冤案

4. 顺治朝几起笔祸冤案　／31

三 康熙朝奇案冤案揭秘 37

刚刚接手皇权大印的少年天子，就爆出一件因为鳌拜案而滥杀无辜臣民的奇案，但他并无疚愧，随后又毫不留情杀害了无数笔下"冤鬼"，他立太子犹如踢皮球，把整个皇宫折腾得凄凄惨惨、硝烟弥漫。

在他执政期间，朝野上下一桩桩稀奇古怪的案子，也让他应接不暇，江南重要考场竟然堂而皇之进行买卖举人的交易，而且幕后"老总"竟是他眼中的宠臣，斩之？还是放之？

1. 江南乡试舞弊奇案　／39

2. 《明史》和《南山集》无辜冤死案　／47

3. 康熙两立两废皇储的清宫奇案　／50

4. 蒲松龄考不中举人奇案　／57

四 雍正朝奇案冤案揭秘 67

这个踩着他人血迹登上御座的皇帝，在他当权的朝野，也充满新、奇、诡、怪。且不谈他即位和暴亡的奇特与诡秘，民间麻城杨三姑谋夫的千古冤狱案，足见其执政下的社会之炎凉、势利和黑暗。另一方面，他又是制造文字案的高手和惯手，在他的刀下，不知有多少冤死鬼、屈死鬼悲叹哀鸣……

1. 雍正夺诏承大统奇案　／69

2. 三阿哥弘时之死奇案　／73

3. 雍正皇帝禁言禁书冤案　／74

4. 吕留良、曾静冤狱案　／78

5. 麻城千古冤狱奇案　／80

6. 暴君雍正死亡奇案　／90

五 乾隆朝奇案冤案揭秘 95

这位自认为圣明天下权道造深的皇帝，在他当政期间，没想到有那么多令人咋舌的奇冤案。一个疯子千里迢迢击鼓告京状却涮了一把当朝皇帝；两淮引盐的肥缺涨红了作官的眼睛，由此患发出一桩桩让人瞠目结舌的大案；一个当朝权贵被一个江湖人耍弄得一塌糊涂；紫禁城筒子河上的无名尸，没本事查凶却有本事找出气筒……

1. 乾隆家世奇案 ／97

2. 乾隆休妻奇案 ／104

3. 疯子告京状奇案 ／112

4. 御赐红宝石奇案 ／114

5. 两淮特大盐引案 ／120

6. 《永乐大典》被盗案 ／126

7. 筒子河浮尸奇案 ／128

8. 尹嘉铨请谥著书冤案 ／130

六　嘉庆朝奇案冤案揭秘　　　　　　　　　137

嘉庆掌权，和珅倒霉，这是著名的历史事件。但这位被前皇压抑得有点病态的新皇，在和珅家抄了多少宝、杀了多少人、抢了多少财、房了多少女人等等，这恐怕没多少人知道其中真正内幕——

出宫就随身携带的兵部大印却被偷贼盗跑了，这件闹得满朝风雨的宫廷案却在没有任何头绪下迷糊过去了，你说奇乎？怪乎？

1. 皇家尊号译错案 ／139

2. 权臣和珅被诛奇案 ／142

3. 兵部大印遭盗奇案 ／148

七　道光朝奇案冤案揭秘　　　　　　　　　151

当朝国母皇太后的仪驾金物在皇宫内库不翼而飞，这恐怕是道光皇帝执政以来的一大丑闻。在那样层层设卡、戒备禁严的深宫内院出现遗盗奇案，你说，这大清还有哪块是安全之地？

1. 以假乱真的两条人命特大案 ／153

2. 道光帝皇太后仪驾金器被盗奇案 ／156

3. 伯父杀侄女奇案 ／158

大清
奇案
冤案

八 咸丰朝奇案冤案揭秘 167

这位嗜权嗜色都如命的皇帝，做什么事都不顺——招募人才却闹出了"大头鬼"奇案；为后宫选美，却横遭一顿臭骂；宠一个女人，却毁了爱新觉罗的江山，而且这个女人还是制造麻烦、奇闻和冤狱案的能手。

1. 好官椿寿自杀案 ／169

2. 待选秀女怒骂当朝皇帝奇案 ／182

3. 戊午顺天府科场奇案 ／184

4. 辛酉奇案 ／186

九 同治朝奇案冤案揭秘 191

这位做不了主的少年皇帝，却干出清王朝一大奇案——皇帝嫖妓。举国为之轰动的刺马案也发生在他这个朝代——一个小小的张义祥却让三位权倾晚清的钦差重臣"一身汗颜"，就连慈禧太后也伤透脑筋，一个并不复杂的刺杀朝廷官员案为何如此棘手呢？其内情黑幕让晚清的整个朝野震撼得颜色大变。

1. 总督的娈童强奸案 ／193

2. 段知县判鸡奇案 ／196

3. 恭亲王弹劾案 ／199

4. 臬司盗金库奇案 ／205

5. 同治皇帝嫖妓奇案 ／213

6. 太平天王金印遭盗奇案 ／219

7. 太平军将领李秀成叛变奇案 ／223

十 光绪朝奇案冤案揭秘 229

这个坐在龙椅上大气不敢出、且本身就是一桩奇案的皇帝，他所处的朝代，就是一个天上没有太阳，地上没有亮光的昏暗社会，这时候的清王朝，官场更加昏庸腐败，社会风气糜烂至极，由此而来的便是奇案丛生，冤狱不断，它可以颠倒黑白、可以草菅人命、可以为所欲为——

1. 缉捕江洋大盗烧杀奸淫奇案 ／231

2. 老太监掘地刨银奇案 ／234

3. 紫禁城贞度门失火奇案 ／236

4. 讨债债主服毒自杀案 ／243

5. 清宫内院里的三件奇案 ／246

6. 假冒当朝皇帝奇案 ／250

7. 《苏报》冤狱案 ／251

8. 皇亲贵戚赌场奇案 ／253

9. 珍妃冤死奇案 ／259

附一 ／271

附二 ／273

清案案
大奇冤

一　太祖太宗时期奇案冤案揭秘

感愤的千古奇案和冤案……

道，才上演出一幕幕令人惊悚、催人

帮权力统治者的不择手段和惨无人

以及亲生子女，也不放过。正因为这

无人道的厄杀，即便父母、兄弟、姐妹

的人或事，都会遭受到不可思议、惨

何反对或不利于这群统治者的利益

权、扩张自己的势力』为中心。所以任

大清的雏形时期，一切以『夺取新政

这是为皇权和政权而战斗的年代，是

1. 努尔哈赤诛杀亲弟奇案

说到大清王朝的建立，人们首先想到的是开国领袖清太祖努尔哈赤，是他奠定了大清王朝三百年的江山基业。其实，在努尔哈赤的背后，还有一位对大清王朝居功至高的人物，那就是努尔哈赤的亲弟弟舒尔哈齐，只是因为特殊的原因在史书中很少记载，而他的子孙在清王朝中一直担任重要的位置，备受重视。后来的咸丰皇帝在热河避暑山庄去世后，遗诏让怡亲王载垣、郑亲王端华、尚书肃顺等八人辅政，号称"赞襄政务王大臣"。这端华、肃顺为同胞兄弟，时人称"端三肃六"，而他们就是舒尔哈齐的八代孙。

努尔哈赤有弟兄五人，但称得上同胞手足的只有三弟舒尔哈齐和四弟雅尔哈齐。公元1583年，努尔哈赤的祖父和父亲被明军误杀，努尔哈赤继承了父祖的职位，统领建州左卫都指挥，还受封敕书、马匹，当时辽东镇帅李成梁对他也未加留意。当时的努尔哈赤二十五岁，舒尔哈齐二十岁。兄弟俩为报父祖的亡仇，秣马厉兵，不几年间，建州异军突起，不但令周围女真各部刮目相看，就连明朝和朝鲜也都知道这兄弟二人习兵多智，志向高远。当时朝鲜政府得到情报说，努尔哈赤自称为王，其弟自称船将，立志要"报仇中原"。明朝当政者对兄弟二人采取羁縻的政策，高官厚馈，努尔哈赤晋升都督，加龙虎将军勋衔，舒尔哈齐也被明廷授予都督崇阶，所以在建州内部人称舒尔哈齐为"二都督"。当时，凡军机重大要事，努尔哈赤兄弟关门密议，决定之后，雷厉风行，竟无一人了解真实内幕。但是到了公元1611年（万历三十九年）建州女真统一内部，还打败了海西女真哈达、辉发二部，聚有精兵劲卒数万，虎视辽东，窥探中原，有帝王之势的时候，舒尔哈齐却突然去世了，《清实录》所记，1611年8月19日舒尔哈齐"薨，年四十八岁"。在日后清朝的官修史书中，舒尔哈齐对清王朝的丰功伟绩无从追寻，实在耐人寻味。

那么舒尔哈齐是怎么死的呢？史料中对他何以致死、丧礼如何，都没做交代。当时明朝方面的记载则是"奴酋忌其弟兵强，计杀之"。（王在晋：《三朝辽事实录》）"努尔哈赤杀其弟舒尔哈齐，并其兵"。（沈国元：《皇明从信录》）明代黄道周更是详细描述了这场骨肉相残的悲剧："酋疑弟二心，佯营壮第一区，落成置酒，招弟饮会，入于寝室，银铛之，注铁键其户，仅容二穴，通饮食，出便溺。弟有二名裨将以勇闻，酋恨其佐弟，假弟令召入宅，腰斩之。"（《博物典汇》）在清代的老档案《满文老档》中记载，公元1609年（即万历三十七年）3月间，努尔哈赤以舒尔哈齐图谋自立为理由，杀死舒尔哈齐一子及一僚属，削夺了他所属的军民，两年后，舒尔哈齐就死去。如果当时的舒尔哈齐自有军队，当然不可能束手就擒。所以努尔哈赤用计囚禁，杀其亲信，是不可避免的。看来，明朝人说努尔哈赤杀害胞弟，恐怕不是诬传。

如果说努尔哈赤杀了自己的同胞兄弟，那么究竟是什么原因使得最为亲情的兄弟二人同室操戈、骨肉相残？其中当然是有权力之争的缘故。和努尔哈赤一样，舒尔哈齐也是明朝廷任命的管理建州女真的官员，又有自己属下的兵马，如果他能听从兄长的指挥，自然和努尔哈赤相安无事，但舒尔哈齐偏偏又是桀骜不驯的人，处处要和兄长分庭抗礼，兄弟之间难免矛盾重重。虽然不及其兄兵强马壮，但舒尔哈齐还是决心离开兄长。对努尔哈赤来说，舒尔哈齐的独立完全是在自己身边又立一个敌对国，由此努尔哈赤起了杀心。关于这场内部的残杀，有人指出这不仅仅是权力的争夺，而是一场"叛明"和"拥明"的斗争，明朝政府很注意扶持舒尔哈齐来削减努尔哈赤的独立势力，于是重建了建州右卫。新设右卫的治所黑扯木位于辽宁铁岭的东南。看来，努尔哈赤杀弟的疑案牵扯的问题还涉及到很多方面，一时难以完全弄清楚。

不过舒尔哈齐被其兄有意诛杀的史实基本上已经被公认了，不管权力之争也罢，政见之争也罢，二者互相交织也罢。舒尔哈齐生前有大功于清室，身后却寂寥无闻，但又不敢明言其死因。龙兴之初的诸王冤案后来有不少得到了清帝的平反，惟独没有给舒尔哈齐

昭雪，这一方面是因为努尔哈赤的子孙们不愿承认其祖有杀弟的恶名，另一方面，在满清人看来，努尔哈赤杀弟也是出于维护帝业的目的，因此不能推翻太祖首定的铁案。舒尔哈齐之子济尔哈朗后来以功得封郑亲王，终清之世，王爵世袭罔替，即所谓"铁帽子王"。这在一定意义上讲，也可以说是皇室对舒尔哈齐开创之功的谢酬吧。

2. 褚英被囚死奇案

褚英勇武善战，功绩赫赫，为努尔哈赤完成女真诸部统一大业做出了杰出贡献，可称得上是建立后金汗国的卓越功臣，所以努尔哈赤对他屡有封赐。正值褚英头角崭露、顾盼自雄之时，努尔哈赤却将其幽禁于高墙之内，并于两年后即明万历四十三年（即公元1615年）置之于死地，终年三十六岁。努尔哈赤为什么要杀死这样一个得力助手且是他的亲生儿子呢？因为史书上没有明确记载，所以他的死一直笼罩着一层厚厚的迷雾。

褚英自幼跟随父亲东征西杀，十八岁就因战功赐号洪巴图鲁，封为贝勒。在与乌拉部的战斗中，和代善一起，鼓舞士气，奋勇杀敌，得到斩三千级、获马五千匹、甲三千副的战绩，凯旋归来，受到努尔哈赤的最高嘉奖，再赐号阿尔哈图土门，意为广略，所以褚英常被称作广略贝勒。

因为褚英屡有战功，又是长子，早在明万历四十年（公元1612年），年过半百的努尔哈赤就委任他执政，想要树立他的威信，锻炼他的能力。但这位长子让他的父亲失望了。褚英的最大毛病是心胸狭窄而欲望太大。总嫌分给他的部属、民人、牧群、财产少了，总想从所得比他少的诸弟那里索取更多的东西。努尔哈赤也认为褚英不适于执掌大政，但由于嫡长继承陈例，仍命长子褚英执政，希望他执掌大政后，改掉心胸狭隘的坏毛病。然而事与愿违，他执政后褊狭依旧，且心术不正，强迫四个弟弟（代善、阿敏、莽古尔泰、皇太极）向自己立誓："不得违抗兄长的话，更不许将兄长所说的各种话告诉父汗。"还声称："凡与我不友善的弟弟们，以及对我不好的大臣们，待我坐上汗位以后，均将之处死。"天长日久，众人的不满积累起来，终于压不住了。褚英的四个弟弟代善、阿敏、莽古尔泰、皇太极和努尔哈赤所倚任的五大臣，终于联合起来向汗王控告褚英，控告中一句最要紧的话就是："担心汗王死后，我等的性命难保。"努尔哈赤大怒，斥责褚英道："你这样威胁自己的四个弟弟，以及父亲任用的五大臣，我又如何能让你执政呢？我就是不能打仗，不能断理国事，年纪老了，也不把国家大政移交给你。"他无法再信任这个激起众怒、没有执政才能的长子，当年秋天征乌拉时，褚英被留下与代善守城；第二年努尔哈赤亲征乌拉，也不让褚英参加。从此，褚英实际上已被取消了储君的资格。

褚英性格极为暴烈，被父亲训斥后，他不但不认错、不低头，反而书写咒语诅咒父亲、诸弟和五大臣，并将咒语焚烧告天，以发泄心头的仇恨。他盼望努尔哈赤亲征乌拉失败，并策动亲信，阴谋在父亲大军兵败而归时，守住城门，不让父亲和诸弟进城。这些亲信自然心怀恐惧，后来一个参与此事的僚友因恐惧而留遗书自杀，其他几个参与者见势不妙，便一起向努尔哈赤坦白其中的阴谋，主动告发了褚英的全部罪状。

努尔哈赤又一次勃然大怒了，他立刻将褚英禁闭。经过深思熟虑，他看清了长子的存在会危及国家、危及诸子和众大臣；褚英不死，人人自危。他终于在公元1615年8月，下令处死了褚英。这一年，褚英三十六岁，而汗王五十七岁。这样可以推断，褚英被杀的根本原因应该是他威胁了努尔哈赤的权力和地位，因此招来了杀身大祸。

3. 活殉大福晋冤死案

生活在古代皇宫的女人，并不像人们所想象的那样无忧无虑，幸福美满，温馨如意。俗语说：伴君如伴虎，荣辱沉浮瞬息变幻，不知何时会祸起萧墙。在清太祖努尔哈赤死去十八个时辰之后，他最宠爱的大福晋阿巴亥被四大贝勒逼迫生殉，理由是努尔哈赤有遗嘱在先：大福晋虽然年轻貌美，但心怀嫉妒，常常使汗王不快，如果留下，将来恐怕会成为乱国的根源，所以必须殉夫。

按当时的习俗，妻殉夫必须具备两个条件，一是爱妻，一是没有年幼的儿子，阿巴亥虽然符合前一条，但她确有两个幼子需要抚育，而且她不相信汗王会留下这样的遗言，所以她要据理力争。

但是，四大贝勒告诉她：这是汗王临终的遗命，他们纵然不忍心、不愿意，却不敢不从。而且，从殉的仪式都已经准备好了。按规矩，当殉者盛装坐炕上，众人对之下拜，然后以弓弦扣颈勒毙；如果殉者不肯殉，则群起而扼之，至死为止。

到了这一步，阿巴亥还有什么挽救的办法？她只能屈从，换上礼服，戴满珠宝饰物，虽然照规矩殉者不得哭，她还是哀告诸贝勒，请求他们照顾她的幼子多尔衮和多铎，在不得已的情况下，她还说了些冠冕堂皇的话："我自十二岁侍奉汗王，丰衣美食已二十六年；汗王恩厚，我不忍离开他，所以相从于地下。"

大福晋的活活生殉非同寻常，努尔哈赤诸妃，如侧妃博尔济锦氏、伊尔根觉罗氏、叶赫那拉氏、哈达那拉氏及庶妃兆佳氏、钮祜禄氏、嘉穆瑚觉罗氏、西林觉罗氏等都是善终。至皇太极死时，不论中宫皇后，还是麟趾宫贵妃、衍庆宫淑妃、永福宫庄妃，还是那些无名号庶妃，无一人相从先帝于地下。顺治皇帝死时，虽有一名贞妃者从殉，但也不过一庶妃，而且从当时文献记载看，贞妃的从殉，出于皇室意料，显然是自愿从死，不愿苦熬内宫的寂寞岁月。而阿巴亥的生殉则不同，她既是地位高贵的"国母"，又有幼子尚未成年，更何况先申诉了她的一番"罪过"之后，宣布是"先帝遗命"，而且"虽欲不从；不可得也"，强逼她自缢殉葬，同样让人联想到逼迫大福晋生殉背后的阴谋。

早在若干年前，大福晋就经历了几次风波。努尔哈赤庶妃代音察向努尔哈赤告状说："大福晋曾两次备佳肴送与大贝勒（代善），大贝勒受而食之；一次送给四贝勒（皇太极），四贝勒受而未食。而且大福晋一日两三次派人到大贝勒家，想是有什么事商议。大福晋自己也两三次深夜出宫院。"这样的事情已使努尔哈赤非常不快，但他处理得非常冷静。

女真族与蒙古族一样，有父死子娶庶母、兄死弟娶嫂的传统习俗，努尔哈赤自己就从死去的族兄那里继承了嫂子衮代为大福晋，而且他自己也公开表示过他死后由代善继承阿巴亥。现在，阿巴亥出于对未来地位的考虑，提前向身为储君的代善传情，表达自己的倾心爱慕，可谓预做准备，原也在情理中。须知，努尔哈赤已经年过花甲，须发苍白，而阿巴亥正当三十岁的盛年，最是女人丰姿绰约的性成熟时期，老夫少妻、白发红颜，很难不生外来枝节。再说，拿贼要赃，捉奸要双，并无通奸的确证。所以，努尔哈赤赦免了大福晋的死罪，但予以休离。

人们不禁要问，一个毫无地位可言的小庶妃如何胆敢去告深受汗王宠幸、贵有三子的大福晋？而且牵连着自领两旗、居参政"四大贝勒"之首、老汗王欲立为太子的大贝勒代善？诬告大妃与代善关系暧昧的"邪风"从哪里刮起？人们不难看出，这一切均缘于爱新觉罗氏家族的权力之争。因为老汗王年事已高，汗位的继承人为谁？已成为诸子侄中明争暗斗的焦点和重点。因为努尔哈赤时代在政治上实行八旗制，以八旗和硕贝勒"共理国政"，即以八旗旗主分权统治的制度；在经济上则"予定八家但得一物，八家均分之"。军事上凡行军打仗也以八旗旗主为统帅，各有统属，联合作战。这就必然形成八个政治、经济乃至军事实力旗鼓相当、势均力敌的集团统治，也就会在汗位继承上导致"诸王争国"的恶劣后果。

当时八旗人马中，皇太极掌握两黄旗，代善掌握正红旗，阿敏掌握镶蓝旗，莽古尔泰掌握正蓝旗，所余镶红、正白和镶白三旗旗主，分别是阿济格、多尔衮和多铎。阿济格、多尔衮和多铎在他们分别只有十九岁、十二岁和十岁的时候，就成为拥有一旗、与诸兄并驾齐驱的权势很大的旗主。诸兄能够成为旗主，完全是因为在战场上出生入死，流血拼命，而幼弟恃母亲受宠而得汗王厚赐，如何让人心服口服？

阿巴亥的三个儿子阿济格、多尔衮、多铎所掌握的力量已经超过四大贝勒中的任何一个，如果再有他们的母亲阿巴亥以国母之尊联缀其上，那么其他五位旗主谁不畏惧？谁又敢不服从？那么阿巴亥就能由此而左右八旗、左右整个大金国的政局，破坏八王共执国政的均衡，对大金国、对他们每个人、尤其是对与阿巴亥有宿怨的皇太极和莽古尔泰，后果都是不堪设想的。所以必须除掉阿巴亥。

因为除掉这个总挈首领的母亲，就容易使三个同母兄弟分离，不能形成三人联合的雄厚力量。一旦多尔衮、多铎成年，后果就不堪设想了。所以一定要马上将他们的母亲处死，才能保证后金政权的稳定。

而且，更重要的是，努尔哈赤临终之时，只有阿巴亥一人守在身边，她向诸位皇子传达老汗王的遗嘱是"多尔衮嗣位、代善辅政"，这遭到四大贝勒的断然否定，他们是有道理的，因为和硕贝勒共治国政，不但汗王生前反复强调，而且书写成训示交给了每位贝勒，白纸黑字，证据确凿；而所谓的临终遗言没有第二人能够证明，即使汗王真的在去世前的昏迷中说了类似的话，也只能视为错误的命令，不可执行。但是这个女人既然放出了所谓"临终遗言"，即便不能把家族推向斗争的血海，也会埋下不和不睦的种子，早晚会酿成灾祸。而且，皇太极这时的地位声望渐隆，哪肯将皇位让给还不懂事的多尔衮呢？因此大福晋没有别的选择，她必须死去。

从上面的情况来看，制造努尔哈赤大福晋活殉这场又奇又冤的惨剧案应该是四大贝勒，而不太可能是努尔哈赤的临终遗嘱所致，她的殉葬反射出爱新觉罗家族有许许多多说不清道不明的权力争斗。

4. 家奴告主奇案

莽古尔泰是努尔哈赤第五子，皇太极异母兄。母亲富察氏，名衮代，原为再嫁之妇。天命五年（即公元1620年），以得罪努尔哈赤死，得罪的原因不详。有些书上，将她与代善有暧昧关系的大福晋纳喇氏混为一人，这是错误的。因为纳喇氏发生这一事件时，富察氏已经死了。

莽古尔泰是正蓝旗旗主，四大贝勒之一。他起先和皇太极、代善同坐而受大臣朝见，足见他在当时满洲政权中的地位。皇太极誓告天地时，有我若不敬兄长，不爱弟侄，"天地鉴谴"语，这虽是即位之初，为皇族内部共济国政的笼络性的话，但也意味着此时皇太极与莽古尔泰等还是平等的兄弟关系，而三大贝勒也俨然以父兄资格"善待子弟"（即小贝勒）。

努尔哈赤在世时，对汗位的继承，莽古尔泰倾向于皇太极，而反对代善，其中也含有自己继位的私人意图，因为论年龄，代善长于莽古尔泰，莽古尔泰又长于皇太极，代善若不嗣位，莽古尔泰尚有希望。后虽和诸人共拥皇太极，但两人间的倾轧也逐渐加深。

但莽古尔泰在四大贝勒中，却是战绩平庸，有勇无谋的人，邻国朝鲜使臣郑忠信，就说他在努尔哈赤诸子中乃"无足称者"。他与皇太极的冲突，表现得最露骨的是天聪五年（公元1631年）大凌河之战时，事见王氏《东华录》：

莽古尔泰与太宗皇太极因派遣人员发生争执，皇太极愤而欲乘马离去，莽古尔泰说："皇上宜从公开谕，奈何独与我为难？我正以皇上之故，一切承顺，乃意犹未释，而欲杀我耶？"说完，举佩刀柄前向，频摩视之。其同母弟德格类斥以"举动大悖"，以拳殴之，莽古尔泰遂抽刀出鞘，德格类推之而出。事后，太宗怒责众侍卫曰："朕恩养尔等何用，彼露刃欲犯朕，尔等奈何不拔刀趋立朕前耶？"到了晚上，莽古尔泰率四人，派人往皇太极营前奏曰："臣以枵腹饮酒四卮，对上狂言，竟不自知，今叩首请罪于上。"后经众议，革去大贝勒名号并且给予了其他处罚。

这时皇太极即位已五年，如果不是平日积怨深久，何至不惜冒大逆的罪名，用这种行动对付皇太极？到次年十二月，莽古尔泰即因气愤暴亡，终年四十六岁。

一年后，莽古尔泰所属的正蓝旗固山额真觉罗色勒，率领大臣及亲戚二十五人，为莽古尔泰扫墓。祭完后，强谒莽古尔泰福晋献酒，并有很多人大醉。此事被皇太极得知，于是召集大臣会议。众议色勒醉于福晋前，失礼，拟斩；福晋于扫墓时不知哀戚，不禁止男子到内饮酒，拟处刑。太宗从宽免死，命诸福晋前往唾面辱骂。大家可以想象，这种羞辱是很难承受的。又可看到，正蓝旗人员对故主莽古尔泰还是非常尊敬、怀念的，所以才有后面叙述的大厮杀事件。

莽古尔泰之妹莽古济，曾嫁蒙古敖汉部长琐诺木。她有个家仆冷僧机，虽出身卑微，却机灵狡黠，善于钻营取巧。这时莽古尔泰和其弟德格类相继身亡，冷僧机便往营部告发，说：莽古尔泰兄弟、莽古济夫妇及屯布禄、爱巴礼、冷僧机本人跪焚誓词，"言我莽古尔泰已结怨于皇上，尔等助我，事济之后，如视尔等不如我者天其鉴之"。莽古济夫妇也发誓说："我等阳事皇上而阴助尔，如不践言，天其鉴之。"（《清太宗实录》）又说莽古尔泰密谋要夺汗王御座。在抄他家时，又抄出木牌印十六枚，上面刻的都是"金国皇帝之印"。最后，皇太极将莽古济和儿子额必伦处死，屯布禄、爱巴礼，并其亲支兄弟子侄俱磔（陈尸）于市，正蓝旗并入皇太极旗份。

冷僧机本人因为也曾参预密谋，众议"以自首免坐，亦无功"，可见大家对他原本很鄙视。太宗皇太极却以为"冷僧机若不首告，其谋何由而知？今以冷僧机为无功，何以劝后？"复议后就授冷僧机世袭三等梅勒章京，并给同案犯官家产，免其徭役。过去，奴婢告主，为防家主报复，拨与他人为奴。这次皇太极一反常例，对冷僧机特别嘉奖，这表示出一种快意。

到了顺治时，冷僧机又尽力巴结多尔衮，盛称拥立世祖之功，一面却挑拨顺治与两黄旗大臣的关系。后来多尔衮被削爵，冷僧机被看作党羽而斩首，正如俗语所谓"瓦罐不离井上破"。

太宗皇太极剪除莽古尔泰集团后，有五名"夷人"从本土逃奔到明廷，宣府（府治河北宣化）巡抚陈新甲向投奔者问："东奴消息如何。"回答道："两家相争厮杀，皇太极将莽古尔泰三个儿子杀死，还杀了当紧的夷人一千余人，其余人马全都收了，分在八哨官儿所管。"所谓夷人，其实是原来的正蓝旗成员，"当紧"是重要的意思。这说明正蓝旗始终效忠于莽古尔泰集团，后来被并入皇太极旗份下，仍不服帖，于是而引起反抗，展开厮杀，也是这次大狱的尾声。

不仅如此，当莽古尔泰向皇太极叩头请罪后，代善之子岳托即为他鸣不平："蓝旗贝勒独坐而哭，殊可悯，不知皇上与彼有何怨耶？"（《清太宗实录》）其次，莽古尔泰之弟德格类被牵连时，众贝勒闻而皆怒，惟独岳托变色道："贝勒德格类焉有此？必妄言也，或者词连我耶？"

莽古济的长女是岳托妻，次女为豪格（皇太极第一子）妻。岳托为莽古尔泰、德格类鸣不平,恐怕也因为是莽氏女婿之故,所以太宗皇太极责他"偏听哈达公主"(即莽古济)。后来豪格以莽古济欲害他父亲(太宗皇太极),岂可与害吾父者之女同处,因而将其妻杀死。岳托闻讯后上奏说:"豪格既杀其妻,臣妻亦难姑容。"太宗皇太极派人阻止。

这是权政争夺带来的残忍的变态心理,同时又说明当时妇女的悲惨命运,但岳托想杀其妻却是被动的。不久,他本人又因莽古尔泰案由王爵降为贝勒,罢兵部任。

岳托的妻子虽没被处死,却经常受到歧视,动辄得咎。

崇德二年(公元1637年),岳托在"暂令不得出门"期间,蒙古却送女与岳托作妻。第二年,这位新福晋却向刑部控告大福晋(即莽古济之女),设食时"摘我额上一发,似是魇魅之术"。大福晋辩白说:"适见尔发上有虮子,为尔捉之,误摘尔发,已于尔面前掷之矣。"刑部居然以论死奏上。皇太极说:"大福晋的母亲和妹妹(指豪格妻)已因罪伏诛,我若处以重罪,她将说我因仇恨其母,故入其罪,若从轻处置,她又怎能理会我的恩意?所以索性不表态。"于是诸权贵又商议以魇魅罪而定斩不赦。最后还是皇太极降旨免死,但在家另室居住,不得到岳托所,岳托也不得探视。

事情很明白,这位新福晋是在打下马威,结果达到了目的,刑部诸公则是出于势利,因为这时大福晋已经伶仃一人,而且被打入另册了。

崇德三年,岳托在征明之战中又被起用,连克十九城。第二年正月,在攻陷济南后,因染天花病亡,终年四十一岁,这时他父亲代善还在世。太宗皇太极闻而大哭,辍朝三天,追封为克勤郡王,其妻福晋从死。

谁知半年后,又被部下告发生前曾与莽古济丈夫琐诺木(即岳父)入内室密语,太宗皇太极也责他萌有不轨之心。代善等以为"当按律惩治,抛其骨,戮其子"。太宗皇太极以其已死,免予追究。后到康熙、乾隆时平反,清政府为他立碑纪功,配享太庙,入盛京贤王祠。

宫廷的派系争斗,政海的风波,一向复杂险恶。莽古尔泰集团

不甘屈服于皇太极而怀异谋，这是事实，只是生前作案未遂，身后大狱踵起，而卷入在这一漩涡中人的处境极为艰难，岳托的大福晋就是最悲惨的一个。

5. 多铎预谋帝位奇案

清太宗皇太极死后，觊觎帝位的，多铎也是其中之一。后来入关之后的扬州十日大屠杀，多铎就是当时的领旗大主帅。

多铎，努尔哈赤第十五子，皇太极异母弟，母为喇纳喇氏，与多尔衮为同母弟。在开国诸王中，多铎是战功卓著的一个。在八旗中，他也是实力最强的正白旗的主旗贝勒。

皇太极改元崇德（公元 1636 年），建号大清时，叙兄弟子侄军功，多铎封为和硕豫亲王，但册封的敕谕却说："考核功罪，虽无大功于国家，以父皇太祖之少子封为和硕豫亲王。"这等于是看在努尔哈赤太祖的情份上，可见太宗对这位弟弟的评价，多铎也常与太宗对抗，如太宗皇太极深恶正白旗的喀克笃礼及其宗族，多铎反而怜惜。元旦庆贺，却以瘸马进奉太宗皇太极。其人又爱玩女色伎乐。崇德三年，多尔衮率兵掠明，皇太极亲自送行，多铎假托避痘，竟不相送，就为了挟妓歌欢作乐，甚至披优伶之衣，学傅粉之态，这自然增加太宗皇太极对他的憎恶，但仍命他率师出征，盼期其立功自赎，后被明军袭击，乘机远逃，于是被太宗皇太极处罚，降为贝勒，多铎却不服气。后因击溃明军总兵吴三桂部，又与豪格等攻破松山，生擒了明总督洪承畴，又晋为多罗郡王，但册文中仍有"困锦州之三年，同和硕肃亲王克取松山，尔虽无大功，念尔少弟"语，可见太宗对多铎始终不作过高的评价，对将臣却说"无大功"，其实是在贬低他。

太宗皇太极去世，诸王对帝位跃跃欲试，多尔衮虽和多铎同母，但两人感情素不融洽，多铎却与豪格（比多铎长四岁）很亲近。在议立嗣君时，多铎曾劝多尔衮称帝，这是否是他由衷之言，也是个疑问。多尔衮犹豫不决。多铎坦言道："若不允，当立我，我名在太祖遗诏。"多尔衮说："肃亲王（豪格）亦有名，不独王也。"（见《清史稿·索尼传》）多尔衮原本当然不是要立豪格，多铎因此心中不快，并促成他和豪格之间的结怨。

多铎性爱声色，这还只是属于挟妓。顺治即位两月后，他竟然谋夺大学士范文程之妻。文程由明廷生员归清，事在太祖努尔哈赤时，深为太宗皇太极尊重，清人列为开国宰辅，年龄比多铎大十八岁，这时已是四十八岁，其妻的年龄当也不小。其事载于《清世祖实录》，并非野史传闻，由此可知多铎为人做事的荒唐。

事情被发觉后，多铎罚银一千两，并夺十五牛录。豪格知其事但没举报，罚银三千两。这件事起先只有豪格一人知道，可见两人关系密切，而豪格所罚之银反过于主犯三倍。不久，豪格和多铎外出放鹰，日久始归，多铎又猎于山林禁地，豪格不予制止，因此又被议罚。这对他们原是小事，却说明两人行迹之亲密。

当郑亲王济尔哈朗议立豪格时，多铎曾经加以阻止，后来十分懊悔，曾对豪格说："由今思之，殆失计矣。今愿出力效死于前。"（《清世祖实录》）这话也是半真半假。世祖顺治未即位时，帝位尚在明争暗斗中，还不知鹿死谁手，多铎自不希望豪格取得，如今大家都失败了，便生同病相怜之感，不惜用誓言讨好昔日的政敌。人情反复，恩怨由利害而转移，在权政斗争中原是常见的事例，同时反映了失败者的真实心理。

顺治二年（公元 1645 年）清军兵分二路南下。四月十五日，南明降将接引清军到扬州城下，多铎数次派人招降明督师史可法，都被严辞拒绝。二十五日，清军以红衣炮轰城，城的西北角崩裂，史可法知道大势已去，即持刀自刎，被参将许瑾双手抱住而没死，又被清军执送多铎军前，终于不屈而死。多铎于是下令屠城，到四月底封刀，据《焚户簿》所载，已有八十余万之多，其他被掳掠及自杀者还没计算在内。

唐杜荀鹤有一首名篇《再经胡城县》云：

去岁曾经此县城　悬民无口不冤声
今来县宰加朱绂　便是苍生血染成

奇案冤案

胡城县在今安徽阜阳西。这虽是咏晚唐的事，但同样适用于其他朝代。清代官员帽顶以红为贵，其间也不乏用老百姓的血染成的。

史可法死后，家人曾找他的遗骸，因天暑蒸变，无法辨识。到次年，于是将史可法的袍笏招魂葬于扬州城外的梅花岭。乾隆时，诗人蒋士铨有诗吊之云：

号令难安四镇强　甘同马革自沉湘
生无君相兴南国　死有衣冠葬北邙
碧血自封心更赤　梅花人拜土俱香
九原若遇左忠毅　相向留都哭战场

左忠毅指左光斗，史可法的老师。左光斗为阉党构陷下狱，将要处死，史可法贿赂狱卒得以探视，左光斗发怒说："国家之事，糜烂至此，老夫已矣，汝复轻身而昧大义，天下事谁可支持者？"史可法出来，常流涕对人说："吾师肺肝，皆铁石所铸造也。"后来史可法奉檄守御张献忠部队，自坐幄幕外，寒夜起立，衣甲上冰霜迸落，铿然有声，有人劝他休息，他说："吾上恐负朝廷，下恐负吾师也。"

梅花岭下的史公祠，也有一名联为人传诵：

数点梅花亡国泪
二分明月老臣心

到了丙午之变，史可法却成为问题人物，他的扬州衣冠塚，也遭人洗劫，理由就是因为他曾抗击张献忠部队。

当多铎血洗江南时，又在南京城纵其淫欲。胡蕴玉（朴安）曾录《多铎妃刘氏外传》一篇（见《清季野史》）。据小引说，根据墅西逸叟原作而加以删节。《外传》中记：虞山富商黄亮功遗孀刘氏，年已三十五，被旗兵所掳，送到南京豫王府，多铎见刘有艳色，于是娶纳她，次年生一子，即册立为妃。胡氏因称"亦《飞燕外传》之流亚也。"此事虽见于野史，但从多铎的做事行为看，并非

一　太祖太宗时期奇案冤案揭秘

虚构。这说明嗜杀与嗜色，几乎成为当时满清贵族的特征，这时更以征服者的淫威，把所谓子女玉帛当作战利品了。

多铎在清初宫廷斗争中并不是重要角色，他的一些活动，只能说是插曲，睿王多尔衮还一直想笼络他。顺治六年，多铎病亡于北京，终年三十六岁。顺治九年，以多铎"罪状虽未显著，然与睿亲王系同胞兄弟一体无异"，降为多罗郡王，这是受了多尔衮案的牵连。乾隆时，乾隆给予其翻案昭雪，恢复其原封，并配享太庙。

二　顺治朝奇案冤案揭秘

这位十四岁才亲政，拿到皇权不过十年的小皇帝，火气不小，他一手制造了诛杀无数无辜者的『多尔衮谋逆』奇案和大清王朝第一起文字大狱即函可《变纪》冤案。但他在后宫情感上却一反常态，独一份痴爱董妃，以致成为后人都无法断论的一桩奇案——此董妃究竟哪方美人儿？

1. 孝庄皇太后下嫁睿亲王奇案

孝庄太后姓博尔济吉特氏，出生于蒙古科尔沁部，贝勒寨桑之女，后嫁与太宗皇太极作妻，时年十三岁。她的姐姐也嫁与太宗，即宸妃。两人又是太宗中宫皇后的侄女。

太宗崇德元年（即公元 1636 年）被封为永福宫庄妃。三年正月，生子福临，即后来的世祖顺治。福临即位，尊为皇太后，史称孝庄太后，也称顺治太后。她守寡时正值三十岁，还在关外，比多尔衮年少两岁。

孝庄是一个聪明能干，富有谋略，且很有姿色的女强人，对清王朝的建国贡献卓著。

孝庄太后下嫁的主要根据有这么几点：

①明遗臣张煌言《建夷宫词》之一说：

上寿觞为合卺樽，慈宁宫里烂盈门。

春官昨进新仪注，大礼恭逢太后婚。

明成祖时于女真族所居地为建州卫，这里指满清。慈宁宫在紫禁城内隆宗门西，清朝为皇太后所居，皇后则居坤宁宫。春官指礼部。太后而曰"婚"，自然是改嫁了。

②多尔衮为顺治皇帝的叔父，清廷先称为皇叔父，后则直呼皇父。这是很奇特的。

③孝庄病重时（死时为七十五岁），遗命不与已故丈夫皇太极合葬，而别营陵墓于关内，她的理由是太宗奉安已久，不可再惊动他。昭西陵的碑文上有"念太宗之山陵已久，卑不动尊。惟世祖之兆域非遥，母宜从子"语。后来人认为这是她内心自愧于皇太极的

原因。

孟森在《太后下嫁考实》中都予驳正：

张煌言作为明遗臣，坚持抗清，其中"自必有成见"，含诽谤性质，而且写诗时人在南方，所以远道的传闻，邻敌的口语，很难作为依据，"且诗之为物，尤可以兴到挥洒，不负传信之责"。

蒋氏《东华录》曾记清廷于议多尔衮罪状中有一款说："自称皇父摄政王，又亲到皇宫内院。"（此为王氏《东华录》所无）孟氏评说："但'亲到皇宫内院'一句最可疑，然最可疑，只可疑其曾渎乱宫廷，决非如世传之太后大婚，且有大婚典礼之文布告天下等说也。"

至于皇父之称，"由报功而来，非由渎伦而来，实符古人尚父、仲父之意"。这一点，郑天挺《多尔衮称皇父之由来》一文，辩证特别详细明确，他疑心"皇父"之称与"叔父摄政王"、"叔王"，"同为清初亲贵之爵秩，而非伦常的通称，其源盖出于族中旧俗"。和孟氏的由报功而非渎伦相合。

清朝皇后与皇帝分葬的，不仅孝庄一人，如孝惠皇后与顺治，孝圣皇后之与雍正等，且当时已有另一皇后孝端后和皇太极合葬在先，自更难合葬。

但，①张煌言虽与新朝对敌，他的为人一向正直严谨，如果并无其事，还不至故意毁一妇人名节，即使他得自民间传闻，但这时清人已入主中原，民间正慑于新朝的威暴，怎么会有这种传闻？

②清人称多尔衮为皇父，和古代称功臣为尚文、仲父不同，这两处的"父"字应读"府"。《清圣祖实录》记孝庄临死前对她孙子玄烨（圣祖康熙）说："我心恋汝皇父及汝，不忍远去。"这里的皇父虽指圣祖之父世祖，却说明皇父即父亲之意。孟氏又引《朝鲜仁祖实录》的话，正说明此中匣剑帷灯、扑朔迷离之状，那意思是说：清国何以有皇父摄政王之语？使臣回答说：（从前还用"叔"字），现在连"叔"字也不用了，所以仁祖说："然则二帝矣。"仁祖起先为什么有此问词，不正是已闻下嫁的信息吗？孟氏以为《实录》中没有说明太后下嫁即作为无其事之证，未免过于迂执。胡适

致孟氏书中说："所云'今则去叔字'，似亦是所答非所问。"细加玩味，答语似隐而实显。

③据牟小东《清孝庄后下嫁之旁证》考释：清朝皇后和皇帝分葬的，如孝惠、孝圣等，她们都葬于陵园"风水墙"之内，独有孝庄后的昭西陵在"风水墙"之外。她的灵柩浮厝于"暂安奉殿"近四十年。《朝鲜李朝实录》在康熙二十七年正月，记邻邦朝鲜闻孝庄去世，却秘不发丧，朝鲜大臣感到奇怪。这是因为圣祖康熙已感染汉化，越发感到其祖母下嫁不光彩，所以有秘不发丧、灵柩浮厝等措施。

再从风俗上考察，这种娶兄嫂、姑母、侄女等渎伦事，在关外时非常普遍，皇太极与庄妃即是姑父和侄女。这里还可补充一点：孝庄寡居时，正在盛年，入关初期礼教观念很淡薄，从情欲上说，也很有可能。这话似近不经，但考察历史上某些妇女的生活史，其实是很重要的因素，如才女李清照在四十七岁时的再嫁。

前述多尔衮罪状中"自称皇父摄政王，又亲到皇宫内院"一话，孟氏也认为最可疑，又觉得"决非如世传之太后大婚"。大婚、布告与否，暂不深究，但有一点却是很明白的：这个"皇宫内院"只能指太后居处，正因孝庄已成多尔衮之妻，他才能以皇父之尊，堂而皇之进入内院。他在当时这样做，并不算错。孟氏的入室弟子商鸿逵，在《清"孝庄文皇后"小记》中，先认为单凭一些记载还不能作为下嫁的确证。接着说："但即让有此事，也只能把它当作一种政治手段看待。"商鸿逵也承认有此可能，不如孟氏那样说得坚决。

《鞑靼战纪》所记世祖顺治命人将多尔衮尸体挖出，以棍鞭抽打，最后砍头暴尸，这不能不让人疑问：世祖对多尔衮为什么仇恨到这个地步？世祖的嗣位，当初主要由多尔衮拥立以致扶持，他并不是不知道，如果不是使他感到奇耻大辱，何至采用这样残忍手段对付逝者？

另据刘文兴《皇父摄政王起居注》一书跋文："清季宣统初元，内阁库垣圮。时家君（刘启瑞）方任阁读，奉朝命检库藏。既得顺治时太后下嫁皇父摄政王诏，遂以闻于朝。"阁读指内阁侍读学士，为四品官，掌收发本章、总稽翻译，为清代独有官名。这是很有力的证据，刘氏跋语当可相信，可惜诏书未曾传世。至于《清稗类钞》及《清宫十三朝演义》所载下嫁诏书，纯为文人舞弄笔墨，后者出自小说家所言，两处诏文措词不同，其伪可知。

太后下嫁时（当在顺治六年前），世祖还年幼，到多尔衮死后，遂有削爵、毁尸等报复性举措。至高宗乾隆时，汉化已深，国母而再婚，更不成体统，索性将多尔衮平反，示天下以无隐秘。蒋氏《东华录》，因依《实录》红本为主，尚载亲到皇宫内院情节等等，光绪时王氏《东华录》成，乃削去加封皇父一节。这也有两种解释：一是欲盖弥彰，足见皇父与下嫁相关；一是本是报功的尊称，又恐引起后人误会，故而删除。

因为孝庄太后事件对后世影响的深远，王梦阮《红楼梦索隐》以为第十八回元妃归省，便是影射孝庄下嫁的大典："行礼已毕，复行更衣，另备车驾，至贾母上房叙家人之礼，意者先御正殿，后入寝宫，所谓骨肉不分，天伦有有乐者即在此邪？"又说："是曰入宫，亦曰入府（指摄政王府），为临幸后之第一步。"第二十九回贾珍知道张道士是当日荣国公的替身，则说："是指为睿王替身，荣国公即从睿王名衮字上化出。……睿王替身，即元妙观之老神仙也。"并以为此回是"写睿王死后，孝庄追念的光景"。此固然有牵强附会之意，也见得太后下嫁说深入到各个方面。又据《清朝野史大观》卷一，太后下嫁后"出居睿亲王府"，这也为想象之词，与罪状中"亲到皇宫内院"便不符合。

孝庄下嫁如果是事实，当在顺治二年至六年，但到顺治七年三月，多尔衮又谕示邻邦朝鲜国王，索取国王的妹女、近族或大臣之女为妃嫔，可见其人之好色，总而言之，权欲与情欲便是贯穿了他的一生。同年十二月，他就死了。

就史学界观点来看，孝庄下嫁一案现今虽尚不能作明确结论，但近二三十年来，相信下嫁是事实的人却更多了。清朝的史官文书自然不会明白记载，但种种迹象，不难窥测，特别是对多尔衮尊贬

的翻覆易变上，最可从夹缝中窥探出真相。

2.《变纪》书稿冤案

顺治四年（即公元 1647 年），距离清兵铁蹄践踏江南已有两年多时间，江宁（清兵占领后将南京改为江宁府）城内，除城门各口仍设满洲驻防兵把守外，一切秩序似乎恢复到正常状态。十月的一天，有位中年僧人想离开江宁南下，在熙熙攘攘的城门口接受度牒检查。城守兵发现，这个和尚竟然持有钦命招抚江南各省地方总督军务兼理粮饷、大学士洪承畴发给的护行印牌，立即警觉起来，仔细遍查其行装，从存放经卷的竹篓里找出南明福王答阮大铖的信件和自撰《变纪》一书，于是立即将他扣押。

这个僧人到底何许人也？为什么凭几页书稿就要被抓起来呢？

原来这个僧人法名函可（公元 1612 年～公元 1660 年），本姓韩，名宗䮲，字祖心，广东惠州博罗县人。其父韩日缵，原为明崇祯年间礼部尚书。韩宗䮲出身官宦显贵，自幼聪颖过人，成年以后，广交名士，砥砺名节，"有康济天下之志"，且性格好义，豪快疏阔，爱打抱不平，"有贫士冤狱自分死，师（即宗䮲）密白得免"，所以"声名倾动一时，海内名人以不获交韩长公（子）䮲为耻"。

韩宗䮲早年生活，正处于明王朝根基摇晃、大厦将倾的大动乱时期。不少读书人，目睹朝政腐败，内忧外患接连而至，既不屑同流合污，又无力挽狂澜于既倒，因而愤懑丛生，普遍表现为恃才傲物，厌世嫉俗，终日置身于水榭楼台，热衷于诗酒牢骚之中，对活生生现实采取消沉回避态度。据《普济剩禅师塔碑铭》记载：当时韩宗䮲等，"颇绝意进取，日罗声色，嗜饮酒，前堂置宾客，后帐列伎女，任使慷慨，交游骈闐，户外履相错，时人慕之为豪士"。其人简直放荡不羁，近乎荒唐。

明崇祯九年，其父病死京城。亲人辞世，家道零落，使他"闭门绝交游，悒悒无生人趣"，觉得"人间半点也靠不住"，万念俱灰，于是有超脱凡尘、遁入空门的强烈愿望。经过三年悟性，他终于下定决心，撇下慈母妻妾弟妹家人，崇祯十三年（公元1640年）二十九岁时，偕挚友同登江西匡山（即今庐山）削发，皈依佛祖，取法名函可，"以世度沧桑，号剩人"。

但是，具有正直士子忧国忧民禀性的函可，不可能六根除净，血性消匿。崇祯十七年李自成农民军攻破北京城，明皇帝上吊于煤山寿皇亭海棠树。甲申之变噩耗传到南方，南京明朝兵部尚书史可法尚且呼天号地，以头触柱，血流至踵，更何况像函可这样的臣民。他虽身处禅堂，地僻南疆，木鱼钟声相伴，然而改天换地阶级搏斗的消息与终未泯灭的凡根相冲撞，掀起心灵滚滚激浪，使他难于入定，"悲恸形于辞色"。不久清兵入关，李自成败退西安，满洲贵族在北京建立清王朝中央政权。君父遭难，故国沦丧，异族入主中原，所有这一切对当时尚未被征服的南方汉族知识分子来说，无异于"天崩地解"。函可感到渺茫、惶惑无所措。顺治元年（公元1644年）五月，在南京建立了以福王朱由崧为首的南明弘光王朝，这消息像茫茫黑夜的一线晨曦，给予函可以极大慰藉，他充满希望憧憬，仿佛看到大明帝国在地平线上升起。第二年春天，他借"请藏经"为名，亲临南京，去分享重建故国的喜悦。

函可在南京期间，寄宿好友顾梦游家。诗人顾梦游，字与治，南京人，明官宦世家子弟，"少称神童，十岁作荷花赋"，高风亮节，以出污泥而不染自喻。他血气方刚，"见国事日非"，相结四方贤豪，以文会友，或醉舟秦淮，或诗吟钟山。函可与他结为方外莫逆交，正是他们思想情操以至于政治态度互为一致的原故。

然而好景不长，函可居南京近三个月，对南明新朝还未有所了解，顺治二年（公元1645年）三月，左良玉以清君侧为由举兵造反，陷九江，下安庆，内战骤起，弘光朝一片混乱。清豫亲王多铎率大军以摧枯拉朽之势自河南长驱而下，破徐州，渡淮河，扬州十日，镇江开钥，五月便进入南京。弘光小朝廷巢倾卵覆，朱由崧窜逃芜湖又被捉了回来。有大臣如钱谦益等捧舆图册籍于城外跪降；有大臣如马士英等挟太后作政治资本出奔；有大臣如史可法等坚持抵抗流尽最后一滴血；有大臣如方倬等无力回天又不甘屈服而自裁

殉死。函可亲历其间，这"甲申之变"惨状的再现，又一次国破色变对他打击太大，再也按捺不住了。明朝正统观与民族大义感融合成不可压抑的精神力量，他挥笔疾书，把目睹耳闻之死事，一桩桩一件件记录下来，汇成书稿，书名叫《变纪》。

《变纪》因为是手稿，且被清兵没收，难逃被销毁之厄运，其详细内容现已无法查明。但作者站在南明立场，用满腔激情，记述了弘光朝仁人志士不甘亡国悲壮献身的事迹，这是可以肯定的。据函可的师兄函昰回忆：书中"闻某遇难某自裁，皆有挽，过情伤时，人多危之，师（即函可）为之自若"。可见，书中哀挽颂扬那些死者，是为抗清或自绝于清朝而牺牲的，对于清统治者来说，当然要犯忌讳。但该书只记死事，没有诋毁或号召反清之言辞，且为一文稿，并未刻印，尚无任何影响。如果想息事宁人，把它看作文人雅士喜欢摆弄笔墨习气，也未尝不可。

至于明朝福王朱由崧答阮大铖书稿，已无从考查。阮大铖为明季阉党成员，崇祯年间失势。他与福王朱由崧有交往，应在顺治元年（公元1644年）六月马士英推荐谒见到顺治二年五月清军陷南京这一年间。据现有史料，阮大铖于六、七月间曾向朱由崧上《备江策》两疏，主要内容为阻止李自成农民军突破长江天堑，陈述守江"三要两合十四隙"的防卫计划和措施。接着朱由崧提用阮大铖，遭到满朝尤其原东林派的坚决反对，明季阉党和清流生死搏斗在弘光新朝重演，深深打下了明王朝腐败没落的烙印。八月，命阮大铖兼金都御史，巡视江防，掌握军事大权。他再上疏言党争，诋诬东林，为自己辩护。顺治二年二月，明又晋升阮大铖为兵部尚书兼左副都御史，奉命巡江。他在陛辞疏中表示"君父再造之恩，倘犬马不伸其报，即豺狼岂食其余"。总观阮大铖上奏四五疏，皆言防御农民军及左良玉南下军事。福王朱由崧的答书，无非关于江防和党争二端，其中内容并无悖逆于清。而且此时弘光朝早已不存在，以此定罪实属勉强。

其实，《变纪》案发，背景十分复杂，直接牵涉到江宁军政首脑洪承畴与巴山的矛盾。

江南重镇南京虽被清军占领，弘光朝在这一地区的军事实力几乎全部覆没。但各地抗清斗争此伏彼起，使清兵马不卸鞍，寝食无定，难以建立有效统治。于是，顺治二年闰六月，摄政王多尔衮采用剿抚方略，命老谋深算的大学士洪承畴到江宁，招抚南方各省，总督军务，兼理粮饷。铸"招抚南方总督军务大学士"印，"赐敕便宜行事"。不久，又命昂邦章京巴山总管江宁驻防满洲兵，张大猷为提督江南总兵官，总管汉军及绿旗兵。洪承畴到任后，仅半年时间，就招抚了江南宁国、徽州、江西南昌、九江等十三府，攻破抗清义军据点江南绩溪、婺源。顺治三年（公元1646年），洪承畴与巴山通力合作，剿抚并举，连续五次用兵，镇压了江宁及周围地区的抗清斗争。

当时睿亲王多尔衮以为自己慧眼识英雄，启用洪承畴收拾多铎留下的难以稳定的江南局势，十分得意。但洪承畴毕竟是汉人，与明朝关系很厚，南京曾是明开国京城，那里聚集着大批故明遗臣，多尔衮也觉得不太放心。所以他把守卫江宁的重担专交巴山负责。巴山，瓜尔佳尔氏，满洲镶黄旗人，从清太宗皇太极南征北讨，立下汗马功劳。进关后参与击败李自成大顺军战役，然后镇守江宁。巴山被派驻江宁的目的，除了他是一名能征善战的骁将，藉以保证满洲兵在江南地区实力外，也是为了牵制和监视洪承畴。虽然给洪"便宜行事"，但也不让其为所欲为。这样，他们在镇压抗清斗争的问题上是一致的，在使用各自的权力上却存在着矛盾。

例如，顺治四年初，因抗清死难的故明左通政侯峒曾，其子侯元静曾派密使谢文尧，与在浙江海上继续抗清的鲁王朱以海联络。谢文尧在返回江宁途中，被清军抓获，搜出鲁王敕书，封洪承畴为国公，土国宝（江宁巡抚）为侯，并有鲁王将领黄斌卿致洪、土密信，说："内伏承畴，杀巴、张（指张大猷）二将；外托国宝，靖除地方。"并说"承畴所具本章，已为转奏"。巴山如获至宝，迅速密报清廷。洪承畴得知巴山告密消息，立即上疏摄政王，以惊闻父丧和眼疾加剧为由请求解职守制。其实他的父亲早于崇祯十六年九月去世，已经好几年了。至于眼病，还不至于要皇上、皇叔父"特赐怜悯"。可见洪承畴的奏疏，暗示已知巴山给他泼脏水，要求澄清，以正视听，有点要挟的意思。多尔衮认为洪承畴对清朝的忠诚

还是主要的，然而洪承畴的社会关系复杂，难免有瓜葛之事。五月传帝谕洪承畴、土国宝，明确表示"卿等皆我朝效力大臣，故反间以图明陷，朕岂堕此小人之计耶"？望他们忠诚勤谨，以报国恩，"勿以此介意"，给洪承畴吃了定心丸。与此同时，又传谕巴山、张大猷，称赞他们"遇有乱萌及奸细往来，严密拿解，俱见尔等公忠尽职"，表扬巴山干得好。既平息了这场纠纷，又继续保持矛盾。七月间，因镇守江宁满洲兵多为骁骑，携带十二马群以充军备。为此需要在附近开辟牧草场。然而江宁乃江南都市，人口稠密，土地缺少，且多为民间种植田亩，无法建立草场。洪承畴反对这样做，上疏请求免建草场，给巴山一个闷棍，这样更加剧了双方的矛盾。

　　所以，函可案发，无疑为巴山提供一颗打击洪承畴的炮弹。因为函可的通行证是洪承畴亲自颁发的，持此通行证的人却藏有"逆书"，岂不是洪承畴真与抗清有联系。巴山急不可待地将此案秘密上报朝廷，同时怀疑还有徒党，煞有介事地动员驻防军进行全城搜捕，"拷掠至数百"。将函可单独押在军中，不同洪承畴磋商，就秘密进行审讯。函可始终承认《变纪》是他一人私撰的，与他人无涉。于是用酷刑，使木棍夹双足，"夹木再折，血淋没趾，无二语"。巴山一无所得，又把函可用铁链绕项脖三圈，送军营禁闭等候再审。他"两足重伤走二十里如平时"，江宁围观百姓都知道函可是无辜的，"为之含泪而不发一语"。

　　那位为函可提供写作条件的顾梦游，也被牵连受审。但这位肝胆相照的朋友，"白刃交颈，人鬼呼吸，无变色，无悔词"，坚定而不吐一字。他在《送祖心还岭南》诗中，早就有"心事两年同下泪，莺声明日独凭楼"的绝句，可见他们两人意气相通的深厚情谊。函可被流放沈阳后，写给顾梦游一首诗，其中两句是这样的："一卷诗书动甲兵，鸟飞鱼逝海天惊。许多人士欣同死，费尽精神荷再生。"表达了对顾梦游没有出卖朋友，为了共同信仰视死如归气概的敬慕。

　　这个小小案件被巴山人为地扩大，从上到下牵涉了不少人，首当其冲的当然是洪承畴。几个月前洪承畴就被巴山告了一状，这次又来一家伙，使他如坐针毡，十分被动。他审时度势，马上向朝廷引咎上疏："犯僧函可，系臣会试房师、故明礼部尚书韩日缵之子。"到江宁印刷藏经，念及世谊，"臣给印牌令回广东，因出城门盘验，经箪中有福王答阮大铖书稿，又有《变纪》一书，干预时事。函可自取愆尤，臣有世谊，理应避嫌"。至于"臣之情罪轻重，乞敕部察议"。洪承畴真不愧为一个足智多谋、有权力斗争经验的老手。他以因世谊发给印牌说明与案情无直接关系，并高姿态地回避参与处置此案，暗指由巴山单独审理有偏狭之嫌，将球踢给朝廷。

摄政王多尔衮不愿洪承畴、巴山的矛盾激化，否则定要影响江南稳定这个大局，便命将函可械送北京，由刑部审理定罪。对于洪承畴，吏部以"私发护身印牌"渎职罪，奏议应予革职。顺治五年四月十八日得旨："洪承畴素受眷养，奉命江南，劳绩可嘉，姑从宽宥。"给他一个体面的警告。巴山在一年内连续两次告密洪承畴参与谋逆，成为当时轰动朝野的两起大案，洪承畴感到寒心，实在无法再在江宁呆下去。他再次以父丧和眼病恳请回京，清政府无奈，不久将他召回，仍任职内三院。而巴山结怨洪承畴，虽未获罪，却影响了了升迁。

函可羁押在北京，经刑部审理，判决将他及其徒法纬等四人流放沈阳。顺治五年四月二十八日，函可等到达戍所，开始了他的诗歌大创作时期。流放四年后，函可才知道广东老家因抗清，多数亲友都死于非难。"几载望乡音，音来却畏真。举家数百口，一弟独为人。"最后连这个弟弟也被迫害死。国亡家破亲绝集于函可一人之身。他悲痛："我有两行泪，十年不得干。"他呐喊："不知是血复是魂，化作吴刀切心髓。"他自勉："努力事前路，勿为儿女悲。"

流放期间，函可倡立了"冰天诗社"，有当时被流放的名士、谪官及隐逸、僧道共三十多人参加。函可创作了大量诗篇，至今留传还有近一千五百首。顺治十六年冬（公元1660年），他病死于沈阳，年四十九岁。康熙十二年，函可的弟子搜集他的诗作，汇成《千山诗集》付刻印行。乾隆四十年，即函可死后一百一十六年，在查禁书大兴文字狱灾动期间，抄出了《千山诗集》。乾隆帝"恐无识之徒目为流淄高品，并恐沈阳地方或奉以为开山祖席，于世道人心甚有关系"。命地方官"查明具实复奏"。于是，凡函可住过的

寺庙及双峰寺所遗碑塔，尽行拆毁，连《盛京通志》中所载事迹也逐一删除。所著《千山诗集》、《千山语录》被列入禁书。这位清朝文字狱第一个罹难者，在其死后一百多年，又遭受另一次文字狱的迫害。

3. 董妃与董小宛的清宫奇案

清世祖顺治的爱妃董妃，史称很有淑德，深得世祖顺治的宠爱，顺治十七年（即公元 1657 年）死，追封为皇后，谥孝献。

董妃为何许人也？一些裨官野史写道：董妃名董小宛，为南京秦淮河上的一个名妓，明朝末年，清军攻入南京时，清豫王多铎将董小宛掳到北京，献给清世祖顺治皇帝，并封称董鄂妃，后来不幸夭亡，世祖痛念欲绝，看破红尘，到五台山当了和尚。传奇式的叙述，好像真有那么回事似的。以一个万乘之尊的皇帝，为了一个名妓，竟然放弃锦绣河山，遁入了空门，千古奇谈，莫过于此了。

那么，董妃究竟是谁？

原来董妃即董鄂，也作栋鄂，为满人三等伯鄂硕的女儿，十八岁被选入宫，世祖顺治封其为皇贵妃。顺治十七年（公元 1657 年）生一子，三个月后因病去世，追封为皇后。

而董小宛，为明末南京秦淮河上的名妓，当时的文人骚客没有不知道她的名字的。小宛名白，字小宛，别号青莲。生于明天启四年（公元 1622 年），十几岁时沦为妓女，十九岁嫁江南四公子（方以智、陈贞慧、侯方成、冒襄）之一的冒襄为妾。冒襄，字辟疆，号巢民，江苏如皋人，明末副贡，授台州推官不仕。明朝灭亡后，隐居乡里，不仕清朝。董小宛与冒襄的结合，是一桩才子佳人富有诗情画意的故事：

话说明崇祯十二年（公元 1639 年）冒襄慕董小宛之名，二人在南京半塘相见，这时小宛年仅十六岁。三年后，到了崇祯十五年（公元 1641 年）小宛生病，冒襄特来探望，在病床前冒襄倍加照顾，两人情义日增。经友人钱牧斋从中撮合，十二月小宛脱离风尘，嫁冒襄为妾。这时小宛十九岁，冒襄三十三岁。小宛到冒家后，极尽妇道，贤慧过人。冒襄著《影梅庵忆语》记述很详："姬（即小宛）在别室四月，荆人（指冒襄原配苏氏）携之归，入门，吾母太恭人与荆人见而爱异之，加以殊眷。幼姑长姊，尤珍重相亲。谓其德性举止，均非常人。而姬之侍左右，服劳承旨，较婢妇有加无己。烹茗剥果必手进，开眉解意，爬背喻痒。当大寒暑，折膠铄金时，必拱座隅，强之坐饮食，旋坐，旋饮食，旋起，执役拱立如初。余每课儿文，不称意，加复楚，姬必督之改削成章，庄书以进，至夜不懈。越九年，与荆人无一言枘凿。至于视众御下，慈让不遑，咸感其惠。余出入应酬之费，与荆人日用，金错家布，皆出姬手，姬不私铢两，不爱积蓄，不制一宝粟钗钿。"

那时候，清兵入境，占领了大半个中国，明朝即将覆灭。江南一带，到处兵荒马乱。冒襄一家离乡逃难，一日数迁。在这战乱的生活中，董小宛随同冒家颠沛流离，受尽了苦痛。冒襄在《梅影庵忆语》中记述道："巢民携带家口一度逃出盐城外，乱稍定，匍匐入城，夜假宿于方坦庵年伯家，……时当残秋，窗风四射。翌日，乞斗米束薪于诸家。……余则感寒，痎疟沓作矣。横白板扉为榻，去地尺许，积破絮为卫，炉煨霜结，药缺攻补。且乱阻吴门，……又冒险渡江，尤不敢竟归家园，暂栖海陵，阅冬春百五十日，病方稍痊。此百五十日，姬仅卷一破席，横陈榻旁。寒则拥抱，热则披拂，痛则抚摸，或枕其身，或卫其足，或欠身起伏为之左右翼。凡痛骨之所适，皆以身就之。鹿鹿永夜，无形无声，皆存视听，汤药手口交进，下至粪秽，皆接以目鼻，细察色味，以为忧喜。日食粗粝一餐，与吁天稽首外，非跪立我前，温慰曲说，以求我之破颜。余病失常性，时发暴怒，谇诟之至，色不少忤。越五月如一日。每见姬星靥如蜡，弱骨如柴。吾母太恭人及荆妻怜之感之，愿代假一息。姬曰："竭我心力，以殉夫子，夫子生，我死犹生也。如夫子不测，余留此身于兵燹间，将安寄托？"更忆病剧时，长夜不寐，莽风飘瓦，盐官城中，日杀数十百人，夜半鬼声啾啸来我破窗前，如蛩如箭，举室饥寒之人，皆辛苦躺睡。余背贴姬心而坐，姬以手固握余手，倾耳静听，凄激荒惨，欷歔流涕。姬谓余曰："我入君门整四载，早夜见君所为，慷慨多风象，毫发几微，不邻薄恶。凡

君受过之处，余敬之。敬君之心，实逾于爱君之身。鬼神赞叹畏避之身也，冥漠有知，定加默祐。但人生身当此境，奇惨异险，动静备历，苟非金石，鲜不销亡。异日幸生还，当与君敝屣万有，逍遥物外，慎勿忘此际此语。"这段记述，听来如泣如诉，道出两人的厚义深情。可怜年方二十八岁的董小宛，因积劳成疾，顺治八年（公元1651年）死去，葬在影梅庵旁。冒襄作《影梅庵忆语》两千四言用以悼之。

自古才子佳人多情义，而董小宛与冒襄给后人留下一段风流佳话。裨官野史将董小宛移植为清世祖顺治的董妃，阴错阳差，混淆了多少人的视听。且不说清朝制度是禁止满汉通婚的。宫内选秀女、选妃，都是在满族人内挑选。董小宛为汉人，又是名妓，何能被选入宫？再则，清世祖顺治与董小宛的年龄相差悬殊。上文说到崇祯十六年（公元1643年）董小宛与冒襄结合时，董小宛十九岁，而清世祖福临年仅五岁；董小宛死于顺治八年（公元1651年），年方二十八岁，清世祖福临才是十四岁的童子。一个十四岁的小皇帝，为何能纳一个近三十岁的妇女为妃呢？细想一下，董鄂妃的译音与董小宛都有一个"董"字，这恐怕就是错把小宛当董妃的一个遮头吧！

4. 顺治朝几起笔祸冤案

（1）"皇叔父"与"王叔父"案

清王朝在北京建立中央政权，为健全和稳定全国行政机构，培养维护其统治的官吏，沿习历代王朝惯例，实行开科取士。顺治元年，规定以子午卯酉年乡试，辰戌丑未年会试。各县诸生于省城考试，叫乡试，每三年举行一次，考中者为举人。第二年二月，中考者集齐于京城再考，此叫会试。

顺治二年（即公元1645年）为清王朝第一次乡试，河南省乡试于八月初九日首场，十二日二场，十五日末场。三场完毕，发现中举者中竟有人将"皇叔父"写成"王叔父"。因为顺治元年十月，皇帝福临在北京登基，表彰摄政王多尔衮对清朝入主中原的功勋，认为其功"此皆周公所未有而叔父过之"。特颁诏加封多尔衮"为叔父摄政王，锡之册宝，式昭宠异"。因此，多尔衮应称为"皇叔父摄政王"。考卷中将"皇叔父"写成"王叔父"，对当时权势鼎盛的多尔衮来说，一是不敬天子帝王，二是轻视摄政王。就这样，负责此次考试的主要考官欧阳蒸、吕云藻全部被革职，并交由刑部问罪。

（2）坊刻制艺序案

顺治初年，清廷忙于战争，文网之事，尚未被重视，且新旧朝代更迭，规章制度尚待确立，胜朝遗民士子对新朝并不顺服。顺治五年（即公元1648年）四月，大学士刚林有"直纠悖乱坊刻以正人心"疏，发起又一桩文字狱。

刚林，满洲正黄旗人，精通汉文，天聪年间以汉文应试中举，崇德元年授国史院大学士。入关后，与范文程等参与政事，依附摄政王多尔衮。刚林于疏中称，因以汉文教授子孙，发觉坊刻选文"皆悖谬荒唐，显违功令，已令人不胜骇异"。尤其所书"制艺序"，"只写丁亥干支，并无顺治年号，以尊一统，历代皆然，目无本朝，阳顺阴违，逆罪犯不赦之条"。于是定谳，将有关人员毛重倬、胥庭清、史树骏、缪慧远等均置于法。当时礼科杨栖鹗遂有请正文体一疏，要求规定"自今闱中墨牍必经词臣造订，礼臣校阅，方许刊行，其余房社杂稿概行禁止"，以此控制出版权限。

（3）黄毓祺复明诗词案

黄敏祺，字介之，号大愚，明天启元年贡生，江苏江阴县人，性忠义慷慨，素有文誉，尤善禅学、诗词，知交遍国内，家产占半江城。顺治二年，清军攻打江阴，他破家抒难，城陷后亡命淮南，曾前后接受南明鲁王监国，唐王隆武的官职，筹划义师抗清屡败。顺治四年，易姓埋名，隐居于寺院，创作不少诗篇，表示"纵使逆天成底事，倒行日暮不知还"的决心。

顺治五年（即公元1648年）春，黄毓祺在泰州被人告发，搜获原南明鲁监国颁给旧铜印一颗，诗集一本，被捕者除黄毓祺外，还有其友人薛继周等人。黄毓祺的诗集，和他的行动一致，当然是要恢复明朝，其中不乏"悖逆"之词。他的狱写供词，直言不讳，称："道重君亲，教先孝弟，某逃禅已久，岂有宦情？义愤激中，情不容己，明主嘉诚，遣使授职，招贤选士，分所应然。衰愤旷官，死有余责。"三月被解送江宁（南京）监狱。凤阳巡抚陈之龙疏奏，并以回籍之江南名士钱谦益曾留黄毓祺宿其家，且赞助金五千两招兵等情入奏。四月得旨，"黄毓祺著正法"，其有关人等由地方官查拿究罪，其子两人依律发旗下为奴，并诏命江南总督马国柱审讯钱谦益。

钱谦益，常熟人，原为南明弘光朝礼部尚书，谙悉朝典，博学工词章，著述颇多。清兵下江南，钱谦益迎降，清廷命以礼部侍郎管秘书院事，又充修明史副总裁。顺治三年六月以病回籍。摄政王疑有异心，令抚按常视疾以告。黄毓祺案发，钱谦益至江宁诉辩，言"图报不遑"，况年已七十，奄奄余息，行动且靠人扶掖，岂有他念，恳请马国柱为之开脱。恰好首告钱谦益从逆之盛名儒逃匿不敢对质，且黄毓祺已病死狱中，马国柱便以钱与黄素不相识定谳，具疏为其解罪释归。据一当时人材料称，钱谦益用贿三十万两才得免罪。

黄毓祺的诗词已毁失不可收集，入狱时的"反诗一本"，可能是《小游仙诗》（黄介之自订）。他在自跋诗后曰："余渡江后，诗皆为吟取去，只存《小游仙》四十二章，海陵狱中多索书者，聊以此应之。"剩下诗六章，加了小注，交付看门人邓大临偷偷送出，至今留传下来仅此六首。黄毓祺在狱中病死，按律戮其尸，邓大临赎其遗体归葬。

（4）《怀旧集》手钞本案

冯舒，字已苍，江苏常熟人，明季诸生，擅长文学，家多藏书，又极有学识。据县志记载，他为人豪爽，心直口快，嫉恶如仇且不畏权势，庶吉士太仓人张溥与张采创立复社，联络吴、越文人雅士，曾招请冯舒，他因觉得耻居人后，秀才争气，拒不参加。著有《默庵遗稿》、《凡空集》、《北征集》、《浮海集》、《避人集》、《幽违集》、《怀旧集》等。

时常熟县令瞿四达，贪赃枉法，民怨沸腾，诸生黄启耀等上告县令贪状。因冯舒对县中钱粮开支弊端了如指掌，瞿四达以为告状出自冯舒的手笔，怀恨在心，利用冯舒《怀旧集》手钞本自序中只书"太岁丁亥"，不列写清朝国号年号，并摘其诗中忌讳语，坐以讥讽毁谤本朝之罪，最后将冯舒杀死于狱中。

冯舒为钱谦益的密友。崇祯十年，常熟人张汉儒参礼部右侍郎钱谦益、科臣瞿式耜："喜怒操人才进退之权，贿赂握江南生死之柄。""甚至侵国帑，谤朝廷，危社稷。"于是将钱、瞿逮捕下锦衣卫狱。钱谦益托冯舒求援于大学士冯铨，加上太监曹化淳的干预，才免于一死。然而瞿四达从来依附于钱谦益，自称为钱谦益的门人。冯舒之狱落于瞿四达之手，钱谦益竟不为其说情，士林诟以此事骂钱谦益。

（5）张缙彦诗序案

张缙彦，字坦公，河南卫辉新乡人，明崇祯辛未进士，升官到兵部尚书。崇祯十七年三月，李自成农民军攻打北京，他会同太监曹化淳开门迎降，后不被重用，于是南归。顺治元年，清军南下，彼赴固山额真叶臣军前纳款。南明弘光朝立，又援以总督，惧逃隐匿。顺治二年复受洪承畴招降。顺治九年因荐赴吏部考核，顺治十五年官至工部侍郎，十七年甄别降授江南徽宁道。六月，都察院左都御史魏裔介劾奏大学士刘正宗阴毒奸险，结党攀附，蠹国乱政一案，其中罪状之一，即"正宗莫逆之友为张缙彦、方拱乾。缙彦外贬，拱乾流徙，正宗之友如此，正宗为何如人耶？""且缙彦序正宗之诗曰：'将明之才'，其诡谲尤不可解。"于是，张缙彦诗序案发，顺治帝立命令刘正宗、张缙彦回奏。

所谓"将明之才"，据刘正宗回奏，"此语诚似诡谲，然臣现存诗稿，缙彦序中未见此语也"。其实他把原稿扯毁灭迹，想以此混蒙欺瞒。可见，告发者与被告者都认为此语的要害乃"恢复明朝栋梁"，关系非浅。顺治十七年（即公元1660年）八月，湖广道监察御史肖震又奏劾张缙彦："守藩浙江，刻有《无声戏》二集一书，

诡称为不死英雄，以煽惑人心。"即将张缙彦解官逮押至京师。顺治帝命议政王贝勒大臣九卿科道审议具奏。

审讯时，张缙彦承认为刘正宗诗作过序，序中"将明之才"出自诗经，西汉书彦真卿墨刻所载。但又谎称曾送与魏裔介、林起龙、张瑨、王熙等人，未送刘正宗；且原为草稿，后又改写一篇，刻与未刻不知道，尚未成书，不曾遍送与人。及至用刑，才供已送刘正宗。议政王大臣会议认为，"'将明之才'一语，即系诗经、西汉书颜真卿墨刻所载，若非有意借用，何不即行承认，乃巧辞欺饰，实有诡谲之意，叵测之心。"张缙彦"以诡谲言词作为诗序，煽惑人心，情罪重大"，应立斩。十一月初十日顺治帝下旨：张缙彦本当依拟处斩，现从宽免死，著革职，追夺诰命，籍没家产，流放宁古塔。

清案案大奇冤

三　康熙朝奇案冤案揭秘

刚刚接手皇权大印的少年天子，就爆出一件因为鳌拜案而滥杀无辜臣民的奇案，但他并无疚愧，随后又毫不留情杀害了无数笔下『冤鬼』，他立太子犹如踢皮球，把整个皇宫折腾得凄凄惨惨、硝烟弥漫。

在他执政期间，朝野上下一桩桩稀奇古怪的案子，也让他应接不暇，江南重要考场竟然堂而皇之进行买卖举人的交易，而且幕后『老总』竟是他眼中的宠臣，斩之？还是放之？

1. 江南乡试舞弊奇案

此案发生在康熙五十年九月——

九月为江南一年中最好的季节。那个时候，太阳高悬，天空如洗，枫红菊黄，桂花飘香，秋色十分宜人。如果在往年，江宁城（现今南京）里，秦淮河畔，早已丝竹声声，仕女如云。但是，今年却大不相同。自从九月九日乡试发榜后，落第秀才们看见榜文上所中的全是达官、贵宦、盐商、富豪的子弟，一个个义愤填膺。他们聚集街头，痛骂考官贪财纳货、贿卖举人。到了二十四日这一天，落第秀才们的不满达到了高峰。一时间，聚集了一千多人。他们推举一位名叫丁尔戬的秀才为头，抬着泥塑的孔圣人上街游行。秀才们的举动吸引了成千上万的民众。他们聚集街头，围观助威，一时人山人海。秀才队伍浩浩荡荡从玄妙观动身，直奔学府。一路之上，有的面对人群演讲，列举考官受贿种种情形，声称不服所发榜文；有的沿途散发刻写着"左丘明两目无珠，赵子龙一身是胆"的传单，影射主考官左必蕃对科场舞弊情形视而不见，副主考官赵晋胆大妄为，接受贿赂。队伍来到学府，将财神爷像安放在明伦堂孔夫子身边后，又蜂拥着直奔贡院，将写有"贡院"二字的黑漆金字匾额用纸糊住，在上面大书"卖完"二字。

江宁是两江总督衙门的所在地，竟然出现这类聚众闹事、讥讽圣学之事。总督闻报，大为震惊，立刻派遣一队队持刀握枪的戈什哈（意即侍卫、捕快）前来镇压，怎奈秀才们个个毫不畏惧。虽然丁尔戬等十多人被抓走，但是秀才们散而又合，很多民众也聚而不散，群情更加激愤。

江宁城是这样，扬州城里未中举的秀才也是盛怒难平。这里是本科江南乡试主考官左必蕃的家乡。愤怒至极的秀才们涌入左氏宗祠，将祠堂捣毁。当时安徽省城安庆和江苏的其他府州县城，未中

大清奇案冤案

举的士子们也聚集哄闹。

消息很快传到京城。深居紫禁城的康熙正在为自己亲手开创的太平盛世而怡然自得的时候，突然接到了三封从江南送来的加急公文。一封是新任江苏巡抚张伯行送来的，奏称："此次江南乡试，副主考赵晋受贿纹银十万两，出卖举人功名。同案作弊的有阅卷官王日俞、方名等，而主考官左必蕃却知情不报，欺骗圣上。为此，江南士子群情激愤，如不迅速查处，将会发生重大事变。"另外两封则是皇上在江南的重臣、江宁织造曹寅和苏州织造李煦送来的两份密折，启奏江南乡试考官受贿，民情鼎沸，落第学子抬着孔子圣像游行的情况。

康熙览奏，异常震惊。他万万没有想到在盛世之年会出现如此丑闻，于是立即命令户部尚书张鹏翮和漕运总督赫寿为钦差大臣，前往江南查处。临行，康熙一再告诫："江南乃噶礼所辖之地，落第学子如此激愤，必有原因，卿等此去，必须秉公办案，务必将贪渎官员查出，以平民愤。"

张鹏翮是四川遂宁人，进士出身，历任苏州知府、盐运使、浙江巡抚、河道总督、户部尚书等职。他一生治河颇有政绩。但为人胆小怕事。这次派往江宁查办江南乡试贿卖举人一案，知道此案非常棘手，如果秉公办案，必然得罪权贵，而隐瞒实情，又怕激起民变。但圣命难违，只有硬着头皮赶赴江宁。漕运总督赫寿是个满员。他虽然读书不多，顾忌却少，自恃两江总督噶礼也是满员，可作靠山，所以接到朝旨，欣然上道。

钦差大臣火急火燎地赶到江宁后，以总督噶礼、巡抚张伯行为首的江苏、浙江两省文武官员都到接官亭迎接。因为朝旨紧迫，略事寒暄后，决定第二天开始审讯。

审讯的地点就在钦差大臣的行辕。消息传开，还未返乡的秀才和百姓一大清早就来观审。行辕门前人山人海。为防闹事，总督噶礼特派一营兵丁守护行辕，维持秩序。

辰时许，被指名参劾、早被看押起来的副主考赵晋，阅卷官王日俞和方名被带上堂来。此时，堂上坐着两钦差和总督、巡抚四人，还有江苏、安徽两省各府、州、县官员也齐集江宁旁听。堂上官员

一个个衣冠楚楚，神态庄严，两旁侍立着数十名带刀亲兵和衙役，横眉竖目，堂上夹棍、板子等各种刑具则摆满一地，几名犯官被这种气势所慑服，未曾审讯，便面如土色，浑身颤抖。

张鹏翮把惊堂木一拍，大喝道："大胆赵晋，辜负圣恩，胆敢贿卖举人，受贿多少？出卖多少名？从实招来，免得皮肉受苦。"

赵晋情知难以抵赖，叩了个头，坦白承认："罪臣该死，收受贿金三百两，取中考生吴泌、程光奎二人。"

接着提审考生吴泌和程光奎。吴、程二人都畏惧于王法，供认了自己向考官行贿的详细情况。

原来，吴泌是扬州盐商吴宗杰的独子，家资豪富，当铺、钱庄遍布江淮。吴泌从小娇生惯养，长大后既不愿读书，也不愿经商，一心只想做官。他嫌捐纳名声不好，被人歧视，一心想在正途上图个出身，无奈胸无点墨，连个《三字经》也背不出，怎能凭借真本事去考试？江南乡试入闱前，他就到处托人寻找门路，企图花钱买个举人。吴泌有个好友叫余继祖，与原安徽巡抚叶九恩的门生员柄相好。吴泌与余继祖商量，愿意拿出八千两银子买个举人，请员柄代为转求，并送员柄黄金一百两、银子二百两，作为酬劳。员柄收了重礼，便去拜见恩师叶九恩，诡称吴泌是自己表弟，愿意出银八千两，买个举人。而叶九恩是个贪婪而又狡诈的人。开始只答应帮忙，却不收分文酬金，并与员柄商量，定下关节暗号为"其实有"三字，放在第一破题内。叶九恩受人之托后，派人暗中探听门路。他打听到泾县知县陈天立已被任命为江南乡试同考阅卷官，与副主考赵晋是亲戚，于是将暗号交给陈天立，转交赵晋。托言吴泌的父亲与自己是知交，请求帮忙录取。入场后，吴泌的卷子分在同考阅卷官句容县知县王日俞的房中。陈天立又对王日俞说吴泌是副主考赵晋授意要取中的人。于是，这个不学无术胸无点墨的纨袴子弟便靠着重重关系当上了举人。

另一个考生程光奎是个白丁，百家姓上的"赵、钱、孙、李"四个字都写不出。因其父是盐商，又与副主考赵晋、同考阅卷官山阴县知县方名是熟交。乡试前他花五百两银子请人写了篇文章，交给方名带进考场。程光奎入场后参照这篇文章做题，自然也被取中。

吴泌、程光奎中举后，为酬谢这些恩人，吴泌送给原安徽巡抚叶九恩银子五千两，陈天立、王日俞各一千两，副主考官赵晋黄金十五锭三百两；程光奎送给方名银子八百两，送给赵晋黄金十五锭三百两。

案子初次审理得非常顺利。行贿者与受贿者全供认不讳。两位钦差大臣正准备让犯人画押后退堂，谁知参加审案的江苏巡抚张伯行却提出了一个疑点。他低声向两钦差说："此案还有一个疑点，需继续查清。"

张鹏翮与赫寿相对一眼，诧异地问："请问大人，此案还有何疑？"

张伯行道："吴泌、程光奎两人供认都送给赵晋黄金十五锭三百两，而赵晋只供认受贿三百两黄金，还有三百两黄金到哪里去了呢？"

"呵！"两位钦差顿时被提醒。

于是对吴泌、程光奎又进行审讯。

"吴泌、程光奎，你们送给赵晋的三百两金子是谁送去的？"赫寿追问。

"大人，是托叶抚台的家人李奇代转的。"

两钦差大臣立即派衙役将李奇传来。李奇是叶九恩的心腹仆从，平常凭借其主子巡抚势力欺凌百姓，霸占田产，无恶不作，拘捕到堂，一眼弊见犯人脚镣手铐，跪在堂上，早已吓得浑身发抖。当钦差问到贿金时，他如实供认说："吴泌和程光奎送给赵主考官的三十锭金子都是小人代收的。不过，我将金子送给赵主考官时，他只收了十五锭，却将另外十五锭三百两金子让小人带回交给主人。赵主考官为什么要这样做，这三百两金子究竟送给谁，小人当时不敢问，是事后才知道的。"

"那三百两金子送给谁了？"两钦差同时喝斥问道。

李奇向堂上瞥了一眼，狠了狠心回答："听说是送给两江总督噶礼大人的。"

此言一出，满堂哗然。审案的问官和观审的百姓万万没有想到这件案子竟会牵涉到封疆大吏身上。两位钦差大臣目瞪口呆，坐在堂上不知如何是好。

"胡说!"只见噶礼把惊堂木一拍,怒吼道:"来人呐,给我将这血口喷人的恶奴乱棍打死。"

"喳!"两旁的亲兵一拥而上,将李奇抓住按在地上。有的举起木棍,正要行刑,忽听一声怒喝:"慢!"

大家循声看去,却是那位提疑问的江苏巡抚张伯行。只见他怒容满面,对着噶礼说:"大人,此是朝廷公堂,哪能随意将犯人处死?"

"这个恶奴胆敢诬蔑朝廷大臣,难道不应处死?"噶礼也大声争论着。

"纵然是诬陷大人,也要让他将话说完。"

于是,总督、巡抚两人你一言,我一语,争得面红耳赤,堂上大乱。两位钦差大臣只好宣布退堂。

张鹏翮、赫寿回到行辕,心事重重。他们都知道噶礼是康熙的宠臣,是满员中最受信赖的,且党羽遍布朝中,如实上奏,不仅开罪噶礼,还怕触犯圣上,特别是张鹏翮之子张懋诚,现任安徽怀宁知县,是噶礼属下,更不敢得罪。两人密语一阵后,脱去公服,换上便衣,摒去仆从,黉夜到巡抚衙门拜访。

张伯行听说两位钦差深夜微服拜访,颇感惊异。迎至书房坐定,略事寒暄后,张伯行说:"二公黉夜光临,何事见教?"

"还不是为江南乡试案之事。"张鹏翮回答。

"今天审讯较为顺利呀。"

赫寿说:"今晚拜访,实为总督之事。噶礼大人身为封疆大吏,竟敢接受贿赂,理应重处,但总督一向为皇上所信任,如果事情闹大,怕触怒皇上,不如就此了结。"

张伯行是个生性耿直、嫉恶如仇的人,被康熙誉为当今第一清官,听了两位钦差的话,立刻勃然变色,大声说:"二位钦差大臣乃国之贤臣,一向秉公执法,为圣上所信任,如今若以个人得失祖护罪犯,回避权臣,使正义不得伸张,法不禁权贵,上负天子爱才之心,下屈士子报国之志,下官绝不苟同。"

一番义正严辞的话,将两位钦差大臣堵得面红耳赤,非常尴尬，半天才掩面而去。

第一次审讯，出人意料地问出江南乡试案行贿的后台竟是权势显赫的两江总督噶礼，使案件变得复杂起来，而两钦差的息事宁人，与江苏巡抚张伯行坚持上奏的对立态度，又使案情更趋复杂。谁知三天以后，主要证人陈天立和李奇竟在狱中自缢身死，造成死无对证的局面，使本来复杂的案件更加错综复杂。

消息传到京城，康熙却非常冷静。他不动声色地连下两道手谕：一是命令张鹏翮、赫寿火速将案件审讯情况如实奏报，不得有丝毫隐瞒；二是密令安徽巡抚梁士勋暗查证人陈天立、李奇的死因。

两道手谕派专差快马送出后，不到一月，康熙连续收到五道奏章。

第一道奏章是张鹏翮、赫寿写来的。他们说："此次江南乡试中副考官赵晋与同房考阅卷官王日俞、方名互相勾结，与考生吴泌、程光奎贿通关节属实，而江苏巡抚张伯行心性多疑，参劾总督噶礼索礼，查无实据，理应革职……"

第二道奏章是两江总督噶礼写来的。他参劾张伯行私刻书籍，诽谤朝政，袒护罪犯等七大罪状，特别是此次科场舞弊案中，阴谋诬陷，以私卖举人得银五十万两污臣名节，臣实难与之共事。

第三道是安徽巡抚梁士勋写来的。他说：陈天立、李奇的死因很难查清，因为江南刑狱的官员几乎都是总督噶礼的亲信。

第四道奏章是江南心腹李煦的。他奏称："案情尚未查清，两位钦差不知何故已启程前往福建。目前江南民心甚是不稳，有的地方百姓不断聚众闹事。"

第五道奏章则是江苏巡抚张伯行的。他的奏章措词激烈，既参劾总督，也状告钦差。他说："今科乡试，盛传总督通同监临提调滥卖举人，总督要银五十万两，可保伊等无事，及江宁会审，家人李奇供出总督受贿，督臣震怒，公堂之上，辄令夹胫钳口，臣据实力争，始令松夹停审，以通同作弊之人，同为奉旨察审之人，真情何由得出？而钦差大臣不敢据实上报，尚书张鹏翮之子为安徽怀宁知县，深怕总督挟怨报复，也颠倒是非，徇私包庇。请一并敕令解任，一并发审，使真情得出，国法得伸。"

康熙虽年过花甲，仍不愧是一位敢作敢为的君主。看完五道奏章，对那些贪赃枉法的官员深感愤怒，而对敢于直言、不畏权贵、情操高尚、一身正气的张伯行的行为却极为赞赏，于是又下了一道手谕，切责张鹏翮、赫寿掩饰和解，瞻徇定拟，另派户部尚书穆和纶、工部尚书张廷枢为钦差大臣，驰赴扬州，重新审理此案。

穆和纶、张廷枢都是官场上老奸巨滑、善于玩弄权术的猾吏。他们虽然深知噶礼确系江南乡试一案贿卖举人的总后台，但确实不敢得罪这类满人权贵，接到朝旨后，密谈了几天，未获良策，假说有病，迟迟不敢启程。经过康熙几次严旨催促，才勉强动身。一路上走走停停，将近两月，才到达江宁府。在行辕刚刚住下，便拜访噶礼，经过一番密谈，定好一个万全之策，开始审案。

第二次审讯的时间，已是案发后第二年的夏天。这一天，江宁城上空，骄阳似火，酷暑难当。钦差大臣行辕门外挤满了观审旁听的百姓。他们听说此案涉及到总督身上，都要来看个究竟。审讯开始，一批人犯轮流过堂，边审问，边宣布罪名：主考官左必蕃明知考场舞弊，知情不报，革职查办；副主考官赵晋、阅卷官王曰俞、方名以受贿罪论斩；行贿的考生吴泌、程光奎等贿买考官，骗取功名，分别处以绞刑；巡抚张伯行惧怕海盗，不出海洋，反诬张元隆通盗，又诬奏督臣，革职论处；总督噶礼却以受贿查无实据而宣布无罪。

消息传出，满城怒惊。人们纷纷聚集街头为张伯行叫鸣不平。钦差大臣二审的复奏没有到京，李煦的密折却先到康熙手中。密折中反映了两钦差大臣畏惧总督权势，不敢秉公执法和巡抚张伯行被革职等情况。消息传出，满城哗变。康熙刚看完李煦的密折，又收到了张伯行的奏折。这位刚直不阿的巡抚在奏章中说：辛卯科场舞弊一案，经两次审讯，只惩从犯，不惩元凶，难平江南大片人心。朝廷如果不惩治贪赃枉法的封疆大吏，则大清刑律名存实亡。臣革职事小，朝廷安危事大。请圣上另派贤臣重新审理。

康熙览奏，对张伯行不顾个人名利得失，依然直言进谏的赤胆忠心备加赏识。他知道两次派去审案的钦差大臣不敢秉公执法，主要是害怕得罪噶礼，于是下了一道手谕说："噶礼才有余，治事敏练，而性喜生事，屡疏劾伯行。朕以伯行操守为天下第一，手批不准，穆和纶、张廷枢复奏是非颠倒。决定将人犯押解进京，交由六部九卿会审。"

所谓六部九卿，即礼部、户部、吏部、兵部、刑部、工部尚书和都察院御史、大理寺卿、通政司使。这是清朝开国以来一次少有的会审。因为路程遥远，人犯在押解途中，水陆兼程和案卷的屡屡调集，等到第三次审讯开始，离科场舞弊发案起，已经整整两个年头了。

康熙对这次会审寄予极大希望。他在乾清宫西暖阁亲自审阅案卷，多次召见六部尚书垂询案情，并要他们秉公审理。谁知第三次审讯进行了十多天，九卿会衔复奏的结论除维持第二审的原判外，两江总督噶礼与江苏巡抚张伯行同为封疆大吏，却互相参劾，有失大臣礼制都被革职。康熙拿着复奏，仰天长叹："想不到朕治国数十年，竟得如此结果，好人和盗贼一同问罪，清官和贪吏一起惩处，天理何在？国法何在？"他拍案而起，愤怒地将九卿会衔复奏的奏本掷在地上，传旨在养心殿亲自审问。

第二天，满朝文武官员齐集在养心殿。殿前侍立着一排排带刀侍卫。天刚亮，钟鼓齐鸣，康熙坐着銮舆来到殿里，缓步登上宝座。只见他神情严肃，目光如炬，将手一挥，太监高呼："宣九卿进殿。"不多时，九卿一个个袍服冠带整齐，低头鱼贯而入，然后俯伏在地三叩九拜。康熙以严厉的语气大声说道："江南乡试舞弊一案，审讯两年之多，越审越荒唐，忠奸不分，黑白颠倒，朕多次谕示，张伯行居官清廉，人所共知，噶礼操守，朕不能信，此案初次遣官往审，为噶礼所制，不能审出，及再遣往审，与前无异，尔等须知朕保全清官之意，意在使正直者无所疑惧。只有这样，国家才能长治久安。今日朕宣布：所有作弊人员一律依法处决。两江总督噶礼徇私舞弊，革职查处。巡抚张伯行敢于直言，不畏权臣，对朝廷赤胆忠心，继续留任。"

江南乡试舞弊案，三起三落，历时两年余载。至此，在康熙皇帝亲自过问下才算结束，真乃大清开国以来一大奇案。

2. 《明史》和《南山集》无辜冤死案

清朝年初，庄氏《明史》案和戴名世《南山集》案，引发朝野上下一片轰动，这两个案件都是由于编写当代的历史而招惹大祸的。

《明史》案发生在康熙二年（即公元 1663 年）。早在明代天启年间（公元 1621 年 ~ 公元 1627 年），有一个大学士朱国祯（大学士，即内阁大学士。大学士和协办大学士为过去文臣的最高官职），他生平注意搜集有关政治大事的材料，写成《史概》一书，并且留下一部没有刊刻的稿本《列朝诸臣传》。明朝灭亡后，朱氏家境衰落了，他的子孙就把稿本抵押给当时浙江归安县（现今吴兴县）富户庄廷鑨，换得一笔银子。庄廷鑨双目失明，平时以"盲史"自居，他得到朱国祯的书稿以后，招请了一批"名士"进行补充修订，增编了明王朝崇祯年间的历史，把它起名为《明史》。这部书的作者署名，既不是朱国祯，也不是参加修订的那些人，而是庄廷鑨，他通过请人修订，把前人的遗著充当了自己的著作。庄廷鑨没有等到这部书刊印出来就死去了。他的父亲庄允城雇了工匠进行刊刻，花了五年的时间才刻好。他以为这样就可以让自己的儿子千古流芳，没想到一场大祸却临头了。

在《明史》中，保留着一些站在明朝立场说话的口气，比如，称清朝太祖努尔哈赤为建州都督，直接写出他的名字；写到清朝入关以前的年代，不用清朝的年号，而仍然使用明朝的年号；在明朝将领的传记中，写了他们抗击后金军队的事迹；把明朝将领孔有德、耿仲明投降清朝的行为称之为"叛"。这些写法在清朝统治者看来，完全是大逆不道的。

那时，归安县知县吴之荣，因为贪污被革职，临走之前还想向当地富户进行敲诈。庄允城、朱佑明等人不肯"借钱"给他，他便怀恨在心。吴之荣把一部《明史》呈给杭州将军松魁，告了庄廷鑨毁谤朝廷的罪。吴之荣企图以此打击庄家，进行报复，同时又可以立功赎罪，希望重新得到起用。松魁把这个案件转给巡抚，巡抚又

大
清
奇
案
冤
案

转给学政去办理，学政指定湖州府学教授去查办，结果从《明史》中查出了所谓"毁谤朝廷"的话达一百条之多。这样，问题就太严重了。庄允城花钱向官府上上下下贿赂一通，才算渡过了一道难关。他叫人删改了原书，又刻出第二版，以为这样就不会再被人抓到把柄了。

可是吴之荣却不甘心，他带了初刊本进京控告。这一次却惊动了朝廷。朝廷立即派刑部官员前往湖州，专门审理这个案件。结果，庄允城被逮捕入京，不久死在大理寺监狱里。庄廷鑨虽然早已死去，也逃避不了惩罚，清政府下令挖开他的坟墓，戮尸示众。他的弟弟庄廷钺也被处斩。吴之荣还诬告富户朱佑明和本书有关，朱佑明和他的五个儿子都被处斩。

不但这样，凡是和这部书有过一些关系的人都受到株连，写序、校阅、刻字、印刷、卖书的人都被处死，甚至连买书、藏书的人也遭到同样的厄运。吴炎、潘柽章二人对明史很有研究，庄允城把他们的姓名列在校阅者的名单中，吴、潘二人因此也被处死。原礼部侍郎李令晰为这部书写过序，也被处死刑，连他的四个儿子也一同被杀。他的小儿子才十六岁，根据清朝法律规定，因灭族之罪而子侄当杀的，限于十六岁以上，凡是不满十六岁的，可以免死改为充军。法官可怜他，教他少报一岁。但是这个少年不愿意，他说："眼看着父亲、哥哥都被杀死，我怎能忍心一个人活下去！"这个少年有什么罪？他的哥哥有什么罪？许许多多为了生活而从事刻板、印刷、售书的人们又有什么罪？这个少年的死是对清政府的反抗，是无辜受害者的控诉！

这次大狱也株连到几个官员。杭州将军松魁因为事先不禀报，被削去官职，他的幕客程维藩被砍头。巡抚、学政本来也要受处分，他们把责任推到归安、乌程两县学官的身上，这两个倒霉的小官被加上查办不力、有意包庇的罪名，也掉了脑袋。湖州知府谭希闵到任刚刚半个月，案件就发生了，因为抓不到庄氏家的人，算是犯了隐匿的罪而被处绞刑。

还有一些人受到一场虚惊。那是因为庄廷鑨为了抬高自己的身

价，在《明书》参订者的名单中，擅自把当时的名士查继佐、陆圻〔qí 同其〕、范文白等人的名字也写了上去，其实这些人并没有看过这部书。案件发生以后，这些人担心会受到牵连，立即向官府自首，进行表白。但是，地方官员还是把他们解送入京，进行审讯。陆圻以为自己难免一死，和家人临别时，吩咐儿子们："你们一辈子也不要读书了，免得像我今天落到这个地步！"他们三个人都被抄家，三家男女老少共一百七十六人被关进监牢。

此案中究竟枉杀了多少人命呢？清朝正史一般忌言文字狱残杀无辜之事，所以没有具体记载，而野史笔记的记载，往往来自各种见闻，对如此大狱始与末很难完全掌握，而且叙述各异。这样因《明史》案被杀的人数有多少，至今没有定论。

清初著名学者顾炎武，有好友也死于此案。他作文遥祭，文中说因此案死难的有"七十余人"，以后不少史书沿用此说。

近人陈登原《古今典籍聚散考》，记述庄氏明史案，说死者"达二百二十一人之多"。

列名《明史》校阅的陆圻，有外孙撰文追述《明史》案，说"所诛不下千人"。

看来，庄氏《明史》案中遭难者的精确数字，是难以统计了。

《南山集》案发生在康熙五十年（即公元 1711 年），是因为讲南明历史引起的。公元 1644 年，清军占领北京后，明朝几个藩王曾在南方称帝，史称南明：福王朱由崧年号弘光，唐王朱聿〔yù 同育〕键年号隆武，桂王朱由榔年号永历。《南山集》的作者戴名世是安徽桐城县人，一向注意搜集明代的史料，经常访问明代的遗老，征集有关明代历史的书籍。他看到清朝政府主持编修明史已经几十年，可是有关明清交替之际的历史，总是讳而不录，认为这样必然编写不出真实的历史。于是他打算自己编写一部明史，藏于名山，希望能够流传后代。

戴名世有一个学生叫余湛，有一次偶然遇见一个和尚，谈起南明桂王的事，十分具体详细。余湛觉得很奇怪，后来一问，才知道这个和尚原来是明朝的官员，桂王死后才出家的。他把和尚的谈话记录下来，送给戴名世。戴名世把这个记录，同方孝标所写的《滇黔纪闻》对照异同，发现两者很有可以互为佐证的地方。他写信给余湛，指出：南宋末年，帝昺［bǐng 同丙］逃到厓山（在广东新会县南面），不久便灭亡了，可是这件事在历史书上已经有了详尽的记载；而明朝的弘光、隆武、永历三个皇帝，分别在南京和浙江、福建、广东、广西、云南、贵州等省几千里的地面，支撑了十七八年之久，他们的事迹却快要湮没了。因此他很想把这段历史编写出来。他还写信给一个姓倪的学生，谈论他对编史体例的看法。他认为应当以康熙元年作为清朝的开端，在此以前，尽管清朝已经入关，但是三藩未定，而且明朝皇帝还存在，所以清朝顺治年间还不能算是正统。后来，他的学生尤云鄂出钱把他的文章刊刻出来，因为戴名世住在桐城的南山冈，所以取名为《南山集》。

康熙四十八年（即公元 1709 年）戴名世中了进士，当了翰林院编修。两年以后，左都御史赵申乔奏参戴名世私刻文集，"倒置是非，语多狂悖"，以致酿成大狱。这时离《南山集》出版大约已有十年的时间了。

审讯结果，刑部拟作如下的判决：戴名世凌迟处死，方孝标戮尸，他们两人的祖父、父亲、子孙、兄弟以及伯叔、侄子，凡是十六岁以上的，全部斩决，妇女给功臣为奴。为他刊刻文集的尤云鄂等人，案发以后，自己自首，可以从宽，连同其妻子一并流放到宁古塔（今黑龙江省宁安县）。一些为《南山集》写序的名士也被判处以死刑。在这个案件中，据说受到株连的竟达三百多人。但此案究竟被诛和牵扯的人有多少，也没有精确统计数字，这样因《南山集》冤狱案而遭难的人数也成了历史一大奇案。

3. 康熙两立两废皇储的清宫奇案

胤礽（公元 1673～公元 1724 年）康熙帝第二子，康熙十四年（即公元 1675 年）立为皇太子。太子开始涉及朝政时，就被委以重任。四十七年，康熙以"不法祖德"等罪名废其太子位，并监视其

言行。数月后又突然立为太子，五十一年，再废太子，并将其禁锢咸安宫。雍正二年（即公元1724年）卒亡，后追封为和硕理亲王。

作为孝庄文太皇太后指定的太子，胤礽从小就受到父皇康熙的精心栽培。他有才能，骑射、言谈、文学都很好，不到十岁就跟随康熙四处巡幸，学习处理政事。康熙（公元1654～公元1722年）为了树立他的威信，给太子制定了储君的特有制度，体现太子威严的着装、仪仗，用物与皇帝的差不多，国家三大节中的元旦、冬至以及太子的千秋节，王公百官要在给皇帝进表、朝贺之后，到太子处所进行同样的仪式，要行二跪六叩首礼。康熙三次亲征噶尔丹，均令胤礽留守京城，处理政事，可以说对胤礽这个太子给予了很高的信任。可是，在胤礽做了三十三年的太子后，于康熙四十七年起突然被父皇废黜，这个决定震动了整个朝野，更出人意料的是，半年之后，康熙又将废太子重新立为储君。但是好景不长，康熙五十一年，胤礽再度被废。康熙的反复废立把所有人都搞懵了，他这样做的原因究竟是什么呢？胤礽究竟犯了什么错？这个问题十分复杂，史学界对此一直存在着诸多说法。

有人认为，胤礽被废的原因之一是结党谋位。在人类社会进入"父传子、家天下"之后，立储就成为任何一个王朝不可缺少的一环。储君就是未来的皇帝，一些官员为日后预做投资、奔走太子门下，在官僚集团内形成一个既依附于皇权又会对皇权构成某种潜在威胁的太子党。只要一册立太子，不管是否存在一个图谋不轨、虎视眈眈的太子党，总要有一些人趋附在太子身边。

胤礽储君的特殊地位，如果与其父皇、与诸兄弟、与贵胄朝臣的联系，各方面都能正确对待，就有利于朝政和他的顺利登基，处理不好就会出大乱子。胤礽虽然年轻，但做太子的历史却很长，随着时间的推移，一部分人就想依附于他求取发迹，于是在他周围形成了一个小集团，主要成员是索额图。此人是胤礽生母孝诚仁皇后的亲叔父，即是胤礽的叔外公，早在康熙八年（即公元1669年）就担任了大学士，二十五年（即公元1686年）改任领侍卫内大臣，随后率领使团与俄国签订尼布楚条约，是康熙前期的重臣。他向着外孙，极力使皇太子的仪卫接近于皇帝，更为严重的是他反对康熙，图谋胤礽早日登基。康熙为保护帝位，对太子党的活动自然不能容忍，但投鼠忌器，为保护皇太子，不使事态扩大，只惩治少数人。太子党人的活动把胤礽推到了康熙的对立面。康熙四十七年，从木兰围场返京途中，胤礽每夜在康熙住的帐篷周围活动，从缝隙处窥测其父行动，康熙认为他可能要谋害于己，为索额图报仇，所以昼夜不宁。康熙对胤礽的容忍是有一定限度的，四十七年九月终于做出了废黜太子的决定，并迅速付诸实行。

废太子事件发生后，皇长子胤禔和皇八子胤禩认为太子已废，于是到处结党谋求储位。他们的活动让康熙感到事情的严重性，立即制止诸子结党倾轧，同时又对满洲属人宣布，不许与诸皇子非法结党。可是，太子是国本，国家当有储君，而且康熙立太子已达三十多年，朝臣都有立太子的心理习惯，康熙本人也不例外，在这种情况下若再立一个太子，既符合臣民心理，又免得诸子争夺储位，所以康熙在废太子不到一个月的时候，就有再立太子的打算，但是立谁好呢？

康熙命朝臣推荐太子，在佟国维和马齐的示意下，朝臣一致举荐胤禩，康熙对此非常不满，一面惩治马齐，谴责佟国维，一面决心再度启用胤礽，于是在四十八年（即公元1709年）三月把他复立。他惩处马齐、佟国维之意，是不许朝臣干预立储。胤礽并不是康熙的理想太子，再次册立他，只是用他填补储位的空缺，以扼制诸皇子结党谋位。康熙深知臣下拥立储君，将来会以此要挟正位的太子，擅权恣肆，对皇权不利。他考虑的是清朝的长治久安，把立太子当作是皇帝个人的权力和事情，结党谋求储位就是侵犯他的权力，就是危害朝廷的行为，结党谋位者就没有资格充当储君。所以康熙在胤礽再立过程中进一步明确，在发生过废立太子事件的客观条件下，不能用结党谋位的人为储君。

虽然再度被立，但胤礽的地位很不巩固。胤礽可能意识到这种形势，再次结集团党，希望早正大位。康熙发现之后，训斥胤礽为无耻之尤，与恶劣小人结党，再加上服御陈设等物超过皇帝标准，

因此将他废黜并圈禁，终于使胤礽再次丧失太子的政治生命。

除了结党谋位，太子的人品也让康熙不满，这恐怕也是被废的原因之一。皇储与皇帝只差一步，唾手可得的皇帝宝座足以使胤礽狂妄自大，唯我独尊，唯我是从，奢靡纵欲，总之一切贵族子弟的恶习，他无一不备。胤礽贪婪财货，以致侍从康熙巡幸，把外藩进贡的马匹也掠为己有；他性情暴躁，毫不克制，责打王公贵族，当着父皇的面，把官员推到水中。康熙行政注重宽仁，这就使父子间政见相左，使康熙感到后继非人，担心胤礽当政有祸国殃民的恶果。

康熙以"孝"治天下，"父慈子孝，兄友弟恭"是他所尊崇的伦理道德。他自己孝养太皇太后和皇太后，并以此期望于胤礽，哪知胤礽不顾乃父死活，更不讲孝顺了，因此康熙认为他"绝无忠爱君父之念"，父子感情恶化。康熙四十七年，他带领胤礽及几位小皇子于木兰秋狩返京途中，随行的皇十八子患重病，胤礽毫不关心，康熙以兄友之义责备他，他根本不当回事，让康熙大为愤怒，对待兄弟如此无情，这样的人日后怎能成为仁君呢？

当年立储君的时候，康熙认为太子应当有三个条件：一是要忠于父皇，不可结党谋位；二是为人仁义，将来为政清明有道；三是孝友为怀，做储君时能守孝道。从实际来看，胤礽根本不符合康熙的标准。

有人认为，胤礽的个性疯狂暴躁，也是令康熙厌恶的原因。胤礽因性情暴躁不时鞭打左右，就连平郡王纳尔素、贝勒海善、公普奇等也不免"遭其殴挞"，因"暴怒捶挞伤人事"屡有发生。胤礽变态的个性，使得康熙"毫无可望"，坚定了再废太子的念头。

太子这样的性格，固然跟他自己的天性有关，但是更关键的原因恐怕是被储权所扭曲而导致的。

康熙的确很注意皇太子能力的培养，在三次亲征噶尔丹（康熙二十九年，公元1690年；康熙三十五年，公元1696年；康熙三十六年，公元1697年）期间，俱令太子留守京师，处理日常事务，各部院衙门的所有本章，"停其驰奏，凡事俱着皇太子听理，若重大紧要事着诸大臣会议定，启奏皇太子"。在康熙看来，祖宗留下的江山社稷最终要由他交付皇太子去治理，为此他不得不对胤礽进行强化教育，对"往古成败"、"人心向背"、"守成当若何、用兵当若何"都要"精详指示"，一一面授机宜；为此他安排皇太子学汉文、学满文、学骑射、读经史、习书法，自朝至暮"读书无逸斋"，"虽元旦佳节封印之期，亦不少辍"。

然而，超负荷的训练，极大地摧残了胤礽的身心，在陪同康熙第四次南巡时（康熙四十一年，公元1702年），胤礽因过度劳累中途病倒，险些魂断德州府。康熙皇帝在给李煦奏折的朱批上有"不意皇太子偶感风寒，病势甚危"等语。胤礽的病并非一般伤风感冒，而是邪寒由表及络，又由络及里。发病初期恶寒发热，头部及周身关节酸痛，继而疼痛剧烈难忍。胤礽在从永清启程之前（九月二十七日）即已不适，因未能及时调治，在从景州向德州进发途中已呈现出伤寒的症状：上吐下泻，畏冷无汗，四肢冰冷，有时甚至全身战栗。十月初三，在抵达德州的前一天，年轻的皇太子已处于昏迷状态。在胤礽病危期间，康熙对其"多方调治"。从十月初三到十月二十二整整二十天的时间，他不仅日夜守护在胤礽身旁，还要对太医所开方剂反复斟酌，终于使得皇太子的病情化险为夷。皇太子的身体虽已康复，但留在其心灵上的苦痛是很难消失的。同为皇子，当他从早到晚在无逸斋发奋苦读之时，他的兄弟们却在御花园尽情戏耍；当他从驾出巡饱尝颠簸之苦时，他的兄弟们却在皇宫内恣意享乐。这种巨大的反差，在胤礽的心中，引起越来越强烈的不满，于是这位皇太子便在皇帝亲征期间，寻欢作乐，宣泄被压抑的欲望。久而久之，太子"昵比匪人"的传言也就飞入康熙的耳中。

在长达二十年的时间，胤礽是在储位危机日益明显、步步紧逼的情况下度过的。皇储一旦被废就意味着失去一切，甚至要失去生命。他在一只脚已踏上通往权力之巅的坦荡之路的同时，另一只脚却仍停留在陡壁上。在这种高度紧张的状态下，胤礽已经煎熬了至少二十年，他没有天真的童年，也没有充满欢乐的少年，更没有生机勃勃的青年。他的心灵、躯体都被皇太子的身份所窒息。畸形的自尊驱使他必须时时事事循规蹈矩，难以遏制的欲念却又使他屡屡越规；皇储地位所培育出来的独尊意识使得他不免在无意之中触犯皇权，在通往权力之巅的漫漫岁月中又令他诚惶诚恐，如履薄冰。为了克服那日益明显的储位危机，他必须及时了解父皇的喜怒哀乐，善于捕捉父皇含而不露的思绪，想父皇之所想，急父皇之所急，言谈举止都要与父皇保持一致。既然他的生命是康熙生命的延续，他的储权是康熙皇权的延伸，他的灵魂就理所当然受康熙灵魂的支配。他不能有自己的思想，自己的好恶，自己的喜怒哀乐，他的躯体只能是康熙生命的投影。在历经三十三个春秋之后，胤礽仍未能摧残或掩饰自我，于是这个生活在精神桎梏下的皇太子，终于沦为身系锁链的阶下囚。

长时间的高度紧张使得胤礽心神不宁、疑神疑鬼，无休止的自我遏制，又使得胤礽不胜其烦，一旦失控便迁怒他人，鞭打下属。宣泄之后，接踵而来的则是新的更深的危机，如此恶性循环，不仅使胤礽的精神濒于崩溃，也使得那惟恐失去的储位终于失去。

平心而论，二阿哥胤礽在康熙诸子中的确是才具一般，学识远不如三阿哥胤祉，韬略又不及四阿哥胤禛，名声比不上八阿哥胤禩，才干更不像十四阿哥那样得到公认。而嫡出的特殊身份以及皇太子的特殊地位，使得性格暴躁的胤礽最为骄横。被废的经历虽然使他猛醒，但多年所形成的个性、恶习却已根深蒂固。加上这位二阿哥又是一个天生不会掩饰自己弱点的人，他的表现再次与康熙的期望值发生了冲突，结果只能是他再次沦为阶下囚。

归根到底，酿成康熙父子感情危机的根源是高度集中的皇权。康熙在废太子之前颁布的那道上谕中，所强调的"国家惟有一主"、"大权所在，何得分毫假人"就充分反映出这一点。这里所说的"大权"不得"分毫假人"恐怕主要是针对胤礽而言。当康熙感到自己的皇权受到太子的挑战后，当然不能容忍。在经历两立两废之后，康熙无意再立太子。对于臣下的吁请，实际是一拖再拖，或以仪注为借口进行搪塞，或以皇太后丧期拖延时间，直至无推辞之言时，又以"动摇清朝"这种骇人听闻的罪名，惩治进言者，以钳天下人之口。康熙仅仅给群臣留下了一个许诺、一个安慰："即使朕躬如有不讳，朕宁敢不慎重祖宗弘业，置之磐石之安乎？待到那时，尔等自知有所依赖也。朕万年后，必择一坚固可托之人与尔等做主、必令尔等倾心悦服，断不至赔累尔诸臣也。"

康熙心中真正所期望的是谁？他从未透露给任何人。任何人也从不敢于触及他的这块心病。人们，包括觊觎皇位的诸皇子，只能远远地暗自忖度。

康熙是了不起的帝王，在位六十一年，政绩卓著。但是他也不是白璧无瑕，在立皇储的这个问题上，他处理得实在不好，造成了政治混乱，也使他自己身体耗损，威信降低，晚年的康熙不能保持励精图治的精神状态，这是因为储位问题实在把他搞得焦头烂额、精疲力尽，再也没有精力去实现自己的雄心壮志了。

与雍正争夺储位有关的康熙帝诸子

姓名	排行	生母	事由	结局
胤禔	第一子	惠妃纳喇氏	曾用喇嘛魔术诅咒废太子胤礽，后被告发。	幽禁于府第中。雍正十二年卒。
胤礽	第二子	孝诚皇后赫舍里氏	两次被立为太子，两次被废。	幽禁咸安宫。雍正二年卒。
胤祉	第三子	荣妃马佳氏	与胤礽虽亲昵，但非党羽。曾告发胤禔用喇嘛行使魔术。	幽禁景山。雍正十年卒。
胤禛	第四子	孝恭皇后乌雅氏	即世宗雍正。康熙崩后，由隆科多口传遗诏即位。	雍正十三年八月卒。
胤禩	第八子	良妃卫氏	阴谋夺位，雍正即位后，视为死敌，改名阿其那。	雍正四年，死于禁所。
胤禟	第九子	宜妃郭络罗氏	党附胤禩，被世宗改名塞思黑。	同上。
胤䄉	第十子	温僖贵妃钮祜禄氏	党附胤禩，在疏文内连书"雍正新君"，被拘禁。	乾隆二年释放，六年卒。
胤祥	第十三子	敬敏皇贵妃章佳氏	党附世宗，甚受厚遇，封怡亲王。	雍正八年卒。
胤禵	第十四子	孝恭皇后乌雅氏	受康熙重用，出征西北，或以为康熙所属意，雍正即位后被幽禁。	乾隆初释放，进封郡王，二十年卒。

4. 蒲松龄考不中举人奇案

　　十七世纪的《聊斋志异》，是我国古代文学中杰出的瑰宝。全书四百九十一篇，大都描述鬼狐故事，作者文笔洗练，结构精巧，绘声绘色，文情并茂。还未刊刻之时，书稿就不胫而走，被民间广泛传抄，等到该书付梓印行，很快风靡天下。无论官宦士子，还是商贾艺人，几乎家置一部，真正到了洛阳纸贵的程度。在其后几百年的时间里，《聊斋志异》的光辉与日俱增。据不完全统计，这本书在世界上已用十三种语言翻译出版，有了六十多种版本，成了"海内山陬，雅俗共赏"的不朽著作。

　　不朽著作的作者，必定为才华横溢的俊杰。《聊斋志异》的作者蒲松龄，就是这样的人物。然而令人不可思议的是，他从十九岁参加科考，辛辛苦苦，反反复复考了四十四年，竟连个举人也没考上！直到蒲松龄七十一岁那年，才按例补了个岁贡生。可惜夕阳虽好，辉光有限，仅仅过了四年工夫，他就瞑目而逝。所幸的是，他在人生的坎坷道路上留下一部辉煌巨著，可是他也留给世人一个硕大的问号：这位才高八斗的小说家，一生瞩目金榜，却又徘徊在外，连个举人也未能如愿，这究竟是怎么回事呢？真乃千古奇案。

　　蒲松龄，字留仙，一字剑臣，自号柳泉居士，人称聊斋先生，山东济南府淄川县（今山东淄博市）城东蒲家庄人。生于明崇祯十三年（即公元 1640 年）农历四月十六日深夜。父亲名蒲槃，母亲董氏，老夫妻生有四子，蒲松龄排行老三。传说他出生那天，父亲做了一个怪梦，只见一位病恹恹的和尚走进室内，身穿破袈裟，袒露右臂膀，手持一旧钵，右乳旁似乎还贴着一片膏药……蒲槃不禁一惊，醒后恰逢松龄出世。他看了看这个又瘦又小的孩子，其前胸上恰巧也有块黑痣，于是为孩子取字"留仙"。然而却又认为此梦并非吉兆，担心孩子终生凄苦，父亲的担心结果应验了。蒲松龄后来回忆起父亲的这个怪梦，认为自己尽管与佛无缘，但一生"萧条似钵"，正像那个清贫和尚。当然，这种怪梦与蒲松龄的科考并无必然的联系，或许这是其累试不第的一个托辞。然而这种天人感应的说法，对他日后进入创作佳境，自由自在浪言狐鬼，确实具有某种诱导、启发或激励作用。

蒲家在淄川属于小康之家，但上溯几代，无人取得任何功名，也没出过什么显赫人物。到了蒲般这代，一心想要光宗耀祖，取字敏吾，从小刻苦钻研经史，想要弄个一官半职。可是快到三十岁了还没考中秀才，蒲般这才怀疑自己不是读书的材料，于是弃儒经商，转而希望儿子们好好读书，以求闻达。在四子里面，以松龄最为聪颖，小小年纪就会作诗联对，十村八乡皆知其名。大清顺治十六年（公元1659年），十九岁的蒲松龄去考秀才，他拿到试卷，文思如涌，在首艺"起讲"中挥毫写道：

> "尝观富贵之中皆劳人也。君子逐逐于朝，小人逐逐于野，为富贵也！至于身不富贵者，则又汲汲焉伺候于富贵之门，而犹恐其相见之晚。若乃优游晏起而漠听事者，非放达之高人，则深闺之女子耳！"

这篇转引自《聊斋制艺文》的蒲松龄的答卷，有可能是他平生最难忘的文字，因为凭这篇文字，蒲松龄取为县、府、道三个第一。说来也算有些缘分，这次的主考官是当时的著名诗人、山东学政施闰章。他出的试题是"蚤起"、"一勺之多"，这类带有文学意味的试题，正对蒲松龄的才思，略加思索，就有了以上这篇妙文。施闰章看了蒲松龄的文章，虽然觉得语蕴棘刺，不大舒服，但细细咀嚼，却另有一番味道，于是提起朱笔写下了"观书如月，运笔如风"的上好评语。淄川县令费柿更是看重本地这位才子，称许他是"凤凰池上客"，一时间蒲松龄才名远播，"文名籍籍诸生间"（张元：《柳泉蒲先生墓表》）。朋友和家人对松龄无不寄予厚望，他对于今后的前途更是信心百倍。为了提高自己的诗文水平，蒲松龄在中秀才后的第二年，就和同县好友张笃庆、李尧臣等人结成了"郢中诗社"，

相互切磋学问，经常唱和应酬，诗文长进很快。正当他们计划扩大成员的时候，恰逢清政府颁布禁止士子结社集会的诏令，"郢中诗社"即行解散，蒲松龄仍然"一心致力古文辞"，积蓄待发，决心摘取举人的银顶子！

可是命运却与这位诗文高手开起了残酷的玩笑，在他一生的科考道路上写下了令人心颤的记录：顺治十七年（公元1660年）和康熙二年（公元1663年），两次参加乡试，两次名落孙山！蒲松龄很感意外。然而京城传来的消息更使他意外：朝廷宣布改变考试制度，将三场改为两场，而且不再考八股文了。蒲松龄闻之将信将疑，于是打起精神再到李尧臣家读书。谁知康熙四年又恢复原先的考试办法，康熙五年又去应考，这次还是榜上无名。接下来再考，依然望榜兴叹。康熙十一年，蒲松龄的好友、江苏宝应县知县孙蕙给他写了封推荐信，想要山东的考官重视这位淄川才子，可是主考官们并不理睬，蒲松龄又是两次落败。

康熙十七年，蒲松龄又考，还是未被录取。

"三年复三年"的乡试，蒲松龄从青年考到了中年。康熙二十六年（即公元1687年），四十八岁的蒲秀才又一次走进济南府的考场，他决心背水一战，此次一定要登上黄榜。接到考卷于是全神贯注，倾心用笔，哪知写完一看，文章超过了规定的字数，就算通篇珠玑，也是一文不值！接着，蒲松龄被逐出考场，他又羞又悔，几乎痛不欲生。返回住处伤心地写道："得意疾书，回头大错，此况何如？觉千瓢冷水沾衣，一缕魂飞出舍……嗒然垂首归去，何以见江东父老……"（引见蒲松龄《大圣乐》词）

但是蒲松龄并未消沉。康熙二十九年，他精神抖擞再去应考。头场卷子答得很好，谁料进入第二场后，却突然病倒了，无论如何坚持，都难执笔答卷，不用说这次又落榜了。看到一个个文才不如自己的学子先后都考中了举人，蒲松龄怎能甘心罢休，还是一次一次再考，结果一次比一次糟糕。是才力不济？还是有人使坏？或者天意为之？他百思不得其解，为此不知揪断了多少髭须？他还想试试运气。康熙四十一年（公元1702年），蒲松龄又认真答起了考卷，发榜一看，还是没有他的名字……

至此，六十三岁的蒲松龄知道应该打住了，就算下一科侥幸得中，他快进入古稀之年，即使有了一官半职，也无精力担当。他痛苦地回想着自己科考的经历，从淄川到济南的大道，几乎让他踏出坑来，可是从秀才到举人只有一步之遥，怎么就是迈不过去？是谁设下这种无形的羁绊？羁绊的症结又在哪里？先听听清代著名藏书家汪启淑是如何说的——

他在《水曹清暇录》中解释说：相传轩辕帝有面很厉害的宝镜，能把人们看不见的妖魔鬼怪映照出来，然而也只是看看罢了，却难起到应有的震慑作用。后来大禹想了个办法，把这些妖怪的形象一个个铸在大鼎上面，并让人们全部熟记下来。而蒲松龄在读圣贤书的同时，竟然喜欢上了鬼狐故事，他不只是喜欢，还用笔十分逼真地描绘出它们的形象，取名为《鬼狐传》（《聊斋志异》的原名），这一来如同复制了大禹的许多镇妖鼎，把鬼狐们的形象全认识了。鬼狐们当然都很恼火，它们集合起来商议了一番，认为轩辕、大禹都是人间敬仰的圣贤，没有办法制服他们，而蒲松龄只不过是个穷秀才，完全可以给他点颜色看看。于是，鬼狐们做了明确分工，只要这个蒲秀才一进考场，就揪住他大吵大闹，搅得他不能答卷。就算蒲松龄的文章天下第一，也永远不能考取举人。汪启淑的这种说法不知依据何来？碰巧的是连较早刻印《聊斋志异》的书商赵起果也有这种认识，显然这都属无稽之谈，并不能作为蒲松龄考不上举人的案由。

有人认为，蒲松龄一次次落第的原因隐藏在《聊斋志异》之中。他通过自己的作品说明，科场内的考官都是些不学无术的草包，哪里会识得文章的好劣？比如，他在《司文郎》一篇中讲过：上天专管考试的梓潼府里，司文郎一职缺乏合适的人选，无奈找来一个聋子充数，此人对写文章大大的外行，又不乐意多管闲事，这就失去了管理考官的作用。更严重的是，人世间的那些考官，原先多是饥不择食的饿鬼，他们在地狱中生活久了，眼睛看不见高低，鼻子闻不出香臭，耳朵听不着声响，碰上这帮形同僵尸的家伙，好

的文章不被重视，而狗屁不通的试卷却成了宝贝！

蒲松龄的这种观点显然也经不住推敲。主持考试的那些考官，有的可能真的不懂文章，或许也能碰上水平不高甚至判卷不公的考官，但主持考试的官员不可能个个全是外行，蒲松龄几十年间也不会每场都遇不称职的考官。

不过，这位落第秀才从中传达了这样一个信息：要想打发那些"饿鬼"考官满意，必须饱其私囊才行。关于这一点，他在给好友韩樾依的信中说得很明白："仕途黑暗，公道不彰，非袖金输璧，不能自达于圣明，真令人愤气填胸，欲望望然哭向南山而去！"贿赂试官，以求一逞，这是从古至今众所周知的"诀窍"，蒲松龄鏖战场棚几十年，没有见过也听说过。他为何不采取"袖金输璧"的办法呢？一是他不愿做此见不得人的勾当，此非正人君子所为。二是他的囊中羞涩，拿不出多余的银钱。若要真正说清这点，须看看蒲家已变化了的老底儿。

蒲松龄十八岁时，由父亲作主，与本县文人刘国鼎的二姑娘结婚。刘氏"温谨、贞静寡言"，懂得治家之道，颇受婆母喜爱，同时也招来姊娌们的忌恨。她们无理与刘氏吵闹，家中难得安宁，蒲父觉得该分家了。康熙四年，蒲家一分为四，蒲松龄分了二十亩薄田和三间破旧场屋，经济条件并不算好，亏得刘氏勤谨俭约，这才勉强维持住生活。蒲松龄三十岁以前一直读书，没有什么进项；三十一岁外出，到江苏宝应县做了孙蕙的书启师爷，年收入二十几两银子，没有多少节余；三十三岁，设馆教书，这也不是发财的差事；四十一岁，被缙绅毕际有聘去坐西席。这时的收入有多少呢？从他介绍好友张笃庆到毕公权家去当塾师可知，年收入只有十六两银子，时时都有赊账的可能。蒲松龄一边教书，一边准备科考，在毕家一呆就是三十多年，直到七十岁才撤账回家。相信没有多少积蓄。蒲松龄膝下有四子一女，仅平时生活开销就很紧张，再遇上康熙十二年、十七年这样的大灾年，家中生活可想而知。他曾心酸地写过《日中饭》一诗，其中有"儿童不解煨与寒，蚁聚喧哗满堂屋"的句子。这样嗷嗷待哺的一个塾师家庭，哪有银子孝敬考官？

退一步说，蒲松龄就是手中有点积蓄，从其性格和为人来看，也不会去做走后门的勾当，既然没有这种场外功夫，就怪不得有场内失足了。

可是稍作分析，这也算不得他考不上举人的理由。有些考官爱钱不假，但也决非所有的秀才都靠金钱去买功名，也不是哪个考官都喜好勒索。更何况清代科场设有一整套防止和惩治考官受贿的办法，拿自己的前程去冒险的毕竟只是少数。如果说蒲松龄因为不贿赂考官落榜，显然也说不过去。

还有人认为，蒲松龄屡考屡败，其中的原因难以一言概之，但最主要的还是他的八股文章不够到家，达不到录取要求。现在已无法看到蒲松龄的全部试卷，然而分析他的落榜原因，大概可能在以下三个方面出了问题：

第一，没有很好掌握八股文的写作技巧。这种明清两代一直沿用的考试文体。十分重视款式与格调，是糅合了散文的章法、骈文的排偶和近体诗格律的一种特殊文体，它需要考生在很短的时间里，驾驭着安邦治国的娴熟语言，破题承题，起讲提比，束结落下，面面俱到，要写好考卷上的题目，难度系数的确很大。前面已经说过，蒲松龄在李尧臣家读书时，尽管"一心致力古文辞"，而且对于史汉庄列、唐宋古文也用了不少心思，但他对于八股文或策论表制似乎用功不够，更没有掌握八股文的写作技巧，并使考试的准备偏离了方向，有时甚至在试卷上超过了五百五十字的规定篇幅，导致被废。仅从这点来看，他写出的考试文章还欠火候，难以博得考官的好感，结果不言自明。

第二，偏离了正统思想的轨道。八股文的一个重要作用就是严格考察应试者的思想，要求写作者必须"代圣人言"，"为社稷说"，必须完全服从于孔孟之道。而蒲松龄喜谈鬼狐故事，易受"异端"、"邪说"影响，加之几次落第之后，孤愤情绪占了上风，其试卷往往缺少考官们所希望的深意和格调，有时还会流露出讥世、愤懑或嘲讽时事的言论。尽管其文字技巧无可挑剔，但只要不合八股文的标准，不对考官们的口味，仍然会被无情地"打入冷宫"。

第三，分散了应试的精力和才气。蒲松龄一边准备科举考试，一边又不放松谈狐说鬼的小说创作，而且创作的激情持久不减，他既无分身之术，难免就会顾此失彼。从解放后发现的《聊斋志异》四册手稿本与铸雪斋抄本对校来看，蒲松龄早在康熙十一、十二年，即他三十一二岁时就开始了此书的创作，前后历时四十多年才算告竣。不仅如此，这位蒲秀才还著有《省身录》、《怀刑录》等，并编辑了《婚嫁全书》、《帝京景物选略》、《聊斋白话韵文》，辑选了《日用俗字》、《农桑经》、《仙、学节要》、《观象玩占》等，还写了数量可观的俚曲唱词等等。在他坎坷贫困的一生中，银钱没有攒下多少，却给后人留下了大量精神财富：一部多卷本的《聊斋志异》，十三卷文集（计四百余篇），诗六卷（计九百多首），词一卷（计一百多阕），杂著五种，戏三出，俚曲十四种和一部名为《醒世姻缘》的长篇小说。要完成这些作品，必然要占用大量时间，这就一定影响其科考准备。蒲松龄的好友孙蕙曾给他写信说："兄台绝顶聪明，稍一敛才攻苦，自是第一流人物。"话虽不多，却一针见血地指出了蒲松龄屡试不第的要害。如果这位淄川才子真的收敛起旁鹜斜驰之"才"，付以对于举业的专攻，不要说考个普普通通的举人，就是再考进士也如囊中取物，并且可以成为"第一流人物"。不知蒲松龄是否明白了这个并不复杂的道理，或是心内清楚而仍我行我素，结果"第一流人物"没有做成，却成了第一流的短篇小说高手。

　　像蒲松龄这种具有坚强毅力和良好文字功底的饱学之士，为什么总写不好五、七百字的八股文章，在他看来不是什么技巧问题，也不是没有尽到努力，而是自身命运不济。因而每次落第之后都是垂头丧气，怨天尤人，从他的《闱中越幅被黜》看得十分清楚："问前身何孽，人已彻骨，天尚含糊。"继而又伤心地写道："风檐寒灯，谯楼短更，呻吟直到天明。伴倔强老兵，萧条无成，嫩场半生。回头自笑漾腾，将孩儿倒绷。"（引见〈醉太平〉《庚午二场再黜》）看来他还是没有真正明白自己屡试不第的原因。

经过一次次的科场失败，回首"萧条无成"的赶考之路，年过花甲的蒲松龄这才明白了"岂为功名始读书"的道理。他的夫人刘氏也趁机劝他说："君勿须复尔！倘命应通显，今已台阁矣。山林自有乐地，何必以肉鼓吹为快哉？"蒲松龄这次听从了夫人的规劝，当下断绝了去考举人的念头。从此再不为那些功利诱人的八股文绞尽脑汁，只管一心一意坐在聊斋南窗下面去写他的书了。

　　从蒲松龄来说，腹中积有如此才学，苦熬四十余年居然没有考上举人，也许这是他终生的最大遗憾。然而他却为后人留下一部《聊斋志异》，这对于我国文学来说，又何尝不是一件天大的好事！今天，在蒲松龄的故居仍然悬挂着一副充满哲理的对联："一世无缘附骥尾，三生有幸落孙山。"回头看蒲松龄的一生，这真是绝妙的总结和概括。他从康熙四年（即公元 1665 年）二十五岁起，直到七十岁撤账回家，几乎一直过着寄人篱下的生活。在这期间，也曾遇到过对他能有帮助但都错过了机缘的人。一个是前面说过的施闰章，此人是清初尊唐诗派主将，在当时很有名气，但在蒲松龄道试不久，他就从山东学政任上调去了江西，从此失去了提携蒲松龄的机会。后来，蒲松龄一直不忘这位恩师，他写了一篇《胭脂》，颂扬施闰章为平反冤狱的清官，并在篇末写下这样几句话："愚山（施闰章的号）先生，吾师也。方见知时，余犹童子。窃见其奖进士子，拳拳如恐不尽，小有冤抑，必委曲呵护之……"字里行间，表达了对他的敬仰和怀念。另一位是蒲松龄的同乡好友孙蕙，他身为外地的县令，曾给蒲松龄写过人情"条子"，很可能因为人微言轻，也没起过什么作用，蒲松龄曾在孙蕙那里做过幕僚，仅仅一年时间就卷起铺盖回到了老家。再一个是赫赫有名的大文人王士祯，此人曾为一代诗坛盟主，曾经任过刑部尚书，他很赏识蒲松龄的才华，蒲松龄对他也是敬慕有加，本来指望这位王大人能把《聊斋志异》荐之于世，大概因为"子不语怪力鬼神"的原因，王士祯只是应付性地写了一首诗就万事了结。

　　时乖命蹇，数奇不偶，蒲松龄终于没有挤入官场，也没有发达起来。康熙五十四年（即公元 1715 年），这位杰出的小说大师走完

了他贫困坎坷的一生，终年七十五岁。"文章草草皆千古，仕宦匆匆只十年"，多少王侯将相和高官显贵都如转瞬即逝的流星，没给人们留下什么印象，而终生没有考取举人的蒲松龄却以自己不朽的著作，深深印在后来无数人的心里，成为中国乃至世界永远不会殒落的文学巨匠。

四　雍正朝奇案冤案揭秘

这个踩着他人血迹登上御座的皇帝，在他当权的朝野，也充满新、奇、诡、怪。且不谈他即位和暴亡的奇特与诡秘，民间麻城杨三姑谋夫的千古冤狱案，足见其执政下的社会之炎凉、势利和黑暗。另一方面，他又是制造文字案的高手和惯手，在他的刀下，不知有多少冤死鬼、屈死鬼悲叹哀鸣

1. 雍正夺诏承大统奇案

（1）夺诏篡政

康熙帝开始是立第二个儿子胤礽为储君太子，过了三十三年，他觉得这个儿子不像自己，便废掉了，而且把他幽禁起来；第二年，康熙帝想到自己是五十多岁的人了，没有太子不放心，但在儿子当中挑来挑去，总找不出满意的，只得又恢复了胤礽的太子名义。经过三年的再考察，他觉得这个儿子实在不是继承大统的那块料，又把他废掉，重新幽禁起来。经过几番折腾，康熙帝对立太子储位的事有点厌烦，便搁置了下来。到他六十九岁那年的冬天，他准备去南苑围场进行冬猎。临行前，不料老病复发了，只得暂回畅春园休养。这次却病得很厉害，他自知难以久留人世，便写下遗诏："朕十四皇子即继承大统。"

这十四皇子名胤禵，是个贤能有才干的人，常领军保卫边疆，深得康熙皇帝喜爱。

在康熙皇帝的三十多个儿子当中，第四子胤禛，是个沉迷于声色犬马的纨绔子弟。他生性奸狡，擅权谋，一直为康熙帝所憎恶。在康熙帝病发以后，胤禛马上敏感到将有一场争夺皇位的大较量。于是他大肆进行阴谋活动。一方面，他把自己平时结交的一伙耍刀弄棒之徒带进宫中为自己奔走；另一方面，他时时观察康熙皇帝的动静，在康熙皇帝弥留之际，他偷偷将遗诏上的"十四皇子"改成"第四皇子"，同时不让其他兄弟接近病危的康熙皇帝。一次，康熙皇帝从昏迷中醒来，察觉了他的野心，但呼唤其他人又不见，康熙皇帝愤怒地用枕头砸去，胤禛一闪躲过了；康熙皇帝气极了，随手又将项珠掷了过去，胤禛顺手接住，并挂在自己的项脖上，看到这种情景，康熙皇帝顿时气厥而亡。

过了一阵，胤禛见康熙皇帝确已死去，便将尸体放好，自己捧着遗旨，挂着项珠，大摇大摆地走出康熙皇帝的寝宫。他那帮哥儿们立即上去簇拥在他的周围，守候在宫外的皇室成员和王公大臣，见了诏书和项珠，也难以分辨真伪，便一齐拥戴他登上了皇帝的宝座。他就成为大清王朝入主中原后的第三个皇帝，后改年号为雍正。

有人说，改诏这一招，是汉族大将军年羹尧想出来的。雍正的母亲入宫前，先与年羹尧私通，入宫仅八个月就产下雍正，所以他一直是雍正的心腹。雍正即位以后，他更是位极朝臣。但他知道的内情太多了，雍正有些不放心，他即位后的第三年，年羹尧就获罪下狱，并责令他自杀于狱中，年家满门遭杀。

（2）残杀兄弟

雍正帝当上皇帝，总觉得有点理亏心虚；加上他兄弟中的确有夺位野心的人，他们便成了他的心腹之患。为了消除对自己帝位不利的隐患，他采取了一系列剪除异己的措施。

首先，他下诏把诸兄弟的名字里的"胤"字改为"允"字，以区别于自己。

接着，他把拥有兵权、在朝廷上有很高威信的第十四弟允禵从西北边防线上召回京幽禁起来。第八皇子允禩、第九皇子允禟，都也觊觎过皇位。他俩关系很好，常有密信往来。有一次，允禟要求雍正让他的一个心腹去江南补一个要缺，雍正便抓住这个口实，指责他们兄弟俩培植党羽，心怀不轨。将他们开除宗籍，强迫允禩改名阿其那（意为"狗"），允禟改名为塞思黑（意为"猪"），然后加以软禁。

有天晚上，允禟在自己书斋读书，忽然听到窗外窸窣作响，好像是树叶在飘落，又看见有人影晃动，想到自己的处境，便惊恐起来，急唤侍卫人员，连呼几声也无人答应。这时，一名身着黑衣裤的壮汉破窗而入，允禟吓得忙向墙边倒退，颤抖着问："你是什么人？"

来人冷冷一笑，说："九爷不必惊慌，老爷子派我向九爷请安来了。"

允禟听说是雍正派来的，顿时惊惶万状，他乞求说："请壮士

回转禀皇上，我现在很好，没有任何愿望、要求和牵挂。"

"可是老爷子还是担心九爷的身体。奴才特地带来一点好药，请九爷服下，就可保永远健康啦。"说着从腰间取出一个小包递与允禟。允禟知道这是要他命的毒药，想拒绝服用。来人立即脸色一沉，两眼射出凶光，拔出匕首直指允禟，咬牙切齿地说："请九爷放明白些，别耽误了奴才的公事!"说着向允禟步步逼近。

允禟知道一切挣扎都已无用，不觉热泪夺眶而出。他打开那白色的药粉，刚一进口，就七窍流血而死。第二天，到了中午还不见允禟动静，内监敲门呼喊，没人答应。开门一看，室内一切如常，只是不见人影，只有地下一片带殷红的湿痕。对这件事朝廷没有任何反应，只说允禟死了。不过，允禩明白发生了什么事。

几乎就在这同时，雍正又派人潜去西北，将允禟的眷属通通解回北京，交内府严加看押。

在这以后，又先后传出了允禩，第十子允䄉，第十四子允禵的死讯。据说，诸王子当中，只有允祥被雍正所信任，成为兄弟相残、同室操戈的幸存者。

(3) 秘室毒手

一个太监的私家塾爷同东家相处不错，一天，他请求太监领他到内宫看看，长长见识。太监同意了，并且为他准备了腰牌和衣帽，假充侍役混进了内宫。进宫前，太监嘱咐塾爷说："进午门的时候，门卫必定要突然厉声喝叱，没有进去过的人就会吓得惊惶失措，这样就会被抓起来，性命就危险了。每进一道门，几乎都这样。不过越到后面，喝斥声就没有开始时那般凶暴，盘问也渐渐松了，因为已经通过几道门岗，大约认为问题不大。"

太监引塾爷进内宫参观、蹓跶了一阵，来到了太监休息的房间。太监看了看四周，告诉塾爷说："先生，这里是皇上常到之处，你稍稍歇一会儿就出去吧!不然，恐怕圣驾突然来了没地方躲藏。"

正谈间，忽听太监们在互相嘘气。太监慌张地说："皇上已经到了，怎么办呢?"他急中生智，让塾爷躲进床板下面。床板的缝隙中仍然可以看清外面的一切。

一会儿，雍正帝一脸怒气走进屋中，盘腿坐在床上。接着几大力士挟进一个人来，只见他遍体鳞伤，面无人色，到了雍正帝面前，侍卫要他跪下，但他傲然不理。对雍正帝骂道："你不念手足之情，就是曹丕迫害曹植，也没有把他置于死地。你夺得大位，陷害太子，又接二连三杀戮众亲兄弟，以为这样就可以灭口，但是，你就没有听到过'众口史笔，公理难摧'这句话么？"

雍正帝大怒，跳下床去，狠狠地对他左右开弓，打来人的耳光，同时，又命令大力士把他的手足捆绑起来，拿出一小瓶白色粉末，强行倒入他的口中，来人立即殷血迸出，倒地而亡。门口放有一口大缸，侍从们将死者碎尸置于缸内。此时万籁无声，只有床上雍正帝喝茶吸烟的声音。过了十几分钟，雍正帝令开缸看看，力士看了看说："完了。"雍正帝伸头窥视，力士们将缸口稍微倾斜过来，便溢出紫黑色的水来。

雍正帝一挥手骂道："看你还敢骂我吗？你们把缸抬出去扔进污水沟里，让他死了也跟污秽为伍。"

那些大力士们抬着缸出去了，雍正也随之离开。

太监把吓得半死的塾爷拉了出来，悄声问道："今天的事，你都看见了？"

塾爷不断摇头，擦汗说："看到了，看到了！"

"你就当没有看见一样，要是稍稍走漏风声，你我都死无葬身之地。今天我值班，你先回去，明天还有要事相商。"

塾爷回到住所，想到处境危险，但又难以立即脱身。于是利用等候太监归来的时间，把看见的事情一一记了下来。撕开棉袄藏在里面。第二天，太监惊慌回来，一进门就说："先生，大祸临头了！唉，这真是祸由自取！"

塾爷忙问："出了什么事？"

"昨天我当班，老爷一天未问。我想可能他没有察觉，大概没事了。谁知晚饭时，他突然生气地问我：'白天床底蹲的是什么人？你真胆大包天！'我忙磕头谢罪，承认是我的亲戚。皇上仍大怒不息，命我立即杀死先生。我实在没有法子。我能够报答你的，就是你死后我一定将你的灵柩送回你的老家。宫里马上就要来人，先生快做准备吧！"

塾爷伤心地说："事到如今我也别无要求，只是我枉做异乡之鬼，乞求公公见怜。"说毕两人痛哭诀别。

宫里人到后，取出一副药，塾爷服下，立即腹痛而死。太监将他的棺材送到他家乡，说是暴病身亡。几个月以后，家人检点塾爷的遗物，在箱子里面发现了绝命书，方才明白真相，但为避免再遭惨祸，谁也不敢走漏半点风声。

2. 三阿哥弘时之死奇案

弘时原为雍正帝第四子，他的三位兄长弘晖、弘盼和弘昀，分别在八岁、三岁和十一岁时早亡，其中弘盼因幼殇未被序齿，所以弘时排行第三，又被称为三阿哥。由于哥哥都已不在人世，他实际上成了雍正帝的长子。史籍上对弘时的记载很少，《清世宗（雍正）实录》载，雍正十三年（公元 1735 年）十月，刚刚继位的乾隆帝下谕旨说："从前三阿哥年少无知，性情放纵，行事不谨，皇考特加恶惩，以教导朕兄弟等，使知儆戒。现三阿哥已故多年，朕念兄弟之谊，似应仍收入谱牒之内。著总理事务王大臣酌议具奏。"《清史稿》论述简略些，本传载道："弘时，雍正五年（公元 1727 年）以放纵不谨，削宗籍，无封。"《皇子世表》记："弘时，世宗第三子，早死，无嗣。"从这些片言只语中可以得知：弘时生前曾因某种过错而被雍正帝惩罚，乾隆帝即位时，弘时已死去多年。弘时究竟怎么得罪了雍正帝？弘时之死与雍正帝有关吗？

曾任清史馆协修的唐邦治，首先提出雍正帝杀子之说。他在《清皇室四谱》一书中，记曰："皇三子弘时，……康熙四十三年甲申二月十三日子时生，雍正五年丁未八月初六日申刻，以少年放纵，行事不谨，削宗籍死，年二十四。十三年八月，高宗即位，追复宗籍。"有史家更直截地指出：弘时之死，"不是被诛戮，就是被世宗赐令自尽了"。因为，在弘时死后一月，雍正帝于某奏折上批语道："朕尚有阿其那（即允禩）、塞思黑（即允禟）等叛贼之弟，……不但兄弟，便亲子亦难知其心术行事也。"雍正帝把自己的亲生儿子与两位势不两立的政敌兄弟相提并论，表明雍正帝杀弘时，是完全有理由的。孟森也说："夫'年少放纵，行事不谨'，语颇浑沦，何至处死，并削宗籍？……世遂颇疑中有他故。"孟森推测弘时之死与"世宗大戮其弟"有关。他说："世宗处兄弟之酷，诸子皆不谓然。弘时不谨而有所流露，高宗谨而待时始发也。"总之，是雍正帝杀了其三子弘时，原因可能是弘时同情或支持雍正帝的政敌，此为雍正帝所不容。

有学者对弘时与雍正帝的父子矛盾关系，作了更详尽的叙述，指出雍正帝并未杀子。弘时生于康熙四十三年（公元1704年），死于雍正五年，这一时期正是康熙帝建储、皇子纷争，雍正帝继位后，又大肆清除政敌，清朝政坛波澜起伏，血肉相残时期。日益成熟的弘时耳闻目睹这一切，自有其自己的看法，而且他一向不得雍正帝宠爱，称帝无望，造成与父亲雍正帝之间的矛盾不断深化，并和雍正帝政敌发生某种勾结。二十左右的弘时，年轻气盛，城府尚浅，对父皇的不满时有表露，终于受到雍正帝的惩戒。雍正帝先是勒令弘时为允禩之子，断绝与弘时的父子关系，雍正四年（公元1726年）二月十八日削其宗籍，交由允裪"约束养赡"（《宫中档雍正朝奏折》第廿六辑）。到雍正五年八月初六日，弘时终因长期郁闷不乐而死。说弘时被削除宗籍与死去发生于同时，即所谓"削宗籍死"，可能是对史料作出错误判断而形成。据当时情况看，弘时被削宗籍的主要原因，是受允禩的"株连"，允禩所受的惩处是圈禁高墙之内，并未被马上处死，而受其株连的弘时却被立即处死，这有点说不过去。雍正七年（公元1729年）颁布的《大义觉迷录》一书中，曾静指责雍正谋父、逼母、弑兄、屠弟。如果雍正帝杀了弘时，曾静肯定会抓住不放，再加上一条"诛子"，从这一角度看，雍正帝好像并没有杀害自己的亲生儿子。

3. 雍正皇帝禁言禁书冤案

清王朝雍正年间，文字狱案件比康熙年代增多了。雍正皇帝即位的头几年，同他的兄弟允禩（即"祀"字）、允禟、允禵等诸王，

展开了激烈的权力斗争，允禩遭降爵禁锢，允禟和允䄉被废为庶人，死于禁所，统治集团内部矛盾十分尖锐。凡是对皇帝本人或对朝廷政事表示不满，或有所议论，就会被看作"非议朝政"、"谤讪君上"，甚至被加上"党附奸恶"、"蓄谋叛乱"的罪名。因此，在这个时期，文字狱往往成为皇帝用以排除异己的一种惩治手段。

雍正四年（公元1726年），查嗣庭担任江西省考官，他出了一道考题，叫做"维民所止"。这本来是《诗经》里的一句话，有人却向皇帝报告说，"维"、"止"二字正是"雍正"二字去掉上半截，岂不是暗示有人要砍皇帝的头吗？这一说，引起皇帝勃然大怒，于是立即下令把这个考官逮捕入狱。后来雍正担心光凭这一点定罪，人们会说查嗣庭出于无心，于是下令查抄他的日记，找出许多被认为是"谤讪圣祖（康熙）"、非议朝政的罪证，并且说他"趋附"奸臣隆科多，因而定了"大逆不道"的罪。查嗣庭病死在监狱里，可是皇帝还不甘心，下令将他戮尸枭首，他的儿子也被处斩，他的哥哥和侄儿被流放到三千里外的地方去。

川陕总督、抚远大将军年羹尧，本来是雍正皇帝的宠臣，曾因"平定"青海有功，被封为一等公。后来雍正帝认为年羹尧恃功弄权，"显露不臣之迹"，于雍正三年（公元1725年）加以法办，定了九十二项大罪，下令"赐"他自缢。年羹尧的记室（秘书）汪景祺写了《西征随笔》，其中有一首诗写道："皇帝挥毫不值钱"，被认为是攻击康熙皇帝；此外，他还写了《功臣不可为论》，被认为是替年羹尧鸣冤叫屈，对雍正皇帝不满。雍正四年案发，汪景祺被"立决枭示"，妻子、儿子被发往黑龙江为奴。同年发生的，还有钱名世案。

翰林院侍讲钱名世，也因为写诗颂扬年羹尧，而触犯了雍正皇帝。他的诗里有两句是："鼎钟名勒山河誓，番藏（即西藏）宜刊第二碑。"这意思是说，应当在"圣祖仁皇帝（康熙帝）平藏碑"之后，再为年羹尧立一个记功碑。雍正认为这是把平藏之功归于年羹尧，这种看法自然冒犯了皇帝的权威。不过，钱名世所犯的罪还不至于死。雍正便亲自写了"名教罪人"四个大字，制成匾额，张挂在钱家的门前。皇帝还命令在京的大小官员，凡是科举出身的，都要写诗讥笑钱名世。这类讽刺诗多被保留下来，现在还能看到的有三百八十多首。

这些案件所给予的罪状，都同触犯清朝皇帝的威严有关，而这在君主专制的时代是绝对不能容许的。此外，这些案件都涉及"奸恶"的权臣和朋党，他们的存在，是对由皇帝所独掌的皇权的威胁，所以必须加以剪除。显然，打击亵渎君王的行为，打击朋党势力，目的是要使人们忠诚于皇帝，以维护绝对的君主集权的专制统治。

例如，雍正时，原庶吉士徐骏由于写过"明月有情远顾我，清风无意不留人"的诗句，被怨家告了状。在刑部审讯时，有的官员认为他是"实出无心"，可是结果还是以"于诗文稿内造为讥讪悖乱之言"的罪名，依照所谓"大不敬律"而被杀了。

据说，有一次，雍正皇帝微服出游，到一家书肆里看书。那时候，微风习习，吹得书本一页一页地翻动不已。一个书生见景生情，出口成章地吟出了"清风不识字，何得乱翻书"的诗句。此诗被雍正听到，认为这是意含讽刺，这"清风"不就是暗指着清朝吗？建立清王朝的满洲贵族最怕汉人起来反抗，最忌人家说他们浅薄少文。于是，皇帝下了一道圣旨，便把那个可怜的书生抓去砍头了。

凡是善于逢迎拍马的人，总想占一些便宜，他们也往往捞到了一些好处。因为歌功颂德、献媚求宠而遭到杀身大祸的，确实少见，可是在文字狱案件中，却有这样的事例。

雍正五年（公元 1727 年），太常寺卿邹汝鲁呈进《河清颂》，颂扬雍正皇帝的功德。在颂词中，用了"旧染维新，风移俗易"的字句，这意思是说，在雍正的治理下，过去不好的东西都得到改变，面貌一新。雍正看了，怀疑这两句话"不知其出自何心，亦不知其有何所指"。颂扬当今皇帝固然是好的，可是如果蓄意讥讽皇帝的祖先，罪过可就大了。尽管没有弄清它的真正含义，雍正帝在谕旨中还是武断这是"悖谬之语，显系讥讪"，于是，献媚者却受到了惩罚。邹汝鲁反被革去官职，发往荆州府堤工处效苦役去了。

还有就是，监察御史谢济世揭发河南巡抚田文镜贪赃枉法等罪行。这田文镜是雍正皇帝极为宠信的心腹之臣，谢济世竭力抨击他，因此触怒了雍正帝。雍正皇帝祖护田文镜，说他是一个"秉公持正"的好官，并且指斥谢济世有意诬告，把他充军。谢济世在边疆注释《大学》，著书立说。清统治者向来对犯罪的汉族官员是很注意的，总是命令各地官员留心监视这些人的行动，随时向朝廷密奏。雍正七年（即公元1729年），谢济世注释《大学》的事情被人告发了，并且还给他加上了"毁谤程朱"的罪名。

在学术上不同意朱熹的观点，提出自己的见解，这本来是正常的事。可是在清王朝前期，反对朱熹就是反对官方的思想，就算是一种严重的罪行了。朝廷官员在审阅书稿时，认为谢济世不仅反对朱熹，而且更严重的是利用注释"见贤而不能举"等机会，大讲所谓皇帝用人之道，指责拒绝纳谏、掩饰过错的作法，这显然是借题发挥，有意攻击皇帝，对自己被充军心怀不满。

雍正皇帝向来对这类案件都是亲自处理的。他看了这个案件的奏折以后，亲自写了"朱批"。首先表白自己一贯对"拒谏饰非"有所警惕，接着，他指出只有忠心耿耿地向皇帝提出批评和建议才叫做"谏"，而谢济世所说的却是进行影射攻击的"私言邪话"，并不是什么"直谏"。本来对这种人是要处斩的，还算是皇上开恩，从宽送往军队里当苦差，效力赎罪。

和谢济世同时流放的工部主事陆生楠（工部是掌管工程、水利、交通等事务的朝廷机构，而主事为部里的低级官员），也在阿尔泰研究学问，写了一部《通鉴论》，这是读史札记之类的著作，其中提到封建、立储（确立储君——皇位继承人）、兵制、人主、相臣等问题，发表了自己的观点和主张。究竟是裂土而治的地方分权的分封制好，还是中央集权的郡县制好，这是封建时代政论家争论了一千多年的老问题。清王朝实行郡县制，而陆生楠却大谈分封制的好处，说这是古代圣人制定的最好制度，废除分封制害处很大，竭力主张改革现行的郡县制。而他主张实行分封制，是同反对绝对的君主专制相联系的。他认为君主个人的权势越大，带来的祸害也越大。显然，陆生楠的这些主张，是和当朝官方的思想相对立的。雍正七年，他写《通鉴论》的事被查了出来。雍正皇帝亲自写了《驳封建论》，以批驳陆生楠的"邪说"。

为什么一个犯罪的低级官员写了这样的著作，竟引起皇帝这样重视呢？这是和当时的政治背景有关的。雍正皇帝同他的兄弟之间，为争夺统治权进行过激烈的争斗。诸王企图夺取或分享一部分权力，当然反对雍正的专制集权，赞成实行分封制。这样一来，陆生楠的主张就被看作是"党援诸王"，为他们制造舆论。雍正皇帝把它看成一个重大问题，亲自出马进行批驳，后来又下令将陆生楠在军前处死。他力图用暴力手段压服政权对敌。

4. 吕留良、曾静冤狱案

吕留良为浙江人，著名的理学家。明朝灭亡后，他始终不与清朝妥协，后来因为拒绝参加博学鸿词科考试，干脆削发为僧，在和尚庙里著书立说，坚持反清倡明的立场。吕留良死于康熙二十二年（即公元 1683 年），可是在四十多年以后，却遭到戮尸示众的厄运，连累了子孙和门生，这就是雍正年间最大的一次冤狱。

吕留良和一般的明朝遗民不同，一般遗民的"抗清"，只是吟诗、作文暗寓讥讽，发些牢骚罢了，而吕留良却是一个思想家，他提出的一些理论，同清朝统治者是格格不入的。他主张皇帝和臣子的关系，不能同父子关系一样，而应当以义为重，反对尊君卑臣的风气。他还主张把驱逐异族统治者、恢复汉人的天下，看作是比君臣之义更重要的道德原则。这些思想显然是反对满洲贵族统治的，所以雍正皇帝说道：吕留良写的文章和日记，全是叛逆的词句，凡是做臣子的，都会不忍看、不忍读、不忍写出来的。这说明清政府对吕留良的反清思想深恶痛绝。

可是，湖南生员曾静对吕留良的思想却十分钦服崇拜，他派门生张熙去浙江吕家访求吕留良的遗稿，吕留良的儿子把全部遗书交给张熙。曾静看到这些著作，如获至宝，反清思想更加激烈。他经常和吕留良的学生严鸿逵等人来往，图谋把抗清的思想变为实际的行动。但是，曾静不是依靠人民的力量，而是企图利用汉族将领发动政变。当时川陕总督岳钟琪，传说是岳飞的后代，曾静就派张熙带了密信去游说岳钟琪，信上列举了雍正皇帝谋父、逼母、弑兄、屠弟、贪财好色、诛忠用奸等罪状，劝说岳钟琪和他们共谋举事，推翻清朝。可是岳钟琪并不想反清，他采取卑劣的手段，欺骗张熙，终于弄清了主谋者，然后向皇上告密。于是，吕留良、曾静大狱便发生了，这是雍正六年（即公元1728年）的事。

那时，清朝皇室内部矛盾尖锐，各地人民的反抗斗争也时常发生。在这种情况下反满抗清思想化为实际的行动，这不能不引起清政府的高度重视。因此，雍正帝决定利用吕留良、曾静的案件，严厉地打击反清的思想和行动。雍正的"上谕"指出，以前浙江发生过汪景祺、查嗣庭的案件，海宁、平湖也有"骚动"，那都是吕留良思想的"遗害"；如今曾静、严鸿逵等人，相距千里，居然能够相互呼应，共谋反清，可见问题严重，已到了非加严办不可的时候。

当然，砍头、戮尸是不可少的。吕留良和他的儿子吕葆中、学生严鸿逵都已死去，仍遭剖棺戮尸的下场。吕留良的另一个儿子吕毅中以及严鸿逵的学生沈在宽都被砍了头，子孙遣戍，妇女为奴。曾经为吕留良建祠、刻书和私藏吕氏著作的人，一律论死。可是，发动"叛逆"的首要分子曾静和张熙，却出人意料地被免罪释放了。这是清朝统治者玩弄的一种手法。

雍正皇帝利用这个案件，大造舆论。他指出，曾静等人住在偏僻的农村，受到流言蜚语的迷惑，而造谣者是允禩、允禟等诸王的党羽；曾静等人还受到吕留良"邪说"的蒙蔽，才会企图谋逆。雍正把曾静表示改悔的供状，连同他亲自写的谕旨，合本刊成《大义觉迷录》一书，发到全国各府州县以及远乡僻壤，要求做到家喻户晓，不论是读书学子还是乡间小民，都要懂得书上所讲的"道理"。他企图用这种手段来消除反清思想，分化反清的力量。

雍正皇帝还企图利用这个案件，大肆追查"谣言"。他不仅下令向曾静、张熙等人追问：从哪里听到有关皇帝的"谣言"，而且一步步地寻根刨底进行追查。官员向人们劝说道：只要把这些谣言在哪里、听什么人讲的说出来，本人就没有罪了，否则替别人隐讳就是犯罪。在他们层层追查逼供下，有的人交代出，是在湖南某地的路上，听一个犯官说的，又说传播谣言的人是"京内旗人模样"等等。这样，雍正帝就把"造谣"的首犯说成是诸王的党羽，目的在于进一步打击他兄弟诸王的势力。

但是，《大义觉迷录》并没有收到根除反满思想的效果，不杀曾静以示宽容也起不了多大欺骗作用；而《大义觉迷录》的颁布，倒是从中透露了不少皇室内部争夺统治权力的消息。所以，雍正皇帝一死，乾隆皇帝在即位的当年，就把曾静和张熙凌迟处死，连《大义觉迷录》也加以查禁，不准流传了。

吕留良、曾静大狱案究竟冤死了多少人？雍正皇帝为什么如此处理此案？乾隆皇帝后来又为什么推翻了他父亲的处理结果？这些都成了大清王朝的一大争论不休的奇案冤案。

5. 麻城千古冤狱奇案

清朝统治，官场腐败，奇案怪事层出不穷。雍正年间湖北省的麻城冤狱，即是典型的一例。

（1）"小狐狸"风流案起

当时麻城有个知县叫汤应求，为举人出身，四十岁左右年纪，虽说为人怯懦，但做官倒还清明。这天，他听有人击鼓鸣冤，立即命衙役将喊冤人带上。

走进来的是郎舅两人。一个说，自己的姐姐自嫁涂家后，就遭到虐待，一个月前遭打失踪，定是被姐夫涂如松暗害了，恳求知县大老爷伸冤；另一个却说，杨氏三姑入门后，三天两头回娘家，一个月前出走不归，定是小舅子杨五荣姐弟俩做成圈套，想敲他这个作姐夫的竹杠，在此恳求青天大老爷明察。

汤应求根据两人的诉述，一时难以决断，于是就命两人先自回去，听候处理。退堂以后，他就把刑房老书吏李献宗请来商议。这老书吏年纪五十挂零，原是仵作出身，对疑难案件也很有一些识辨能力，办事认真老练。他听了案情后，略一思忖，就笑道："生要见人，死要见尸，口说无凭，全要证据，若知真伪，先找女子。"汤应求连连点头，便发下签票，命他查找杨氏三姑的下落。

时过三天，李献宗从涂家住地九口塘回来，向汤知县禀报说，在九口塘访问了十多户村人，又专程去了杨家村调查，虽然众说纷纭，但有一点是一致的，那个涂如松是个老实农民，有名的孝子，而杨三姑却是个水性杨花的"小狐狸"。她嫁到涂家之前，就和同村生员杨同范有勾搭，后嫁给王家庄的富户王祖儿家作媳妇，可王的儿子是个白痴，什么都不懂，杨三姑很快就与王祖儿的外甥冯大发生了奸情，结果被王祖儿一纸休书打发回家了。刚好遇上九口塘的涂家托人要找儿媳妇，经媒婆说合，两家迅速结了亲。杨氏嫁到涂家不久，两人就开始口角，一不顺心就摔桌打凳。有一次，丈夫涂如松在忍无可忍的情况下，打了杨三姑一巴掌，杨三姑哭哭啼啼地跑出门了，从此就不见踪影。村人们都在说：她平日回娘家无非是找个借口，实际上是去会情夫了。

最后，李献宗归结道："这些都是村语闲言，不可不信，也不可全信。眼下亟需做的一件事，就是弄清杨三姑的下落。"

这样，追查的线索很快便集中到了王家庄冯大的身上。

那杨三姑确实是躲在冯家。冯大只有一个老母，她见儿子与杨氏成天在家中鬼混，心里很是焦忧，但又怕这个独养儿子吃官司，所以就守口如瓶。

这几天，冯大忽见村里出现了一个半老的陌生人，经常走门串户，找人聊天，不觉有些做贼心虚。他怕丑事一旦泄露，要到县衙门吃官司、打屁股那如何了得！于是就决定去同杨三姑的弟弟杨五荣说清楚，破点钱财，要他去县衙收回诉讼，再把杨三姑送回杨家了事。可是杨三姑的弟弟杨五荣是个无赖，正为赌输了钱生气。现在听冯大如此一说，就一意刁难，大敲竹杠。两人讨价还价，最后冯大出二十两银子，杨五荣总算答应下来。

冯大走后，杨五荣细细一想，却犯了难。姐姐并没有被涂如松害死，前去官府销案，岂非出尔反尔。弄得不好，还得白白挨一顿杖责。他蓦地想起过去的酒肉朋友杨同范，眼下住在城里，是个大秀才，还是去求他想想办法。

原来那个杨同范原本就是个花花公子，年少时就和杨三姑有过勾搭，后因迫于父命，只好抛下三姑迁往城里居住。如今虽已娶了三房妻妾，但对这个"小狐狸"始终不能忘怀。此时，听得杨五荣的叙说，不禁欣喜满怀。马上叫仆人取来酒菜，两人边吃边谈，当下一一计议妥当。

次日一大早，杨五荣匆匆赶到县衙，又递上一张状纸，请门官转呈县大爷，声称：如汤知县还不把谋害亲妻的涂如松依法惩治，就要越级向总督衙门上告。

等到半夜时分，杨五荣又领着杨同范的两名心腹家人，备了一乘小轿，悄悄来到王家村，接走了杨三姑，把她送进杨府后宅。从此，杨同范就把杨三姑安置在夹墙房中，成天寻欢作乐。妻妾们慑于他的淫威，谁也不敢露出口风。不过他有一个心病，怕涂家得到风声。所以决计要找个机会，非置杨三姑的丈夫涂如松于死地不可！

（2）无主假尸

机会果然来了。有一天，杨同范听说离九口塘不远的溪滩里，被野狗扒出了一具无主尸体，面目已经全非。他心中大悦，立即派心腹唤来了杨五荣，如此这般密谋一番，便叫杨五荣去县衙报案。知县汤应求得知有杨氏尸体，当然不敢懈怠，就派刑房老书吏李献宗带领仵作李荣前去验尸。

这李荣也是个老牌仵作，对汤大人作官清正很是佩服。这天下午，他打点好验勘用具，正要出门，忽见本县首富、生员杨同范踅进门来，不觉微微一愣，忙拱手道："杨爷，什么风把你吹来舍下？有何吩咐，请说！"

杨同范朝简陋的屋内瞥了数眼，颇带感慨地道："李哥秉公办案，竟落得这样清苦，实于理不公。如李哥不嫌，杨某愿略献菲薄之力，以表心意。"说完，从怀中拿出一根金条，往桌上一放。

李荣已猜知他八成是为杨氏一案而来，便婉言道："杨爷的盛情我领了。只是这金条是决不敢收的。在下如有办得到的事，但说无妨。"

杨同范碰了一个软钉子，只得转弯抹角地说："听说九口塘溪滩里的尸体，确为被涂如松所害的杨氏，看来李哥总不会有违民议的吧？"

李荣淡淡一笑，说："传闻管传闻，我没有去当面勘验过，怎

好人云亦云！杨爷如无其他事情，在下不能奉陪了。"于是将金条塞还杨同范，捎着用具，自顾出门而去。

李荣会合李献宗，向目的地出发。路上，李荣把杨同范前来行贿的事照实禀报了。老书吏李献宗只唔了一声，继续赶路……

两人到了九口塘溪滩。见那尸体曾被野狗啃过，如今已经腐烂。仵作李荣凭着丰富的验尸经验，从尸身的一双脚骨上，断定为一具男尸。再从毛发、骨骼上辨认，分明是个还未成年的男子，与成年女尸的差别十分明显。这一验勘，使这位刑房老书吏进一步明白：杨五荣的报案，完全是想假尸冒领；而杨同范的行贿，则是要他以假说真。当下，李献宗将李荣的验勘记录细细作了核对，并签下"此系男子之尸"六个字。然后他们关照地保：将这具无主尸体收殓埋葬，并在坟上立杆标记。

本来，像这样的案件，只要有实事求是的办案人，有清明的县官，完全可以审理清楚的。可是汤应求的上司忽然插手此案，节外生枝，竟扰乱了整个麻城。

（3）小人得势

当时的湖广总督叫迈柱。他与年羹尧本是同僚，平常来往颇密。自从年羹尧案发后，他心中便惶惶不安，大有兔死狐悲之感。

这天，门生高仁杰前来拜见迈柱，呈上一张状子，说："今有麻城生员杨同范偕同当地居民杨五荣写来诉状一份，恳求制台大人为民伸冤。"迈柱哪有心思，皱皱眉说："麻城有父母官，为什么送到总督府来？"高仁杰说："此状正是控告麻城知县徇私枉法，包庇九口塘刁民涂如松杀妻之罪的。他们无路可走，才前来恳求总督大人亲自过问此案。"迈柱越听越烦，手一挥说："芝麻大的事都来找我！此案就委派你前去复查处理吧！"高仁杰正是求之不得，赶快打拱作揖，说："感谢恩师大人栽培，门生当秉公办案，严惩罪犯。"

原来这高仁杰乃是一个小人。他当时为广济县的候补知县，正为找不到实缺而发愁。杨同范知道他是湖广总督的门生，便贿以重金。高仁杰见利忘义，就到总督府走了这个"后门"。

高仁杰拿了总督府的公文，匆匆赶到麻城县担任主审官。上任伊始，未作任何审理，就把涂如松、汤应求先行羁押，而后再起用另一名仵作薛义。这薛义早被杨同范笼络，受命之后，立即动身来到九口塘溪滩，命地保重新挖坟验尸。尸体经过几次翻腾，根本无法再验，而他却装模作样，东戳戳，西量量，磨蹭了好一些时间，才一口咬定这是具女尸，还说从肋骨中间验到刀伤的痕迹。

　　假报告送到高仁杰手上，高仁杰立即发下火签，将李荣拿来拷问。那李荣是条硬汉子，大声回答道："回高大人，那尸体一无缠足受折的脚趾骨，二无女子毛发，三无女身特征，四无刀伤棍痕，明明是个未成年的男尸，要我从何招起？"

　　高仁杰见他说出真相，哪还了得！猛一击桌，吩咐重打。那些如狼似虎的差役，见汤应求已成了阶下囚，就拚命巴结高仁杰，棍棒下去，又重又狠，血肉横飞。李荣自知厄运难逃，更是不顾一切地大骂主审官是个"心怀叵测的小人"，并当场揭露了杨同范行贿被拒的事实。这对高仁杰确是当头一棒，他又惊又怒，再也顾不了什么，只一个劲地丢下签子："重打一百！""重打二百！""重打三百！"三百没打完，李荣在惨叫声中断了气。

　　李荣一死，再也没人能讲那具尸体是男是女了。于是，等到戴着脚镣手铐的涂如松被推上公堂后，高仁杰不由分说，就下令先打五十大板，而后才大声呵斥道："你个刁民，谋杀妻子，铁证如山，不必抵赖！告诉你，本大人铁面无私，若不想再受皮肉之苦，你就快快招了！"涂如松被打得皮开肉绽，口里只嘶喊着"冤枉"。

　　高仁杰见他还不招，便命衙役抬来一盆熊熊炭火，烧红了铁索，然后强迫涂如松跪在上面。只听"吱吱"声响，满堂都是皮肉烧焦的臭味，涂如松昏死了过去。高仁杰又让衙役用冷水把他泼醒，继续用刑。涂如松即便是铁打的身子，也难受此等酷刑，口里喊着："罢罢罢，死了吧，死了吧！"就招认自己杀了妻子。

　　高仁杰获得口供，心中大石落地。当场判定杀人犯涂如松死刑，包庇犯汤应求革职充军，李献宗糊涂失职，杖责一百，逐出衙门。他吩咐将一干人犯先行关押，等禀报上司批复后执行。

　　此案一判，麻城百姓街谈巷议，愤愤不平。高仁杰虽然接任麻城知县之职，却被万人唾骂。

（4）奇遇转机

那老书吏李献宗被杖责一百大板逐出衙门之后，跌跌冲冲地返回家里。他想：这肯定是一起假案。哼，除死无大事！现在只有把这条老命豁出去，也许能把事情弄个水落石出。他知道杨同范的嫌疑最大，可一时拿不到真凭实据，眼前剩下的惟一线索只有冯大。他打听到冯母是个忠厚之人，不待杖伤痊愈，就悄悄地离开家门，直奔王家庄了。

原来冯母也听到了杨氏一案的判决，她明知杨氏未死，许多人都吃了冤枉官司，心中十分不安；但又怕真相大白，儿子要坐牢杀头，因此，终日恍恍惚惚，提心吊胆。这天，她忽见李书吏突然找到自己家里，不觉心中乱跳，以为事情已被他察知，哪知李献宗并不直接询问冯大之事，而是七拉八扯，向她讲了一个"母子相会刑场，儿子咬断母亲奶头"的故事。这"咬奶头"是一个妇孺皆知的故事，此刻被李献宗说来，某县某村，有名有姓，格外动情。冯母听着听着，对比自己，一时泪水盈眶，忍不住扑通跪在李献宗面前，失声痛哭道："我知道李爷的来意了。我就像故事里那个做娘的，可我不愿落得那样的下场啊！"于是就把实情说了出来。

李献宗大喜过望，连连拜谢冯母，就告辞回城。他一路走，一路苦苦思索：杨三姑藏在杨府，还得取得实证，这样就可越级上告了。他想起邻近麻城的黄安知县陈鼎，为官刚直，决定前去求他相助。路上忽听得有人喊他，抬头一瞧，原来是城里摆豆腐摊的老徐婆。

老徐婆住在西街城头巷，大门口正好挨着杨府的后宅门。平日里，杨家的内眷、丫环都从后门进出，大男人是从不敢涉足的。这就更便于杨同范在后院房中藏垢纳污。

前天早上，老徐婆赶了早市返家，天色还早，正想浸些黄豆，以便晚间磨制豆腐，忽见杨家丫环翠翠急急忙忙冲进她家，慌里慌张地道："阿婆，我家大娘子难产，杨爷唤小婢前来请你速去帮忙接生！"老徐婆赶快甩下手中活计，跟随翠翠进了杨大娘子房中。

她朝产妇细细一瞧，顿时傻了眼。原来婴儿的一只手垂将下来，半个头正卡在产门上。这样危险的难产光靠她一个人，休想把婴儿平安接下来。她急得朝丫环大喊着："别呆着了！还不快去唤些人来相帮，你家大娘子马上没命啦！"

丫环翠翠吓得急昏了头，忙朝墙壁大声叫三姑出来救大娘的命。只听"啪嗒"一声响，墙壁上的一堵暗门开处，窜出一个浓妆艳抹的年轻女人来。老徐婆认出她就是杨三姑，只装不知，而杨三姑却不识老徐婆。经过一番折腾，婴儿总算临盆。老徐婆返回家后，心神不定。她心中明白，杨氏一案，整个麻城县都在沸沸扬扬，许多人受了冤枉，尤其这个刑房李爷，对自己还有恩呢。她听说李爷已经出狱，很想去找他，但始终鼓不起勇气。没想到，今天偏偏让她遇上了，这可能就是天意？于是把心里的话和盘托出。

李献宗听罢，浑身劳累和伤痛早已丢到九霄云外，赞叹道："徐婆也这样深明大义，我如今什么也不怕了！不过你老这些天要照样在家磨制豆腐，不要外出串门，以免杨家生疑！"说完，连家也不回，起程直奔黄安而去。

（5）喊冤告状

再说这黄安知县陈鼎，虽为七品小官，却才识过人。他对杨氏一案早存怀疑，一直在冷眼旁观。这天傍晚，忽听门人禀报，麻城被开缺的刑房书吏李献宗求见，他已猜知七分，立刻传见。

当陈鼎听完李献宗的详细叙述后，随即告诉了一个消息：日前已接邸报，皇上批准了总督迈柱关于判处涂如松死刑的奏报，已派湖北巡抚吴应棻前来传旨，估计明天就会路过黄安县前往麻城行刑。

李献宗好像冰水浇头，浑身起了疙瘩，急得连连搓手，扑通跪伏地上，对陈鼎道："陈大人，明知是冤案，不敢昭雪，我们都将成为千古罪人矣，恳望大人设法。"

陈鼎沉吟片刻，扶起李献宗说："眼下还有一步棋可走，但你得再受皮肉之苦！"李献宗想也未想就说："只要能沉冤昭雪，在下愿以性命相陪！"陈鼎一听，十分感动，心想：要翻此案，不但要借巡抚之力，还得叫巡抚按照自己的意向办事；可是自己是个七品小官，又不能直接去指挥二品巡抚……对，不用明的，就用暗的。于是悄悄对李献宗耳语一番，连夜将"杨氏案"的前前后后写成诉状，交李献宗收藏身边。

第二天中午时分，果见一探马来报：巡抚大人已到黄安城外十里。陈鼎赶快率领大小吏员，骑马奔赴城外迎接。李献宗则头缠白布，身着素衫，来到大街上，拣一处小茶坊坐了。大约过了一个多时辰，只听鼓乐声起，一群差役手执"肃静"、"回避"的大牌慢慢而过，围观百姓都站在老远看着。再过一会儿，一乘四人绿呢大轿前呼后拥而至，陈鼎等当地官员尾随在后。李献宗忽然放下茶盅，不顾一切地冲到官轿前，大喊一声："冤枉啊！"就跪倒尘埃，双手将状子高举在头顶。

吴应棻看见有人拦轿喊冤，只得停住。他喝声："拿下去重打！"两旁护卫立即把李献宗掀翻在地，举杖就责。李献宗忍着旧伤复裂之痛，依然大声喊着冤枉，直至被打得喊声微弱下去，吴应棻才挥挥手，问道："你有什么冤枉？为什么不去本地衙门告发？"

李献宗嘶哑着嗓子，沉着地回答："本地衙门无力伸冤，详细冤情状里都有，请抚台大人过目。"他双手将状子交给护卫转呈。

吴应棻打开一看，十分惊愕。他此番奉旨前来，正是为杨氏一案处斩人犯的，如今竟有人半路冒死翻案，看来情况不同一般。他厉声问："你知道为死刑犯翻案的规定么？"李献宗说："回大人，此是一桩大冤案，非翻不可！小人准备以死明志。"吴应棻听了，略略沉思，就命皂役将他带到下榻的府第。

是夜，他细细地看了这份诉状，同时又对照了总督迈柱的奏报抄件，竟然大相径庭，不觉暗喜在心。原来吴应棻此番前来，雍正另有密诏，要他顺便查访年羹尧同僚迈柱近来的行径，如果发现有失职，立即上奏。眼前这个案子，正好让他抓住把柄。只要将迈柱扳倒，皇上一高兴，自己说不定还能加官晋爵，……吴应棻越想越兴奋，也不按当时规矩，去让李献宗滚钉板验真心，而是命人将他悄悄带到后堂，客气地进行询问。然而吴应棻是个无能之辈，只想升官，不会办事，当他听完李献宗的详细叙述后，情不自禁地脱口说："既然要拿住杨三姑本人，本官明日就授命陈知县，前往麻城杨同范家搜拿杨氏就是。"李献宗连忙摇手说:"使不得,使不得!杨同范身为生员,却是麻城一霸,有财有势,耳目众多,如果这么明火执仗前去缉拿,他很快就会获知风声,极有可能将杨氏转移,或干脆杀人灭口,到头来赔出我一条命还是小事,这个千古奇冤就再也无法昭雪了。"

吴应棻一听也对,又连忙讨教对策。李献宗忙献上一策:巡抚大人暂不去麻城,以免惊动高仁杰,而密令陈鼎带着捕快,扬言要去查访本县逃往麻城的几个暗娼,如此这般,趁其不备,闯进杨家,捣毁夹墙,一举擒获。然后,大人即令陈知县开堂复审。吴应棻听罢大喜。于是立刻命人传见陈鼎,要他连夜行动。原来这一切都出自陈鼎的谋划。如今老书吏果然将这缉拿杨三姑之法转教给巡抚,而巡抚又将命令下达给自己。陈鼎想想好不滑稽,但不管怎样,反正你巡抚听我知县的就行。他向吴应棻长长一揖,说声:"遵命!"径自去了。

次日一早,那杨同范刚从杨三姑暗室出来。忽听丫头翠翠来报,有个年轻女子求见杨爷。杨同范听说有年轻女人找上门来,赶快吩咐客厅候见。他匆匆洗漱完毕,来到客厅,果然是一个天仙般的女子,站在其间,便笑嘻嘻地问道:"哪来的娇客?"那女子口未开,泪先流,一张粉脸,恰似梨花带雨。她说:"小女子本是麻城良家女子,后被人拐卖到黄安县青楼之中,因不愿沦为烟花,特意偷跑回乡。怎奈我已无家可归,听乡人说杨老爷是麻城的大好人,一向为人解危排难,所以冒昧前来求见,万望杨爷救救奴家。"杨同范听了,真是喜出望外,忙说:"听你说得怪可怜的。我有心助你,怕遭非议;不助你吧,又于心不忍。罢罢罢,谁叫我有这点仗义助人的名声呢,你就暂时在我内眷身边当个贴身丫环吧!"那女子一听,扑通跪地,娇滴滴道:"杨爷真好,大恩大德,奴家以身相许,也难报答!"杨同范听出该女子话中有话,哪里按捺得住?正想一把将那女子搂进怀里,忽然一个家人神色慌张地冲进客厅,禀报说外面来了一位官员,带着几位公人,已闯进后宅,要追查一名逃跑了的暗娼。

杨同范被撞掉了好事,又听说是位官员带人来追查的,情急之中，忙把那女子推入夹墙暗室里，赶快迎将出去。

就在这时候，陈鼎已出现在面前，喝一声："搜！"那些捕快立即推开杨同范。忽听那边夹墙里传出喊声："别为难杨生员了，逃犯是我，我就在这里啊！"众人循声纷拥而上，一举毁了夹墙，杨三姑也就乖乖束手就擒。

杨同范一时惊呆了。但见那青楼女子出来笑嘻嘻道："杨生员，多亏指引，麻烦你了！"杨同范这时才知中计，但为时已晚，一根铁链套上脖子，被带走了。

（6）御笔翻诏

消息传开，震动了全城。陈鼎拿着巡抚大人的手令，奔赴麻城县衙。那高仁杰知道事已败露，惶恐不安。只听陈鼎大吼一声："拿下！"高仁杰当即被捕快们掀翻在地，摘掉官帽，剥去官服，捆绑起来。陈鼎又发出签票数道，火速将杨五荣、薛义、冯大缉拿归案。然后，他命人将涂如松带上，开堂审理。汤应求也被请来观审。

公堂之上，威严肃杀，阵阵堂威响起，众衙役叫全部人犯一一跪地；许多尾随而来的百姓，都拥在堂下观看，到后来竟然里三层、外三层，挤个水泄不通。

杨氏早已吓瘫在地。当她看见涂如松被折磨得人不像人、鬼不像鬼的惨样，竟也天良触动，"哇"地失声痛哭起来，连连叫着："如松啊！是我害了你，他们这样折磨你，我实在不知道啊！"便一五一十当众把自己从涂家出走，杨五荣与杨同范设计藏人等情况招认了。杨同范、杨五荣、薛义深知自己罪孽深重，再也不敢隐瞒，个个都招供画押。

于是，陈鼎当堂判定：涂如松无罪释放，汤应求官复原职，李献宗擢升为县丞，李荣立碑重恤家属，杨氏三姑苦役五年，冯大杖一百，高仁杰革职充军，杨同范、杨五荣、薛义处斩，并把详细复审情况，写成案卷，上报巡抚衙门，等待朝廷批复执行。这天是雍正十三年七月二十四。

复查之事很快传到总督迈柱耳里，好像当头一棒，酒也醒了，神志也清了。他深知皇上觉察这桩假案，自己决无好下场。就以

"八百里加急"上奏一份"密片"，里面说："查杨氏原系私娼，并非涂如松之妻，陈鼎复查案情，实受巡抚吴应棻所指使，乃有意抗拒圣裁，加害下官，恳盼皇上明鉴。"

殊不知迈柱所奏的"密片"，此时已是强弩之末。雍正把他和吴应棻的两份奏报细细对照后，才知道完全是真假颠倒的两码事。于是撤回原诏，另下圣旨一道：即调迈柱、吴应棻回京面圣，着户部尚书史贻直担任湖广总督，并会同两省官员，共同审理杨氏一案。

圣旨一下，谁敢不遵。史贻直一到任，就着手重新审理此案，查明陈鼎所审案情、吴应棻转承的奏报完全属实，于是维持原判，依法处决了杨同范等人。

这桩千古奇冤总算得到平反昭雪。而这位高踞御座的雍正皇帝，最后总算在这起冤案中捞到了一点好名声。这并不说明他能为民作主；相反地，它倒是暴露了封建专制统治阶级内部的互相倾轧和勾心斗角。难怪不久，这个寡恩缺德的皇帝脑袋也不翼而飞了。

6. 暴君雍正死亡奇案

（1）西湖恐吓

据说雍正曾到过杭州，并在西湖住了好一段时间。不过他游兴杭州与康熙皇帝完全两样，没有半点风雅的味儿，而是在刀光剑影中度过。

地方官碰到的第一件古怪事，就是这位皇帝不肯住孤山富丽堂皇的行宫，却指定要住到西湖中间的船上去。原来雍正杀人如麻，仇敌太多，所以他比谁都怕死。他怕岸上警卫疏忽，易出乱子；住在湖中，四面环水，就可万无一失。

知府一声令下，湖内的大小游艇，一律征用，所有的船民统统被赶上岸去。湖心摆开几艘特备的龙舟，除留一个出入口外，四周和水底用许多铁网、钢索围护，网上还系上上万只铜铃，如果有任何东西触及铁网，铜铃就会报警，加上雍正身边有不少镖客警卫，个个武艺超群，把那雍正的龙舟护卫得如同铜墙铁壁一般。

一夜无话。第二夜，半夜时分，骤然铃声大响，所有的护卫人员不约而同地向铃响处发射兵器。等到天亮，却见离网不远的湖面上，浮着一尾二十来斤重的死鱼，鱼身上密密麻麻地插满了飞镖袖箭，好似刺猬一样。虽是一场虚惊，雍正却因为警备森严获得验证而大为满意，从此安心地在西湖上过他花天酒地的日子了。

从三月底到六月上旬，一住两个多月，人们还不见雍正有回北京的迹象。皇帝住在西湖里，可苦熬了百姓。不要说一向靠湖谋生的船户生活无着落，就连沿湖居民也不容自由行动。

杭州每年农历七月十五日，有放荷花灯的风俗，俗称"盂兰胜会"。每到这夜，湖中飘起万盏花灯，一眼望去，满湖全是白里透红的荷花，随着习习清风，飘浮闪烁，宛如璀灿的明珠缀于水上，让人叹为观止。雍正想要玩赏"西湖灯会"的盛景，在十日前特下谕旨要与民同乐，共庆升平。这下，给杭州的官吏添了个发财的机会，官府勒令每户居民限期贡献二两纹银的花灯捐，还征用大批民夫沿湖高搭花棚彩楼，以壮观瞻，弄得百姓怨声载道。

杭州的纸扎工艺是全国闻名的，数日功夫，工匠们已在湖中扎起庞大的龙宫、鳌山各一座，又在其间配上三界星宿、八洞神仙、四海龙王和西天罗汉。七月十五这天入夜后，灯烛齐明，花灯盏盏，蔚成奇观。果然是：此景只应天上有，人间能得几回看！不料这一来却触怒了一位侠士。

雍正拥着嫔妃，在金碧辉煌的龙舟上，摆开筵宴。一时间，江南丝竹，齐发新声。他正沉醉在温柔乡里乐不可支，身边的一位贵妃突然手指南天，惊奇地叫道："万岁，您看！"雍正也斜着朦胧醉眼，顺着她指的方向，只见远处有碗大两颗红球迅速飞来，心觉有异，仗着微醺的酒意，站起身来，快步跨向船头，睁眼朝红球观望。陪宴的也纷纷跟到船舷，交口称奇。说话间，红球朝龙船越飞越近，保驾的镖客统领，知道不妙，急忙发镖，将红球打入水中。雍正退入舱中，口传圣旨，命大小船只速速进行查点。这时，太监已从湖中捞上那落水的红球，却是两盏红灯。雍正一看，每盏灯上各有两行字，一盏写着："今晚取灯，明夜还灯。"一盏写着："三日不去，'维民所止'。"这一看可把雍正吓出一身冷汗，七分酒意消了四分。

没来得及思索，就忽见贴身太监从后舱慌张地奔出，跪下奏道："龙榻前御用的一盏红纱如意灯不翼而飞！"雍正听后，好比五雷击顶，顿时瘫倒在龙椅上，心想，这个胆大包天的强人，趁我不备，劫走宫灯倒也罢了，竟明目张胆地提出，如果不走要杀我的头，可恼呀可恼！他的一腔怒气正无处发泄，忽见跪在地上的众大臣，便破口骂道："你们这班饭桶，限你们明日查明刺客，捕获回奏。抓不到奸人，一个个提头来见！"骂完，拂袖入内。

大臣们害怕皇帝有什么闪失，吃罪不起，恳请雍正连夜搬进行宫去。雍正是个刚愎自用的人，执意不肯。大臣们只得悄悄退出。这天夜里，龙舟上虽然戒备森严，可是上上下下全都提心吊胆，连雍正也吓得一夜不曾合眼。他想起前年江西主考官出了个"维民所止"的试题，被同僚参了一本，点明其有意犯上，要去掉"雍正"的头。自己御笔一批，当即将主考官满门抄斩。想不到今夜这个吃了豹子胆的，又来个"维民所止"。想到这里，雍正恨得把牙齿咬得"格格"直响。接着又想道：这盗宫灯的人，本领确实不凡，他既能在我寝舱的龙榻边取走如意宫灯，不也能轻而易举地割下我的头嘛！想到这里，手脚冰凉。

第二天，全杭州的军兵捕快，水陆丁勇，围着西湖，顶班巡逻。入夜以后，雍正身穿紧身钢甲，手持宝剑，坐在舟中严防有变。一更二更，毫无动静，刚打三更，东南湖面，骤然飞起一道闪电，紧接着一声响雷，闪电变成火团，直射船头。一时间湖里湖外，镖箭齐飞，要截住这股火球，火团在瞬息万变中，上下翻腾，坠入不远的湖面。舟上的人竞相前去打捞。就在这时，雍正似觉背后有人推了一把，站立不稳，一个趔趄，栽入湖中。护卫人员吓得不得了，忙来抢救圣驾，好容易才捞得雍正上船，这只"旱鸭子"已喝了好几口西湖水。

一阵混乱过后，雍正神魂稍定，抬眼一看，昨夜失去的宫灯，不知何时，已好端端地放在身旁的龙案上。灯上多了四行诗文：

昏君行不端，

劳民罪滔天，

知趣连夜滚，

留头在汝肩。

雍正读完，羞忿极了，飞起一脚，将灯踢入湖中。他立即传谕："今夜这湖上之事，严禁传扬，违者立斩！"

雍正终于强不过那位似在身边又摸不着的"不速之客"，离开西湖，走了。第二天清晨，湖面上空荡荡的已收拾一空，只有那盏被雍正踢入湖中的宫灯还在水面上飘浮着……至于当年那位隐姓埋名、驱逐雍正的侠士究竟是何人，不但雍正不知，官府不知，民间也无人知晓，所以至今仍是个传奇谜案。

（2）掉包杀仇

清王朝入关后的第三个皇帝雍正，正史上说他是染病而死，民间则说他是被人刺杀身亡。

雍正为夺取皇位，康熙在世时，就结交了许多武艺高强的人，组成了一个秘密的暗杀集团，为他的夺位扫清了道路。

雍正四年的春天，他看看天下大势已定，这批人留着反而不好，就在圆明园里大摆庆功宴，酒中下了烈性毒药。这批人饮酒后一个个口吐鲜血，气绝身亡。其中只有一个人没死，他就是震天犼吕方。因为他是带病赴宴，把酒倒在胸巾上，没有喝下肚。他眼看着师父、师兄弟都一个个倒下，也假装倒在桌下。乘人不注意，他一个鲤鱼打挺，急忙逃出圆明园，发誓一定要为屈死的师父、师兄弟们报仇血恨。

一转眼九年过去了，震天犼吕方的女儿也已长成十八岁了，名叫吕四娘。这个吕四娘从小跟着吕方练就了一身软硬功夫。

雍正皇帝毒死了这批人，又把帮他夺位的大臣治了罪，自觉已无后患，便处处寻欢作乐。他看上了圆明园附近一家汉族地主的闺女。可是这时他已一大把年纪，再下旨选妃怕被天下耻笑，只好让贴身的小太监每天晚上把这个姑娘偷偷地背进来。这件事正巧被震天犼吕方察访到了，就和女儿吕四娘想了一个计谋。

有一天晚上，吕方父女俩藏进了圆明园的角楼里。初更夜时，一个小太监果然背着姑娘走过来了。刚进角楼，扑通一声绊了一跤，把背着的姑娘摔出足有四五尺远。小太监爬起来以后，背起姑娘就走，他哪里知道背起来的姑娘已是被掉包的吕四娘了。

次日五更以后，雍正皇帝被人暗杀的新闻就轰动了整个北京城。

清案案
大奇冤

五 乾隆朝奇案冤案揭秘

这位自认为圣明天下权道造深的皇帝，在他当政期间，没想到有那么多令人咋舌的奇冤案。一个疯子千里迢迢击鼓告京状却涮了一把当朝皇帝；两淮引盐的肥缺涨红了作官的眼睛，由此患发出一桩桩让人瞠目结舌的大案；一个当朝权贵被一个江湖人耍弄得一塌糊涂；紫禁城筒子河上的无名尸，没本事查凶却有本事找出气筒……

1. 乾隆家世奇案

雍正死后，他的第四子爱新觉罗·弘历登基承继大统，时称乾隆皇帝。乾隆皇帝在位期间，把大清国治理得政通人和，国库丰盈、富甲一方。他在位执政时，共十次用兵作战，六次南巡，自誉为"五福老人"、"十全武功"。他政治有谋，生活风雅，感情浓厚，在其一生八十九个春秋中，充满说不完也说不清的奇闻秘事。首先，他的出生和身世就让后人疑惑不定——乾隆是不是雍正嫡子？或是别家所生？一时民间众说纷纭，谜雾重重。此案真可谓大清一个重磅炸弹——

有人说他是汉女所生，乃汉人之子，出生于浙江海宁陈家。不仅民间广泛流传这种说法，一些史料中也有专门记载。清朝人撰写的《清秘史》中就有这样一段文字：

> "陈氏自明季衣冠雀起，渐闻于时。至之遴始以降清，位至极品。厥后，陈诜、陈世倌、陈元龙等父子叔侄，并位极人臣，遭际最隆。康熙间，雍正与陈氏尤相善，会两家各生子，其岁月日时皆同。雍正闻乃大喜，命抱以来，久之始送归，则竟非己子，且易男为女矣。……未几雍正嗣位，即特擢陈氏数人至显位。迨乾隆时，其优礼于陈家者尤厚。尝南巡至海宁，即日幸陈氏家，升堂垂问家世。将出至中门，即命封之，谓陈氏曰：'厥后非天子临幸，此门勿相开也。'由是陈氏遂永键此门。或曰乾隆实自疑，将欲亲加访问耳。"

类似的说法在《清朝野史大观》卷一中也有记载。

也有人说，偷换婴儿是某王妃擅自所为的，雍正并不知情。乾隆帝长大之后偶然听说此事，暗中与陈世倌对照，果然十分相像。于是他一方面借下江南之名亲自察问，一方面密嘱宠臣和珅私访禁宫，终于得知这段隐情。从此，他在内心喜欢上了汉装。这天，冕旒袍服的乾隆兴致很好，召一近侍悄悄问道："朕似汉人否？"近侍据实回奏："皇上于汉诚似矣，而于满则非也。"乾隆自此更加相信这一传说，甚至打算让满人全都改着汉装。有人在《清宫词》中讥讽此事："矩族盐官高勃海，异闻百代海传疑。冕旒汉制终难复，曾向安澜驻翠蕤。"

此外，还有人从陈府中的两方匾额，认定乾隆确属陈氏的血脉。原来，陈氏府中，存有两块御书大匾，一为"爱日堂"，一为"春晖堂"。前者出自汉代扬雄《孝至》中的"孝子爱日"，后者则源于唐诗人孟郊的《游子吟》，这两块匾额的题词内容，都含儿子孝敬父母之意。如果乾隆不是出自陈门，焉能题写这种词句？陈府又怎敢高悬堂中？甚至还有人说，与乾隆交换的那个女婴受到陈家的百般珍爱，长大之后不敢随便许人，后来经过乾隆同意，嫁给了江苏常熟巨室蒋家。蒋家不敢慢待，为其筑了小楼，后人送了"公主楼"的雅号，成为远近闻名的一大景点。假如此女不是来自禁宫，陈家怎会为她如此慎重择夫？蒋家又怎肯破费为其筑楼？这些传说听起来有鼻子有眼，但事实并非如此。

为了说清事情的真相，有必要先说说浙江海宁陈家。自明朝中叶，陈氏就是当地的富户，代代不乏读书之人。到了清初，陈之遴很快投降清廷并令子侄辈专心科举，从此科名仕宦开始显达。更少见的是陈家在康熙年间，曾经两度出现父子兄弟三人同榜的盛事。比如康熙四十二年（即公元1703年）癸未会榜，陈元龙弟陈嵩、侄邦彦、陈诜之子陈世倌三人同榜；康熙五十六年（即公元1717年）丁酉会榜，陈元龙两子及从侄陈武婴，又是兄弟三人同榜，这在中国科举史上可谓凤毛麟角。陈家历明、清几百年富贵不辍，朝中重臣辈出不穷。如陈诜官至湖北巡抚，后在工部尚书任上退休。其子陈世倌（又作陈世棺），曾被选为侍读学士，雍正上台，又擢升内阁学士，授山东巡抚，乾隆时改工部尚书，不久又升至文渊阁大学士，位列一品大员。而传为乾隆生父的陈元龙（公元1652年～

公元 1736 年），同样十分风光。他在康熙朝中进士后，因其工于书法，格外受到钟爱，先授翰林院编修，后为侍读学士，再迁吏部侍郎，又做广西巡抚，随之奉调进京，作工部尚书，曾主持修建兴安陡河闸，被誉为古代水利专家。他在雍正朝也成为一品大员，并兼礼部尚书。陈家历仕康、雍、乾三朝，父子、叔侄三人无不位极人臣，其中两人当过侍读学士，可见与皇室的关系不同寻常。为此，民间曾盛传陈家阴宅有霸王之气，连康熙南巡时也到陈氏祖坟上去看稀罕。而陈家族人为了提高自身声望，也不断放风扬言，有意制造一些秘闻，进一步增添了朝野猜测，认为其中必有大大的玄奥。

其实，天下没有不变的风水，到了乾隆时代，陈家的官运已远不如从前，而且君臣之间也有闹翻脸的时候。比如陈世倌一次拟旨有误，乾隆就不客气地将他罢官，并特地发出口谕非严肃惩办不可！甚至当面痛斥陈世倌说："无参赞之能，多卑烦之节，纶扉重地，实不称职！"恰在这时，有人打了陈世倌的小报告，说他在山东兖州偷置产业，资产来源不明等等。乾隆听罢怒上加怒，即命山东巡抚认真查处，眼看大祸就要临头。陈世倌岂能坐视挨整，瞅准乾隆寿诞之机，大把大把猛送钱财。哪知乾隆仍然不为所动，他又托人暗中求情，这才得以官复原职。总起来看，陈氏三位巨头备受皇家宠爱，完全在于他们尽忠效劳，或者说是深谙官场之道，基本属于正常的君臣关系，并无过分亲昵之处。

那么，如果说乾隆是陈元龙之子，有没有这种可能呢？

首先，从皇家这方面来看，雍正帝育有十个皇子，六个公主，可谓子女兴旺。乾隆帝生于康熙五十年（即公元 1711 年）八月十三日子时，雍正时年三十四岁。在这之前他已生了四个儿子，尽管其中三个早亡，但取名为弘时的男孩已经八岁，而且当时雍正的另一位妃子耿氏也已怀孕五个多月，是男是女还不知晓，怎会冒险去换别人的儿子？另外，清朝皇子皇孙诞生，有一整套严密的验看奏报程序，谁敢偷梁换柱？况且生孩子时接生婆环列，御医伺候，还有不少宫女跑前跑后，是男是女众人全知，并且即时记录在案，哪会轻易被人换掉？退一万步说，即使这事能够凑巧办成，在这之后雍正又生了好几个皇子，皇家无不看重正宗龙脉繁衍，岂会让汉家

的后代承继大统？

其次，从陈家这方面看，更无这种可能。据《海宁渤海陈氏宗谱第五修》和《徐乾学家谱》查知，陈元龙育有一子二女，其子于康熙三十三年（即公元1694年）早亡，十七年之后乾隆帝刚刚出生，陈家二女也早于乾隆帝二十多年出生，哪有孩子可供交换？同时，乾隆帝出生那年，陈元龙的两位小妾已经去世，他的原配夫人宋氏已经五十多岁，且于当年九月病亡，哪会再有孩子降生？而且是年八月五日，陈元龙因不谨慎，被康熙帝斥为"行事不端"，接着就被外放广西当了巡抚，哪有时间逗留京城？又怎有心思应付换子之事？就算当时有孩子可换，还在潜邸的雍正怕也没有周密的安排，怎会做得天衣无缝？由此可知两家同时生子并男女互换的说法难以成立。

既然没有这层神秘的交换关系，又如何解释乾隆帝频频幸临海宁陈家这种事呢？

确实，乾隆帝六下江南其中四次驻跸陈家，这种看似非常实则正常的举动，难免引起种种传说和猜测。知道内情的人都知道，这与当年浙江海塘工程密切相关。还有康熙朝时，钱塘江入海口的海潮常常为患。雍正朝初，决定修筑海塘工程，这是关系到钱塘江一带经济发展和社会安定的大事。雍正因为忙于巩固皇位，应付西北叛乱，没有时间前去察看，再说工程未见成效，他也没有多大兴趣，待工程有了眉目，雍正帝却又突然暴亡了。乾隆登基以后，仍然重视这件大事，借着六次南巡的机会，四次前往海宁视察。皇帝大驾光临，总得有个体面的住处，恰好当地陈府庭院森严，房舍宽敞，装饰豪华，又很安全，而且陈家不乏工部尚书，陈元龙本人就是水利专家，正好可以垂询海塘工程有关问题。而陈家巴不得有此荣幸。这样，陈府自然成为乾隆帝的临时"行宫"，成为接驾的理想寓所。有了第一次，不愁没有第二次，这样乾隆帝每到海宁，都要驻在陈家。为此，这位风雅天子还将原来的"隅园"改为"安澜园"，并挥笔写下了"安澜返只名，永视曼而清"的诗句，希望海面浪静波平，不枉两代皇帝的苦心。显然，乾隆四次驾临海宁，并非因为"认亲"之事，而是前来踏勘海塘工程，他每每驻跸陈家，当属合情合理，没有格外示宠或旁视斜顾的意思。

说到陈家悬挂的那两块匾额，也与乾隆帝的出身毫无关系。据《清史·陈元龙传》，康熙三十九年四月，皇帝在便殿召见大臣，一时来了兴致，写字请大学士们欣赏，并说："尔等家中各有堂名，不妨自言，当书以赐。"元龙奏称："老父之间年逾八十，拟"爱日堂"三字请皇上赏赐。"康熙皇帝于是挥笔写了这一匾额。《海宁州志·列女传》又提到，陈世倌的堂祖父陈邦彦早年丧父，其母黄氏矢志不嫁，守寡四十一年。陈家富贵以后，黄氏被朝廷封为淑人，康熙皇帝亲自写了"节孝"两字赐之。过了不久，又写了"春晖堂"匾额，由此看来，陈家的这两块匾额都是康熙帝的亲笔，并不是乾隆帝所书，也不是传说中的那层意思。

至于蒋家的"公主楼"，也是民间戏说的故事。当时陈家确有一女嫁与常熟望族蒋家，姑爷名叫蒋博。据《蒋氏祖谱》记载：蒋博先后娶了三个妻子，其中第二位妻子姓陈，却不是陈元龙的亲生女儿，只是陈家的远房，多少沾点关系，但与爱新觉罗家族毫不相干。蒋家筑楼完全属于大户人家的正常建设，他们没有必要也无此胆量去修什么"公主楼"，所谓"公主"下嫁蒋门，也同样是个难圆其说的笑料。

关于乾隆皇帝的出身家世，还有另外一种传言，说来也很有趣味。

据说乾隆的生母是一李姓宫女，雍正在狩猎时弘幸而孕，他害怕春光外泄，在热河行宫狮子园筑一草舍，匆匆安置了这位相好，并在这里生下了乾隆皇帝。

这种说法传得也很广泛，后来曾被一些演义小说和戏剧借用为题材，更显得煞有其事。此说最早见于乾隆朝大臣管世铭的"扈跸秋狩纪事诗"。其三十四首之四这样写道："庆善祥开华渚虹，降生犹忆旧时宫。年年讳日行香去，狮子园边感圣衷。"在这首诗后他又自注道："狮子园为皇上降生之地，常于宪庙忌辰临驻。"管世铭曾任户部主事，累迁郎中，后授御史，为人正直，精于诗文，曾值军机处，并多次随扈乾隆帝巡幸塞外，深得禁宫信重，碍于皇家的颜面，他没有也不敢把事情的真相说清。

对这件事说得最清楚的是逊清遗老冒鹤亭："乾隆生母李佳氏，盖汉人也。凡清官之隶汉籍者，必加'佳'者，其例甚多。雍正在潜邸时，从猎木兰，射得一鹿，即宰而饮其血，鹿血奇热，功在壮阳。而秋狩日子不携妃从，一时躁急不克自持。适行宫有汉宫女李氏，奇丑，遂召而幸之。次日即返京，几忘此一段故事焉。去时为冬初，翌岁重来，则秋中也，腹中一块肉已将堕地矣。康熙偶见此女，颇为震怒。盖以行宫森严，比制大内种玉何人，必得深究！诘问之下，则四阿哥也。正在大话下流种子之时，而李女已届坐褥，势不能任其污亵宫殿，乃指一马厩令入。……临御中国六十年，为上皇者又四年之十全功德大皇帝，竟诞生于此焉。"冒鹤亭曾在热河都统署中做过师爷，与行宫中的人多有交往，能够通过途径得知这种秘闻。

再从官修的《热河志》看，在有关狮子园房屋的记载中，确有一间毫不起眼的"草房"，为什么要将这破烂房子写入方志，其中必有蹊跷。

乾隆皇帝是否为李氏宫女所生，同样也要做些分析。传闻说雍正在狮子园狩猎在冬初，但据《清圣祖实录》载：胤禛（即后来的雍正帝）这次是随父前往，时间是康熙四十九年（公元1710年）五月初一，当年九月初三即随驾返京，就是说胤禛在冬日到来之前就已离开了热河行宫，不可能在"冬初"召幸李氏宫女。此为其一。假如这位宫女是在九月初三之前受孕，那么乾隆应在次年六七月间诞生。而清官档案记载乾隆帝生于康熙五十年八月十三日，若照此算来，孕期长达十一个半月，显然不合情理。此为其二。关于《热河志》中记载的狮子园草房，确实有些来历，原来这是雍正帝为了"缀景"和"示俭"而特意圈定的陋所。乾隆皇帝出于对父皇的敬重，几次赋诗表示纪念。因颂吟的诗文很多，愈发增加了这间草房的分量，也增加了一些神秘的感觉。志书编写者在刊载这些诗文的同时，也收进了这间"钦点"草房，这是顺理成章的事情，并不是里面有什么故事，此为其三。由此看来，所谓乾隆皇帝为李氏宫女所生，也只是讹传妄猜罢了。

说来说去，乾隆皇帝的生母到底是谁？他的身世又如何？且来

看看正史中的记载。

据《清高宗实录》："高宗……纯皇帝，讳弘历，世宗……宪皇帝第四子也，母孝圣……宪皇后钮祜禄氏……以康熙五十年辛卯八月十三日子时诞上于雍和宫邸。"乾隆帝的生母钮祜禄氏，满州镶黄旗人，四品典仪内大臣凌柱之女。康熙四十三年（即公元 1704年），年仅十三岁就进入世宗雍正潜邸。她虽然姓氏高贵，但出身寒微，所以在雍正未登极前一直号为格格。就是在生了弘历以后，也没有被封为侧福晋，这也是导致乾隆帝生母传说纷纭的重要原因之一。雍正即位的当年年底，她才被封为熹妃，不久晋封熹贵妃。乾隆帝登极，尊其为崇庆皇太后，移到慈宁宫居住。乾隆帝对这位母亲很是孝顺，多次带她出巡，为其举办的寿典也一次比一次隆重。乾隆四十二年（即公元 1777 年）正月二十三日，这位寿至八十六岁的皇太后病死，被加谥为孝圣宪皇后。乾隆帝为了感念母恩，曾几次前往雍和宫礼佛赋诗，并特意加小注说："余实康熙辛卯生于是宫也。"又说："以康熙辛卯生于是是宫，至十二岁始蒙皇祖养育宫中。"乾隆帝自己做的注解合乎历史真实，应该说正史中记载的乾隆帝生母和他的出生地是比较可信的。

事情看来已经清楚，所谓海宁陈氏之后或热河行宫李氏宫女所生均为民间戏说。那么，民间为什么会有这些传说？这些传说又为什么加在所谓的开明君主乾隆皇帝身上，这也是事出有因的。有人认为乾隆皇帝的志趣、喜好比其他清帝特别，他一生多次巡幸江南，而又喜欢住在海宁陈家，人们怀疑他与这事有些渊源关系，于是编造了换子传说。也有人认为乾隆皇帝一生对汉族文化特别尊崇，又喜好穿着汉装，认为他可能是汉人之子。甚至还有人认为乾隆父亲雍正生前树敌太多，朝内朝外积怨也很多，所以人们通过编写这些"流言诽语"来搞臭或毁坏雍正皇帝的形象，从而达到心理上的某些平衡。还有就是过去人们对深宫内院的事了解极少，一旦有传闻便不胫而"飞"，扩大再扩大，这样一传十，十传百，自然戏说也成了真事。

2. 乾隆休妻奇案

　　那拉氏皇后（？～公元 1766 年），乌拉那拉氏，左邻那尔布之女，嫁弘历为侧福晋，乾隆二年（公元 1737 年），封娴妃，进贵妃。孝贤皇后去世后，册封皇后。乾隆三十年，随乾隆南巡，因与乾隆生隙，愤而剪发，第二年死于北京（有人说是死于杭州）。其性情刚烈，对乾隆的多情屡次唠叨，致使乾隆对她生厌。她死后仅以贵妃仪葬丧。生二子一女，女早夭。

　　乾隆的正妻富察氏死后，乌拉那拉氏被立为皇后，她小乾隆帝七岁。大约在十三四岁时经选秀女中选，当时乾隆皇帝还在藩邸为皇子身份，是雍正皇帝赐之为侧室福晋。乾隆即位后，于乾隆二年举行册立后妃典礼时，年方二十岁的乌拉那拉氏被册封为娴妃。由于她的温柔贤慧，颇受皇太后钮祜禄氏的喜爱，乾隆十年十一月奉懿旨晋升娴贵妃，对她的温柔婉顺大加褒奖。

　　和出生显贵之家的富察氏不同，其父那尔布只官至佐领，家道并不富有，和满洲勋贵们相比，也不引人注目。但那拉氏是一个颇有心计的女人，她身材娇小，体态文弱，举止稳重，言语婉转，在与太后的言谈应对中，总是流露出一种天然的恭顺之情。现在，富察氏既然去世，皇太后决定将那拉氏作为乾隆第二位皇后。太后是这样想的，资历深的妃嫔和乾隆处的时间长，知道乾隆的脾气，了解他的喜好，肯定比一般女子更懂得如何去抚慰他。而且，这些资深妃嫔和自己当年一样，服侍皇帝一二十年，任劳任怨，勤勤恳恳，也有功于皇家，应当酬劳。既然要从资深妃嫔中选立皇后，当然要从当年雍正帝赐给乾隆的几个妃子中挑选，最符合这些条件的就是那拉氏了。就这样，身为侧福晋的那拉氏自然被皇太后选中了。

　　乌拉那拉氏入主东宫以后，生活并没有因此而幸福。在中国封建社会里，生活在帝王之家，谁都会有伴君如伴虎之感。而一朝得罪于君王，即使是身为尊贵的皇后也无法掌握自己的命运。终于有一天，乾隆三十年，乾隆一次南巡途中，乌拉那拉皇后不知何故触怒了皇上，被先期送回京城，幽闭深宫，不久便凄惨地死去了。

在那拉皇后病死十余年后，乾隆皇帝才在群臣中披露了皇后生前曾经"自行削发"，原因是"精神失常，迹类疯迷"。于是，民间开始盛传清宫中有一位"削发皇后"。让人不解的是，既然皇后削发，为大清国俗所不容，那拉氏为什么悍然不顾，做出这样有悖常理的事情？又是什么原因竟使皇后患了"疯迷"之症，使乾隆皇帝对她恩断义绝，几乎要废掉她呢？由于宫禁森严，宫闱之事秘而不宣，因此这事至今仍是一个谜案、奇案。

关于乾隆夫妻在杭州反目一事，官书极为忌讳，对其前后经历，不加任何记述，所以史学界至今没有发现详细可靠的原始记载（大概也不可能发现），但以下两点是确切无疑的：第一，这次南巡开始以前，乾隆与皇后那拉氏之间就已经出现隔阂，到江苏、浙江一带，乾隆对皇后的表现尤为不满，帝后关系已经趋于紧张。三十一年（公元 1766 年）七月，乾隆回忆此事说："去年春天，朕恭奉皇太后巡幸江浙地区，正玩得高兴的时候，皇后性忽改常，在皇太后面前，不能恭尽孝道，到了杭州，她的所作所为尤其违背正理，举动竟与发疯无异。"这段话清楚表明：在南巡到江苏、浙江时，乾隆就已经感到那拉氏对自己不够恭顺，说她在皇太后面前不能恭尽孝道不过是托辞罢了。

第二，在杭州，乾隆和那拉氏曾发生过激烈争吵，以致夫妻反目，那拉氏极度绝望，竟要削发出家。对皇后削发一事，乾隆最初避而不言，只是责其"迹类疯迷"，十余年后，因民间谣言迭出，乾隆才将此事真相部分公开，他说："那拉氏本朕青宫时（即为皇子时）皇考所赐侧室福晋，孝贤皇后崩后，循序进皇贵妃，越三年，立为后，其后自获过愆，朕优容如故。国俗忌剪发，而竟悍然不顾，然朕犹曲予包容，不行废斥。"然而，乾隆没有说明那拉氏的"过愆"是什么，为什么会突然削发？

民间关于皇后断发的传说大同小异，乾隆南巡到杭州后，纵情声色，甚至微服出游，深夜不归，皇后那拉氏出于爱君之心，多次苦谏都没有效果，反而备遭斥辱，在极度愤怒和绝望之下，竟削发出家。也有人认为那拉氏并没有离开杭州，而是在杭州某寺庙中为尼，青灯古佛，度其余生。因为那拉氏有削发之事，所以民间往往称其为"无发国母"。

对于皇后削发的原因，野史有几个版本的说法。其一是乾隆三十年闰二月，皇上率领后宫佳丽、皇子王孙及王公大臣等奉皇太后钮祜禄氏巡幸江南一节，于是造就出这次万岁爷在车驾抵杭州时，皇上在饱览了西子湖畔的美景之后，又想到苏杭二州历来为出美女的地方，何不也去领略一番？于是乔装打扮，仅带两名心腹太监微服私访，登岸闲游。不料此事却被随驾南巡的乌拉那拉皇后知晓，于是就到皇上面前涕泣谏止，恳请皇上以国事为重，龙体为要，不要在外眠花卧柳，有失体统。然而，乾隆皇帝哪里听得这些逆耳之言，于是大为光火，责骂皇后患了疯病，命人将其先期送回京城，然后打入冷宫幽禁起来。也有的说乌拉皇后被废之后已经心灰意冷，看破红尘，不肯回宫，便断然自行削发为尼，入杭州某寺中修行去了，从此青灯古佛，晨钟暮鼓，伴其终生。

为人们茶余饭后津津乐道的还有《清官奇案》中的"乾隆休妻"的故事。在这个故事中将乌拉皇后描述为是一位本性耿直、端庄美貌的女子，入宫后虽贵为皇后，但极尽妇职，对乾隆皇帝的风流不羁自然时有约束。由于乌拉皇后对皇上的规劝出自爱护，使之也无话可说。在宫中既然难以为所欲为，便借奉母出游巡幸江南之机，以便追蜂逐蝶，摆脱宫禁约束。所以，乾隆皇帝自然不愿时时管束自己的皇后留在身边，所以皇后几次奏请随驾同行，以便在太后膝下承欢尽职，但乾隆皇帝均未许准。皇上启驾那天，皇后不再请旨，便自行令宫女收拾停当，便以恭侍皇太后南巡以尽儿妇孝心为由，自登太后凤舸，一同下江南去了。由于扈驾出巡的王公大员、侍卫太监及宫妃等人员极多，太后凤舸又行使在前，而皇帝的龙舟又殿后，因此乾隆帝并不知皇后已随同前来。这支庞大而气派的皇家船队，一路之上，彩旗招展，鼓乐喧天，前拥后扈，浩浩荡荡，顺大运河南下。及至济南（其实乾隆皇帝至孝贤皇后丧事后从未入济南城）地方，乾隆听侍臣说济南风光宜人，街市十分繁华，不亚于江南水乡，于是立即传旨泊岸，登陆观光。为了不引人注目，乾隆仅携太监数人微服出行。在饱览了济南的山光秀色之后，这位风流天子竟步入青楼楚馆，到那些俏丽的丝竹女子中寻欢作乐。继而，一些侍臣为讨得主子的欢心，竟然挑选了几十名"夜渡娘"引到龙舟上为皇上吹打弹拉，轻歌曼舞。乾隆皇帝一边欣赏歌舞，一面开怀畅饮，好不快活。

这日至黄昏时分，龙舟上的阵阵丝竹乐曲之声仍不绝于耳。乌拉那拉皇后闷坐舟中越听越气，于是回至凤舸之中，奋笔疾书一道谏章，谈古论今，痛陈利害。写就之后，双手捧着登上龙舟，但此时夜已深，这里的宴乐也偃旗息鼓，皇上业已安寝。那拉皇后在这夜阑人静之时，猛一抬头，但见桅杆上红灯高悬，心中不由得一惊。因为清宫规制，有红灯高悬，是皇上已召幸妃嫔侍寝的标志。而皇后主内政，摄六宫，清楚地知道并未召幸某位妃嫔，何况又在出行途中，何故有红灯高挑？其中必有隐秘。

想到这里，那拉皇后真是又急又气，也就顾不得内监的劝阻，直径闯到皇上卧榻之处。而此时正在拥妓而眠的乾隆皇帝听得外面有喧闹声也一时惊起，只见皇后未经通禀旨准便来到榻前，乾隆顿时恼羞成怒，大发雷霆，反诬皇后忤逆，并急唤内监侍卫："皇后贱人，深夜入内，无内监传达，其欲图谋不轨，着火速拉出，严惩！"可怜那拉皇后闻言跪倒在地，声泪俱下，仍苦苦哀求看在多年夫妻的面上，请皇上看过谏章再行发落。乾隆无奈，便恨恨地从皇后手中一把夺过谏章。不看则已，这一看更是怒火中烧，大骂皇后"大胆贱人，竟喻朕为贪恋酒色的隋炀昏君"。于是将谏章撕得粉碎，并朝皇后劈头盖脸打去。此时此刻，那拉皇后见皇上如此绝情，已悲痛欲绝，但仍跪地爬行，拼命抱住皇上一条腿，苦苦哀求，请皇上息怒，听她把话说完。但盛怒中的乾隆皇帝哪里还听得进她的话，一面痛骂，还一脚将皇后踹出好远。此时内监奉命一拥而上，将皇后拖拽出去。那拉皇后遭此辱骂加拳脚之苦，满心委屈。第二日皇太后对儿媳的痛苦不但不理解，反听皇上一面之词，也责备皇后失礼，只劝皇后暂居行宫，待皇上气消后再回京城。至此，那拉皇后已完全绝望了。她不愿再见到负心的君王，也不愿再受深宫精神上的折磨，情愿在此地落发为尼，苦度余生。

有的人从生理学的角度分析，那拉皇后发病削发时年届47岁，正处于更年期，而身为皇后，上有太后、皇上需要处处尽礼，周到服侍，下有众多后宫佳丽需要周旋调教，整日束缚在严格的礼仪之中，抑郁的情绪得不到发泄，此时倘遇到一些不尽人意的事情，便容易引起情绪过激之举，甚至一时失去理智，做出削发这类触犯宫规的事情。而作为夫君的皇上不但不予理解、劝导和抚慰，反而见责斥骂迫令回宫等寡情寡义的做法，使之病情加重，最后危及生命，中年伤逝。说到底，那拉皇后的削发之举根源在于她的生活遭遇和刚烈的性格。

让我们再回到她刚刚荣升皇后的那个年代。

在立那拉氏为皇后之前，乾隆并没有怎么注意到她，当然他不止一次听到太后赞扬那拉氏温柔和顺。遗憾的是，自己对这个当年的侧福晋并没有太深的印象。尽管她跟随自己这么多年，可在内心深处，好似一个陌生的女人。不过乾隆不敢公开抗拒母后的决定，还是遵命将其立为皇后。那拉氏被册立皇后两年后生皇十二子，十八年生皇五女，二十年生皇十三子。在不到五年的时间里连生三个子女，说明乾隆皇帝与这第二位皇后的感情还是不错的。可惜的是，三个子女中除十三子活到二十五岁已经成年外，另一子一女均幼折。

至少从外表来看，在那拉氏被册立为皇后的数年中，他们夫妻二人关系融洽，显得颇为相亲相爱。每当乾隆出巡外地，他都带着这位皇后，不时与其低语闲谈，并给她一些她所喜好的美食与珍玩。乾隆十八年（即公元1753年），那拉氏赴盘山，乾隆特令自己的亲信大臣舒赫德为领侍卫内大臣管理内务府大臣随往。不久，江苏河水泛滥，大批百姓受灾，乾隆令舒赫德前往办理河务，又特改派阿里衮暂代舒赫德之职，专程赴盘山，以保证皇后出巡万无一失。而那拉氏对自己来之不易的中宫之位备加珍惜，她想方设法讨皇太后、皇帝的欢心，仔细回忆当初孝贤皇后的一举一动，潜心效法，力图使自己也能像富察氏那样赢得妃嫔的尊重。她是一个极为聪慧的女人，她知道，乾隆过去对自己并没有多少感情，自己能当上皇后，纯粹源于自己较深的资历，"循序渐进"，尤其是皇太后的赏识，而不是"爱选色升"，即源于皇帝的特殊宠爱或娇好出众的美色。但自己既然成了皇后，就要恪尽为妻之道，至少不辜负太后

对自己的信任与希望。乾隆母子都酷好巡幸，那拉氏在平时就默默地为他们准备好各种日常衣物、用具，而在巡幸途中，更不离太后左右，不时搀扶，预备餐饮，有时还给太后讲个笑话，使其开心。遇到太后身体略有不适，更昼夜侍候，亲进汤药。

可是，这并不说明乾隆对那拉氏的感情达到了很深的地步，在皇帝的心里，她仅仅就是一个普通至极的嫔妃罢了，不但不能跟已故皇后相比，就是那些妩媚俏丽的妃子也比她更让乾隆动心。更重要的是，乾隆对富察氏却一刻也不能忘怀，相反，这种思念之情与日俱增。多少次，他在梦中与富察氏相会，多少次他暗自期待，眼前这个女人不是那拉氏，而是早已亡故的孝贤皇后。他开始对那拉氏感到厌烦和反感，他总习惯于用富察氏的长处去与那拉氏的短处相比较，愈是比较，对那拉氏就愈加反感，愈是反感，思念之情就愈加深挚，对自己的婚姻也就愈加失望。

自从乾隆二十年生下皇十三子以后，那拉氏就感到乾隆皇帝对自己在日益疏远，女人的直觉告诉她：富察氏虽然死去多年，但其阴影犹存，乾隆对她仍一往情深。最让她感到痛苦的是：皇帝对自己的热情和兴趣正在转移到别的妃嫔身上，像忻嫔、令妃这些从前远不如自己的妃嫔，如今却时来运转，正变成皇帝心目中的红人，甚至连新近入宫的容嫔，也备受娇宠。而自己，堂堂正正的大清帝国皇后，却被冷落一边，独守空房，自己含辛茹苦，期盼、努力了一二十年才享受到的荣华富贵，正变得黯然失色，徒有其名。那拉氏感到伤心，感到失望，更感到几分怨愤：自己对他一片痴情，他却毫不珍惜，转瞬之间，即弃自己如敝屣一般。

然而，她不敢将自己的痛苦与不平告诉任何人，太后对自己虽好，毕竟是六七十岁的人了，岂能管儿子、儿媳之间的宫闱隐事？何况就是告诉她，也会招她斥责自己见识浅陋，自古帝王后宫三千人，当今皇上只有妃嫔几十人，你岂能责备他好色好淫？说他不宠幸你，那只能怨自己无德无能，不招皇上喜爱。如果告诉太后说，皇上对自己态度冷淡，太后也不见得就会为自己说话，就算她因此劝诫乾隆几句，乾隆回过头来就会怪罪自己，最终倒霉的还是自己。她更不敢将自己的悲哀告诉手下佣人或与自己相好的妃嫔，后宫之中，到处都是皇上的耳目，自己的一举一动，岂能逃过皇上的眼睛！而且，皇后这一位置，正被多少人盯着，万一出个差错，自己半生心血岂不全被毁掉！

那拉氏思前想后，始终想不出一个使乾隆重新宠爱自己的办法，这个时期，那拉氏正处于女人一生的特殊阶段，即从中年向老年过渡，生理与心理的变化，都使她的性格变得敏感多疑，易急易怒，而乾隆生活上日渐豪奢淫靡，对她的态度冷淡疏远，无疑大大加重了她的心理负担，使她经常神经紧张，疑惧交集，忧心忡忡，彻夜难眠。

终于有一天，在乾隆南巡途中，两人的矛盾爆发了。乾隆皇帝在位期间，国家处于相对"升平"时期，国库充盈，为皇上的南巡北狩创造了条件。而每次出行，自然要携后妃陪侍身边。尤其奉皇太后出巡，更少不得后妃皇子王孙的扈从，既满足太后尽享天伦之乐，也显示皇家的威风和气派。乾隆三十年二月，新春刚过，万岁爷又决定奉母出巡江南，此次出巡，随王伴驾的除皇后乌拉那拉氏，还有令贵妃、庆妃、容嫔（即回妃）、永常在、宁常在六人，以及大臣侍卫千余人。途中，乾隆皇帝的奢靡和堕落，对其他女人的恩宠，对自己的冷淡，终于使皇后那拉氏忍无可忍。对自己失宠的哀愤，作为皇后的庄严责任感，都促使她鼓足勇气，进行最后的抗争。在她心灵深处，还抱着一丝希望；也许，皇上会因自己的直言进谏而猛然醒悟，也许他会体会到自己的一片爱君之忧，也许，自己还会有重新受宠的机会，与皇上过真诚相亲相爱的生活，到那时，自己将劝说皇上整理内宫，专注于国事，使大清帝国的基业更加巩固。但是她错了，皇帝听了她的劝阻谏言，大发雷霆，而那拉皇后万念俱灰，毅然将长发刷刷地剪下！

乾隆皇帝回到京师，本想以那拉氏有病为由而废之。但此议引起朝中文武大臣的反对和抵制，有的不惜丢掉乌纱和性命，用"死谏"来保皇后。刑部侍郎觉罗阿永阿上疏力谏皇上不可废皇后，结果阿永阿被罢官去职并罚戍黑龙江，后来老死边陲。乾隆皇帝虽然处置了几位谏阻废后的大臣，仍阻止不了廷臣的反对和议论，所以只好保留皇后的名号，但也不过名存实亡。因为此后在事情发生不足三个月的时间里，皇上就下令将乌拉那拉皇后的夹纸册宝四份全部收回，即皇后一份、皇贵妃一份、娴贵妃一份、娴妃一份，实际上等于将皇后进宫以来所有册封全行销毁。六月，又钦点大学士傅恒为正使、协办大学士为副使，持节册封令贵妃魏佳氏为皇贵妃，实际上由这位皇贵妃取代了皇后的位置。而前皇后则被彻底打入冷宫。

乾隆三十一年七月十四日，正当乾隆皇帝率领众妃嫔、皇子皇孙及王公大臣等在承德木兰围场追逐獐狍野鹿、飞禽走兽，兴高采烈的时候，乌拉那拉皇后却凄凄惨惨，病亡于清冷的深宫之中，走完了她不满五旬的人生旅途。当皇后病亡的噩耗传到承德木兰围场的时候，正在兴头上的万岁爷并没有什么哀痛的表示，他并未停止游猎，也未赶回京城筹办皇后丧事，仅打发皇后所生亲子回京料理后事。看来他对那拉皇后已无半点感情可言了。不仅这样，他还命令对她以皇贵妃礼安葬，不许她永远拥有单独的地宫，她的棺椁是寄存在纯惠皇贵妃苏佳氏的地宫中，当然更无碑记勒石，每年的祭辰及清明、中元、冬至、岁暮这些重大的祭日均不享祭，更不要说配享宗庙了。人们不仅要问以"椒房之尊"的中宫皇后丧葬祭祀为何如此简略？死后又何由仅以皇贵妃礼降级安葬？如此大事与孝贤皇后相比相差悬殊，怎能不引起朝野哗然？而且还有官员为谏争皇后丧礼而丢了性命？也许这些答案都关系到乾隆皇帝隐秘的私生活，所以秘而不宣。

纵观乾隆的一生，在他周围虽然不乏女性，可是他的家庭婚姻并不幸福。三十多岁的时候，与他心心相印的孝贤皇后去世，所生爱子夭亡，对其打击沉重可想而知，中年丧妻亡子对任何人来说，都是人生的一大不幸。而继孝贤皇后之后，在乾隆的生活中，竟没有再出现一个他所倾心相爱的女人，竟未能重新开始和谐、美满的生活，对真挚爱情的绝望，使他进一步沉湎于物欲之中，从而导致他的生活方式发生巨大的变化，这一变化不但给当时处于深宫中的另一个女人那拉皇后带来了巨大的痛苦，进而发生削发为尼这样一个惊世骇俗之举，而且促成当时政治风气的转变，官僚们纷纷效法皇帝，穷奢极欲，贪污腐败公行，从而加快了大清王朝的盛衰之变。

3. 疯子告京状奇案

乾隆三十四年（即公元 1769 年）三月的一天，北京通政使司前的大鼓紧凑地被敲响。值班堂官闻声立刻跑出。击鼓人于是迅即被押进大堂。

告状人自称李士诚，直隶冀州人。在衙门内，他报告了一桩触目惊心的巨案。

据李士诚说，他以贩卖银鱼为生，去年四月，贩鱼到安徽盱眙县，住在徐乾初店中。一天，因雇工王贵私自将鱼低价出卖，他心中气闷，恰与同店客人涂某发生口角，一怒之下，挥拳打倒对方。涂某串通店主徐乾初，准备报复。他闻之赶紧逃出。

他跑到街上，遇见曾任泗州州同的同乡裴某的侄子，便将处境如实告诉了他。姓裴的出于同乡之谊，将他护送回店，嘱令店中各人不得欺负他人。

回店不久，听说马老坤、曹秉臣等多人到盱眙县衙控告裴姓，一群县官家人营兵打到裴家，将其一家七人全部杀死。李士诚赶到裴家门外，听得抢抄家财什物的声音。这时，有人发现他在外窥视，便将他强行拉回徐家店内，反锁房门，并商议杀他灭口。他听到后，急忙跳窗逃跑，闯入山中一座古庙，躲在破鼓里才幸免于难。此后，他又在山沟中躲了九天，以树皮野菜充饥。实在支持不住了，挣扎下山，昏倒在路旁。

后来，路人发现了他，用床抬回县城，恰巧碰见前来寻找他的大哥，两人把鱼卖掉，回到老家。回家后，他愤恨悲伤，决定进京控告，求请朝廷派人捉拿凶犯，为民伸冤。

李士诚说得有名有姓，且绘声绘色。通政使司见事关重大，不敢隐瞒，火速上奏朝廷。乾隆闻奏，十分恼火，立即点派都察院御史一员，刑部贤能司员一员为钦差大臣，火速赶往安徽，会同两江总督彻查，务必追拿凶手归案，并严加惩处。

四月初四，钦差吴玉纶、阿扬阿离京南下，与两江总督高晋在江宁会齐，调集犯证，升堂审讯。

首先审讯盱眙知县黄景燮。黄知县到案后，惊慌惶恐，极力剖白辩解，说道："从无马老坤等人控告裴姓的事情，我的家人、兵勇也从未杀人劫财。如果真有此事，我一个小小知县，纵使有三个脑袋也不敢隐瞒包庇！"

这是怎么回事？钦差、总督面面相觑，摸不清是知县要赖，还是另有原因。商议一番，立即派人查询盱眙县有无冀州籍的裴姓居住。经查，当地确实住着原任泗州州同裴澜的儿子裴廷楷。传拘到江宁，裴廷楷说："我有一个侄孙，名叫裴章，一向经商。去年五月曾对我说，他在盱眙街头遇见冀州贩鱼客人李士诚，口中乱喊有人杀他。因为是乡亲，将他送回客店安顿。裴章去年十月已病故，我父母也回了保定原籍。我们裴家从未发生过被人抄杀的事情。如果有这样的大事，岂能隐忍不报，而让李士诚代劳？"

被告不认杀人劫财，事主也否认受害之事，看来李士诚所控全属子虚乌有。京控不实须受重罚，律令昭然，李士诚为什么敢于铤而走险？钦差、总督不得不多方查考，追根溯源。

提审马老坤等，诸人在公堂上瞠目结舌，不知所问；等到弄清事由，一律摇首称无。再查原告指名的黄秉臣，则没有其人。详审徐乾初，徐供："去年四月，有个冀州客商李士诚住在我店，五月初二忽然狂奔出店，到午后，由裴章送回；初四又不见踪影，初八才在高在窑找到。我们看他神情恍惚，行动怪异，害怕出事受到牵连，一面派人给他家中送信，一面留意看守。五月下旬，李士诚在半夜乘其他客人酣睡，越窗而逃。我们慌了手脚，四处寻找，到六月初一，才在六十多里外的罗家港寻到。只见他躺在地上，胡言乱语，只好用床抬回。过了几天，他老家来人将他领走。我和李士诚无仇无隙，所供全是实情，恳请明察！"

这样一说，官员们恍然大悟，原来李士诚是个疯子！此时，李士诚已由京城押解到江宁，总督请名医朱源明为他诊脉。经诊断：李士诚六脉滑大，有痰迷心经之症。再加上审问，李滔滔不绝，供词与在京无异；一经驳诘，他手舞足蹈，狂呼乱叫，摆出刑具也毫无惧色。

为了慎重，钦差命人按照李士诚口供寻找他"逃难"的主要地点。结果，什么古庙、破鼓、山沟等等，一无所见，纯属虚构。

一个精神病人闯入京城，击鼓鸣冤，震动了"龙廷"，且弄得风风雨雨，事情不小。那么其背后是否有人教唆主使？钦差飞函请直隶总督杨廷璋就地速查。杨廷璋立即委派清河道李湖前往冀州。

李士诚的母亲柏氏供说："李士诚长期在外经商，精神正常。去年六月，有人来报，说他在盱眙得了疯病。我放心不下，请堂侄李士达、李士增前去接回。他们到了盱眙，卖完银鱼，雇车将李士诚载回。车到黄河渡口，李士诚叫喊有人杀他，又说裴家为他全家遭难了等等。七月初七回到家中。此后，他一切如常。间或发病，但也不过自言自语，从未惹出大事。今年三月，他不辞而别，闯入京城胡闹，实在为疯病发作，无人主使。"再讯问其他人证，众供全同，似无疑义。

这起乾隆皇帝特派钦差，由两江总督、直隶总督参与查办的特大杀人案，闹了半天，竟是一个疯病人在神志不清中造出的假案。李士诚京控不实，按律应予严惩，但由于他确属疯颠，也只能押回原籍，终身禁锢。一场虚惊大案就此平息下来。

4. 御赐红宝石奇案

清朝乾隆年间，有一天，乾隆皇帝赏给和相国一颗宝石顶戴。这就惊动了朝内文武百官，大家齐来向和相国道贺。

这位和相国名叫和珅，姓钮祜禄氏，为满洲正红旗人。二十年前在銮仪卫当差时，只不过是个抬御轿的小卒角色。提起他的发迹史，其中确实有点奇怪机缘。

有一天，乾隆皇帝要出行，于是銮仪卫官员赶忙排开驾仪卫，却单单缺少个黄伞盖不知道放到哪里去了。乾隆皇帝对此十分恼火，就沉下脸来问道：

"此是谁的过错？"

他这一问，吓得銮仪卫的官员们个个瞠目结舌，无人敢答。

乾隆正想追问，忽听身旁一个洪亮的声音回答道：

"典守者不得推卸其责！"

乾隆转脸一看，却是一个抬御轿的。只见他仪容俊雅，举止从容，乾隆不觉暗暗惊奇，就将和珅叫到面前，仔细端详，却有似曾相识之感，不禁勾起了一桩旧事。

二十五年前，乾隆还是皇四子时，一天随母后到圆明园中游玩。偶见小宫女燕儿对着清澈的溪水梳理青发，乾隆悄悄上前，想吓她一下，就一下子蒙住了燕儿的双眼。燕儿以为是女伴逗玩，就用手中木梳往后打去，正打在皇四子脸上。谁知此事却被皇后知道了，立刻将燕儿处死。为此乾隆一直感到十分悲痛内疚，燕儿的印象也一直在他心中无法忘掉。谁知今日见了和珅，模样儿却与燕儿十分相似。可是越发奇怪的是，燕儿死了二十五年，和珅却又正二十余岁。迷信佛教轮回转世之说的乾隆，竟误认和珅就是宫女燕儿转世的了。

和珅有了这段奇遇，加上他脑子灵活，善于猜测乾隆心思，所以甚得乾隆欢心。十几年工夫，竟升到文华殿大学士，成了掌管朝廷军政大权的宰相。这一次，和珅因镇压起义有功，皇上赏赐他红宝石顶戴一颗，和珅为了宣扬皇上隆恩，便大摆宴席来欢庆一番。

宴席上，和珅命侍从捧出朝冠一顶，只见朝冠正中缀着一颗大红宝石，光采熠熠，满壁生辉。百官们要拍和珅的马屁，纷纷唱起了颂歌：

“皇上赐予和相国这颗珍贵宝石，真乃旷世隆恩！”

“也只有和中堂这样的功勋威望，才配得上这颗宝石顶戴。”

在百官的一片颂扬声里，和珅眯缝着醉眼，脸露微笑，一副得意洋洋、踌躇满志的神态。

忽然，门上传呼：

“圣旨下！”

官员们一听，都呼啦一下子站了起来，悄悄地议论说：

“定然又是皇上对和中堂有什么新的赏赐了。”

“那还用说，和中堂和皇上还是儿女亲家呢，皇上宠爱的十公主就是和中堂的儿媳妇呢。”

和珅听说圣旨到，也猜定是皇上对他又有什么新的恩典，他喜滋滋地站了起来，走向大厅。

大厅上，只见一位传旨太监衣冠华丽，神态庄严，站在香案前面。和珅连忙趋前几步，跪在地上听候宣旨。

只听传旨太监大声宣读圣旨道：

"查文华殿大学士和珅，督办兰州军务，总兵图钦保阵亡，和珅匿不上奏，于边事多有掩饰；且有侵冒军饷之事。兹念前功不予深究，着追还前赐宝石顶，以示薄儆。钦此！"

和珅满怀高兴，指望皇上新的赏赐，谁知却是派人来追还宝石顶！一场庆贺御赐宝石顶的庆祝宴会，却成了和珅出乖露丑的集会！和珅只感到脑子里"嗡"地一声，只见眼前天旋地转，他勉强稳住神，叩首谢恩，当场将那顶朝冠上的大红宝石摘了下来，双手呈给传旨太监。传旨太监收了宝石顶，也不耽搁，径自大摇大摆地出了府门，登车而去。

和珅送走太监后，只觉头重脚轻，浑身像棉花似地，"咕咚！"一声，跌倒在地上，双目紧闭，不醒人事。慌得相府家人、左右侍卫、满堂宾客惊惶失措，一齐围了上来，七手八脚地将和珅弄到后堂，一面赶忙唤医抢救。那些宾客见此情景，哪里再有心喝酒，也不等东家相送，就一个个脚板擦油，溜之乎也。

这和中堂自从得宠以来，何曾受过这样的屈辱，简直将脸都丢尽了。他对此又气又急，担心自己在位这些年中，贪赃枉法，瞒天过海，扣留贡品之事甚多，如果这次追还宝石顶是皇上对我和珅信任动摇的信号，再接着深追下去，后果将不堪设想。

和珅越想越怕，只得叫相府师爷写了向皇上告病的奏章。向乾隆请假休养。自己则成天躺在床上胡思乱想。

第三天，相府又来了传谕太监，传乾隆旨意，叫和珅好好休养。传谕太监刚走，第二批太监又来了，带来了御医来替和珅诊病。御医走后，送御药的太监又来了。送药太监走后，送御膳的小太监又来了。和珅暗自琢磨：皇上虽一时怒气冲天，收回了我的宝石顶，但从送医送药的情形来看，皇上还是器重我的。和珅这一想，顿时病好了一半。

第二天，和珅亲自进宫叩谢皇上恩典。乾隆问道："卿病体痊愈了？"

"托皇上的福，已大体痊可。"和珅回答。

乾隆注视和珅的帽上，缀的还是一顶红珊瑚顶戴，就问道："朕前些日子赐你的红宝石顶戴，卿为何不戴呢？"

和珅一听，心中一震，以为乾隆有意讽刺他，连忙叩头道："奴才有罪，深负圣恩，宝石顶既被陛下追还，又怎能复戴？"

乾隆一听，惊怔住了："你说什么？追还了宝石顶？朕几时追还的？朕没有下旨。"

和珅这时也怔住了，就将太监长相和追还经过，详细述说一番。

乾隆听了，顿感惊奇，命传吏、礼二部尚书等人问话。

一会，吏、礼二部尚书和全体军机大臣，一齐来到乾隆面前跪下。乾隆将追还和珅宝石顶的事一说，众人都说不知道这回事。

乾隆十分恼怒："严令各部务须将宝石顶限期查获！"

和珅被人在满堂宾客面前戏弄一场，骗走了御赐宝石顶，又丢尽了脸，心中十分恼怒，回府之后立即命令九门提督限期破案。

这一来可热闹了：北京城里九门提督管辖下的左、右、南、北、中五个巡捕营的营官，顺天府管辖下的东、西、南、北四路厅捕盗同知，大兴、宛平两县的巡检一齐出动。城门盘查行人，捕快明察暗访，营兵搜捕旅店。把那妓院酒楼，珠宝店，古玩坊，折腾得几乎要底儿掉。一说那骗宝石顶的人脸上有颗痣，立刻所有脸上有痣的人就倒了霉；一说那骗宝石顶的人眼下有个疤，马上眼下长疤的人就遭殃。弄得个北京城里鸡飞狗跳，人人自危。

这天，和珅上朝归来，回到后堂，刚刚坐下休息，忽听门上来报：九门提督派了一名营官参将求见相爷。说罢，呈上九门提督大人的名片。和珅扫了一眼名片，吩咐："叫他进来。"

不一会儿，一位头戴着蓝宝石顶三品朝冠，身穿绣豹子补服的营官参将大步走了进来。

"参见相爷！"参将上前半跪。

"有什么事吗？"和珅坐在椅上慢条斯理地问。

那参将从容禀道："卑职乃是九门提督衙门南营参将，今日奉命搜查宝石顶。在崇文门见到一个商贩模样的人，卑职看他左右乱看，步履慌张，形迹可疑。当即上前盘问，从他的囊夹层内搜得宝石顶一颗，不知是否相爷原物？"说罢，双手将一个锦盒呈了上来。

和珅接过锦盒，打开一看，锦盒内熠熠放着红光的正是那颗御赐宝石顶，不禁又惊又喜伸手不断摩挲着。

这时参将禀道："禀相爷！九门提督大人命卑职来请问相爷，那抓住的骗子应如何发落？"

和珅一听，大声命令："你回去禀告你家大人，立即把骗子押送到我这里来，我要仔细看看那个胆大包天的骗子，究竟是什么样的一个人物！"

"卑职遵命！"参将逡巡了一会又禀道："禀相爷！这颗宝石顶既是相爷御赐原物，乞相爷赐卑职几个字，卑职好回营销差。"

和珅点点笑道："哦！这我倒忘记了。"他随手取过一张自己的名片，在上面亲笔写了几个字，交付参将，并问道："你叫什么名字？这次你查获了宝石顶，立了大功，我一定会栽培你。"

参将赶忙双膝跪倒："多谢相爷恩典！卑职姓贾名丁工，查获宝石顶乃是卑职分内之事。"

和珅又吩咐人取出一百两银子赏与参将，参将拜谢辞去。

参将刚走一会，门上来报："九门提督大人到。"

和珅吩咐："有请！"

九门提督大人来到相府客厅，和珅起身相迎。坐下后，仆人献上茶来。和珅笑嘻嘻地说道：

"多蒙大人鼎力相助，终使我这颗御赐宝石顶得以完璧归赵，和某当面谢过。"

九门提督大人一听此言，脸色大变，不安地说："不是卑职不尽心，委实是偌大京城地面，南来北往，人口庞杂。卑职虽已命各营及顺天府并大兴、宛平两县捕快严加缉访，但仍如大海捞针，毫无消息。为此特来恳求相爷再宽限几日。"

和珅听了九门提督大人这番话，心中老大不高兴，就将脸一沉，说道：

"大人替老夫追还了宝石顶，老夫铭记在心。却为何又来当面戏弄老夫，难道怪罪老夫未曾及时致谢不成？"

九门提督见和珅突然变脸，真是丈二和尚——摸不着头脑，连忙离席请罪道："卑职纵然吃了老虎心，豹子胆，又哪敢戏弄相爷？"

和珅瞪着双眼斥责道："你明明已经查获了宝石顶，并已命营官贾参将送来，现今却又说还未查获，不是戏弄老夫是什么？"

这番话可真把九门提督大人蒙住了。他结结巴巴地说："回相爷：卑职几时查获了宝石顶却骗哄相爷说未查获？卑职又几时派过营官参将来送过宝石顶？"

和珅听了，大吃一惊，于是将锦盒递与提督大人："这是你刚才派贾参将送来的宝石顶，乃御赐之物，一毫不差。贾参将刚刚走了一会，你就来了。"

九门提督大人一见宝石顶，又惊又喜，喜的是宝石顶终于查获，自己脱了责任；惊的却是自己对此毫无所知。忙禀道："恭贺相爷御赐宝石顶物归原主，只是此事卑职确实不知，待卑职回衙后传五个巡捕营一一问过，也好替他请赏。"

和珅此时也渐明白了，便阻止道："不用问了。恐怕你查遍五个巡捕营的一万一千人，也查不出这个送宝石顶的人来。"

"怎么！这也是个骗子？"九门提督惊慌地问。

和珅点了点头。

九门提督勃然大怒："相爷请放宽心，卑职回衙，定然要将这个骗子缉获归案。"

和珅这时却将个头摇得像货郎鼓似的，长叹一声："算了！算了！不用追究了。你想，这个骗子既敢冒充传旨太监，骗走宝石顶；又敢假冒营官，将宝石顶送还，简直将你我当小儿戏耍。这样亡命之徒，你追急了，他什么事不能做出来？到头来对你我反有诸多不便。好在御赐宝石顶已是归还也就罢了。"

其实九门提督刚才的火，也是发给和珅看的，现在看相爷肯于息事宁人，自己又何不乐于顺水推舟。当下也就连连点头道：

"相爷所说甚是，卑职遵命。"

于是，这件宝石顶奇案就这样不了了之。

究竟是谁骗走了和大相国这颗御赐宝石顶，又是谁送回来的？他们为什么要骗走这颗御赐宝石顶，又为何送了回来？人们左猜右测，总猜测不到。一直到嘉庆四年，和珅罪恶败露，被赐死狱中。才从酒楼茶馆，街谈巷议中渐渐透露出制造宝石顶奇案的主角来。

原来制造骗还宝石顶戴奇案的主角姓贾名五，原是江湖上一个有名的大人物。那天他刚好上街闲逛，走到和珅府门时，见车轿塞途，把行人的路都堵死了。一问，才知是乾隆皇帝赐与和珅一颗宝石顶戴，和珅大摆宴席，以示庆贺。贾五恨恨地说：

"这个奸相，偏偏有这位昏君当他靠山，又偏偏有这些摇头摆尾的狗官来拍他的马屁！我且小小戏要他一下，也让他煞煞风景，知道这个世界并不都是他们狗官们的天下。"

好个贾五，真是神通广大。只有片刻工夫，他就弄来了衣帽，穿戴起来，化装成了皇宫太监，坐上马车，带上假造圣旨，大模大样来到和珅相府，当着满堂文武官员，演出了那场追回御赐宝石顶的大戏。

骗走御赐宝石顶后，贾五本不打算归还，可后来见九门提督缉捕甚急，弄得许多无辜百姓被盘查拘捕。这个贾五想："我本是戏弄他一下，以示薄徵之意，不想却给全城百姓带来这么大麻烦。万一九门提督邀功讨赏心急，杀了无辜百姓，我如何对得住乡亲百姓？"所以，才打发一个徒弟将宝石顶送还了和珅，了却了这桩公案。送还的人化名贾丁工，"丁工"写在一起是个"五"字，暗藏贾五之名。

这正是：

　　　　莫夸宝石皇恩重，追还戏耍有能人。

5. 两淮特大盐引案

大清国乾隆三十三年，发生了一起贪污两淮盐引的特大案件。案发之后，朝廷派出江苏巡抚彰宝，新任盐政尤拔世详细审查。经过四个多月的清查审理，查出贪污应缴国库息银一千万两，时间长达二十多年。因贪赃枉法受到惩处的官员十余人。二十年来，历任盐政吉庆、普福、高恒，运使卢见曾除抄没全部家产外，全被处以死刑。历任运司七人受到革职、降级处分。这一案件的发生，揭露了"康熙盛世"掩藏下的官场丑态，从一个侧面揭示乾隆晚年吏治败坏和官场的黑暗。

什么叫盐引？历时二十年之久的两淮盐引贪污案是如何被揭露出来的？这先要从乾隆十年两淮盐政吉庆上任后在盐引问题上做的文章说起。

吉庆为满洲旗人，雍正二十年进士，曾任过黄冈知县、武昌知府、湖北布政使等职。此人虽为满人，却精读儒家经典，且写得一手柳字。为人工于心计，极其贪财，谋得两淮盐政差使，处心积虑想捞一笔银两。

清王朝自开国以来，即仿照明制，对食盐实行"官督商销"的朝廷专卖制，对商人实行承包经营。经过批准允许经营食盐的商人先从管理盐务的盐政衙门领取引票（每引四百斤），然后凭引票到指定的产盐地购置食盐，运回按朝廷垄断的价格销售，缴纳盐税。这种凭引票领盐的凭据，简称盐引。

这天，吉庆正在花厅与几个心腹幕僚商量，如何向那些盐商敲一笔财，忽然门丁禀报："有几位总商求见。"

吉庆上任前早已对盐政有所研究，知道来的总商都是盐商们凭各人籍贯结成帮会推举出来的，担任总商的必须是资金雄厚，社交广泛才有资格入选。他向幕僚使了个眼色，笑着吩咐："有请。"

不多时，进来几个衣着华丽的商人。吉庆奉客上座，仆人奉过茶，宾主略事寒暄后，一胖商首先发言："久闻大人实心为民办事，今日主持盐政，定将有所作为。"

"不敢当，一切还望贵商支持。"吉庆客气地回答。

"有件事想向大人禀报。"胖商说。

"何事？先生请直言。"

"江南一带，经济繁荣，人口猛增，食盐量需求更多，但每年朝廷发下的引票没有增多，近来各地纷纷反映，每年食盐供不应求，造成盐枭走私，黑市猖獗。民有怨言，还请大人将此事奏报朝廷，增发引票。"

吉庆听了心中一动，知道发财的机会已到，慨然许诺："好，让下官先派员下去调查，然后再奏明皇上，只是盐政衙门经费拮据……这项开支……"

胖商见盐政大臣这样爽快，忙说："些许小事，何用大人费心。"

一个瘦商凑过去悄声说："大人，如果引票能够增加，给衙门的回敬也自然会水涨船高。"

几个总商走后的下午，便命人送来一封信。封面上写着：面呈盐政大臣吉庆大人亲启。吉庆拆开信封一看，心中一阵狂喜，原来信封里别无它物，只有一张五万两的银票。

第二天，吉庆即派员分赴两淮盐政衙门供应食盐的辖区——江苏、安徽、江西、湖南、湖北、河南六省调查。一月以后，派去的人陆续返回禀报：各省对食盐供应的反映，果如总商们所说供不应求。于是吉庆草拟奏章说："臣上任后，盐商纷纷反映，各省食盐畅销，按照原定每年盐引票供应，不足民食，派员分赴各省，调查属实，建议每年预先提出下一年一部分盐引票，发给盐商领盐销售。这样不仅可促使产盐区增加产量，增加民用食盐供给，还可为朝廷增加税收，一举三得。"

乾隆是个非常精明的皇帝，看了吉庆的奏章，心中盘算了一会，又找来户部尚书商议，批准两淮盐政的建议。但是规定一条：预先提出来年的盐引票，每一张引票除交纳国家正供的盐税外，还要另交三两银子，名曰"预提盐引息银"。理由是预提来年引票，实际上是增加每年的盐引票数额。就是说盐商今年赚了明年的钱，这些赚来的钱或存钱庄，可得利息，或扩大经营，可赚更多利润。

唯利是图、精于计算的盐商们听此消息，又喜又心痛。喜的是可增加巨额利润；心痛的是这笔巨额利润朝廷要提走一笔息银。于是大家又聚集在胖子总商府上花厅，商讨对策。胖商名江春，是两淮盐商中的巨富。府宅仿照苏州园林修建，有亭阁、假山、荷花池，树木葱郁，小桥流水，幽雅别致。家中养有戏班，妻妾成群。江春见人已到齐，便说："我们本想请朝廷多发引票，为的是解决民食，大家也能多赚几个钱，谁知户部那些官员也精，竟提出缴纳息银问题。此事怎么办理？"

瘦商名叫江启源，人虽瘦，却智谋多，被盐商们称为"智多星"，此时毫不介意地说："江兄，你忘记了一个字。"

"什么字？"在座的盐商不约而同地问。

"钱！除了钱还是钱。"江启源一连说了三个钱字。

一侏儒商名叫黄源得，也是盐商中的巨富。他做生意很精明，但对官场上的事却一窍不通。此时，他问："老兄，有了钱还得商量好如何用？"

"是呀！"在座的盐商都附和着说。

江启源眨了眨眼睛，做了个送礼手势："明天去拜见盐政大人，自有办法。"

大家个个醒悟，于是又凑足了五万两银票，用一个信袋装好，第二天去盐政衙门拜见吉庆。吉庆早知盐商听了增加引票，交纳息银的消息，一定要来找他，事先命仆人将客厅和书房的用具搬走一些。盐商来后，一眼瞥见空荡的客厅，甚感诧异，只有江启源窥知盐政大人的用意，便向江春使了个眼色，故意说："吉大人，这花厅甚是空荡、寒酸，还得要气派一些才是。"

吉庆见盐商首先提出，便趁机叫苦说："衙门开销很多，一时尚无法添置，且待以后吧。"

江春也趁机提出息银问题："只要大人在朝廷规定的盐引息银上为商人说点话，家什小事，全由我们筹办。"

吉庆毫不推让，爽快地说："只要大家能体察衙门的困难，那盐引的息银每年先缴一部分，其余款项以后再说。"

盐商见吉庆如此豪爽大方，就顺便将红包递上，笑着说："这点小意思，供大人备赏。"

吉庆慨然收下了这点"小意思"，第二天一整套檀木家具送到了盐政衙门。从此，这笔应交的"预提盐引息银"上交了一部分。这上交的部分流入了盐政老爷的腰包，还有一部分却长期拖着。

乾隆十四年，乾隆皇帝准备南巡。吉庆没有等到皇帝南下就病死在任上。接任的新盐政名叫普福。普福也是满人，当过知县、知府、户部郎中等职。因为他在户部呆过十几年，深知盐政弊端，上任后，一反前任吉庆分发引票的方法。过去吉庆是将新增引票按盐商人数平均分发，而普福却按总商送给自己银子的多少来决定引票的多少。这一着非常有效，消息传出，人人争着馈送重礼。上任不到一年，普福就积攒了十多万两银子。他是个敛财老手，这笔巨款没有让它躺着，而是分别寄存到亲戚那里，请他们开当铺、开商号，让银两继续增值。

乾隆二十三年，普福调任他职，新上任的盐政老爷名叫高恒。此人的来头更大。他是大学士高斌之子，乾隆宠妃慧哲贵妃之弟。高恒任过户部主事、郎中、长芦盐政、天津总兵。他是打听到两淮盐政衙门的"盐引票息银"油水很厚，请姐姐在皇帝面前讨得这份美差。

临行前，乾隆皇帝召见了高恒，和颜悦色地说："江南是个好地方，再过两年，朕还想再去巡幸。你上任后务必将各处行宫进行修葺。上次南巡，两淮盐商报效甚多，此次可将盐价酌情提高一些，商人赚了钱，就会自动报效，捐献银两。"

高恒听了，十分高兴，忙跪奏道："臣上任后一定不负皇上所托。"

告辞回府，高恒收拾行装，匆匆上道，急如星火地赶到了任所。两淮盐商听说新任盐政是皇亲，格外巴结，除送"赞敬"、"红包"外，几乎天天宴请。宴席间，高恒放出风声说已接到密旨，考虑到制盐成本提高，准备提高食盐价格。商人们听了十分高兴，立即凑齐二十万两银子送到高恒官邸。

高恒比前两任盐政还要贪婪。他借口盐政衙门开支大，要差役们等盐商到盐政衙门领取盐引票时以各种名目收费。盐商们深受其害，都跑到总商江春、江启源那里诉苦。两人知道意在敲诈，便乘轿来到衙门拜谒盐政。高恒没有等总商开口，就抢先诉苦说："盐政衙门办公费用缺乏，纸张笔墨开销甚大，不得已只好在商人领取引票时收些费用。还望二位向商人多加解释。"

两人相互对视，苦笑了一下，由江春开口："大人困难商人们都能体谅，大家商得一项办法，特来请示。"

高恒故作关心地问："商人们有什么良策？"

江春笑笑说："每天由商人供银一百两作为衙门开支，今后在领取引票时还望给予方便。"

高恒心想,一天一百两,一月就是三千两,一年就有三万六千两银子的额外收入,便点头说:"好!好!这就感谢商人们的支持了。"

乾隆三十三年,高恒因从兄高晋升任两江总督需要回避,调任户部侍郎,不久署总管内务府大臣,接任两淮盐政的是尤拔世。这位盐政老爷是河南开封人,两榜进士出身,也是个贪财好色之徒。他早就听说过历任两淮盐政串通盐商,借办理迎接皇帝南巡差事之机,私自侵吞"预提盐引息银"的事件。所以,在盐商们为其大摆宴席接风洗尘后,尤拔世与几个总商在闲谈中透露自己上任途中耗费甚巨,希望大家鼎力相助。

江春等几位总商几年来接连数次迎接乾隆南巡受到皇帝的嘉奖,又有布政使的职务,自视甚高,根本未将尤拔世放在眼里。听了盐政的索贿口气,便直截了当地叫苦:"大人有所不知,圣驾几次南巡,商人报效太多,亏空尚未弥补上,还望见谅。"

尤拔世见盐商居然大胆拒绝,气得脸色发白,冷冷地说:"好!好!本官知道了。"说完,举起茶杯,下了逐客令。

盐商们走后,尤拔世独自坐在花厅,想了很久,决心教训一下这批不识相的盐商。用什么办法呢?他是个极其奸狡的人,连夜向皇帝写了一道奏折。这道奏折并不直接告发前任盐政串通盐商,侵吞盐引息银的情况,而是说:"上年普福奏请预提乾隆三十三年盐引,仍令每引缴银三两,以备公用,共缴贮运库银二十七万八千两。普福任内,所办玉器、古玩等项,共动支过银八万五千余两,其余现存十九万余两,请交内府查收。"

果然不出尤拔世所料,乾隆看了奏折,大起疑心。他想,盐引息银,在吉庆任内奏报批准的。二十年来,这笔息银共有多少?现存何处?是否上交户部?历任盐政从来没有提及,于是派出军机大臣傅恒去检查户部档案。检查结果,没有两淮盐政上报的收支文册。乾隆震怒,立派江苏巡抚彰宝会同尤拔世详细清查,查出两淮盐商二十多年应缴国库盐引息银一千一百万两,除去迎接皇帝南巡开支费用和此次尤拔世上交十九万两外,其余全被鲸吞。

这一场特大盐引贪污案以处决大批贪官污吏而告一段落。

6.《永乐大典》被盗案

《永乐大典》是明朝时期编纂的一部大型类书。全书共计二万二千八百七十七卷，另有凡例、目录六十卷，共装成一万一千零九十五册，约三亿七千余万字。它保存了明朝以前中国的文学、历史、地理、哲学、宗教与科学技术等方面的丰富资料，是中国古代文化遗产中的极有价值的珍品。

《大典》一书的编纂始于永乐元年（公元 1403 年），结束于永乐五年（公元 1407 年），由明成祖朱棣正式命名为《永乐大典》，并亲自撰写了序文。序文中说道："纂集四库之书及购募天下遗籍，上自古初，迄于当世，旁搜博采，汇集群分，著为奥典。"据统计，前后参与该书编辑的人员多达二三千人，辑入的书籍多达七八千种。

由于这部书卷帙过巨，不容易刊印，明嘉靖年间曾抄过一个副本，而永乐时代的原本不知在何时被毁失了。这个副本，一直被保存在"皇史宬"，清朝雍正时，又移存到东交民巷翰林院典籍库内。

清代乾隆年间，发生了中国文化史上的又一件大事。那就是乾隆三十八年（公元 1773 年）二月，正式开馆纂修《四库全书》。除从全国各地征集书籍外，乾隆帝还批准了安徽学政朱筠的建议，即从《永乐大典》中辑录"现在流传已少不恒经见之书"，以便编入《四库全书》。从此，《永乐大典》才开始得到利用。但军机大臣们派员往库内检查后才发现，《永乐大典》当时就仅存九千余本了，"约缺一千余本，较原书少什之一，不知何时散佚"。乾隆帝在同年二月二十三日访求《永乐大典》的上谕中说："闻此书当时在内阁收存时即有遗失，似系康熙年间开馆修书，总裁官等取出查阅，未经缴回。"（陈垣：《办理四库全书档案》，以下引文不注出处者，皆同）对此，他特地要两江总督高晋、浙江巡抚三宝派人前往当年在局人徐乾学、王鸿绪、高士奇家查询，并派人向各处购觅《大典》的散佚书籍。同年四月二十八日浙江巡抚三宝的奏折中曾提到："据鄞县贡生卢址呈缴遗书二十余种，并据缴出抄存《永乐大典》

内《考工记》一部计六本。据称系祖上遗留，情愿呈缴等语。"

为了从《永乐大典》中辑佚古书，军机大臣兼《四库全书》总裁刘统勋决定在"翰林院衙门内……迤西房屋"作为校核《永乐大典》办事之所。因为《大典》篇幅浩大，头绪纷繁，为了保证排纂克期，又决定从翰林等官员内挑选三十员担任分校，并派军机司员一二人作为提调、典簿厅等官员作为收掌。

但在次年六月竟发生了一起意想不到的《永乐大典》被盗案。案情是这样的：当时纂修官、庶吉士黄寿龄，被委派编辑《大典》中散篇《考古质疑》、《坦斋通编》二部，白天校阅任务未完，于当天（十三日）晚间，"将（大典）原本六册，用袱包裹带回，拟欲乘夜趱办。讵行至米市胡同，偶然腹泻下车，被贼连包窃去，追觅无踪。"（乾隆三十九年六月二十五日《质郡王永瑢奏折》）为此，庶吉士黄寿龄曾受"经部议以降一级留任，仍罚俸一年"的处分。乾隆帝在上谕中说："《永乐大典》为世间未有之书，本不应听纂修等携带外出。况每日备有桌饭，各员饱食办公，尽一日之长，在馆校勘已不可误课程，原无借复事焚膏继晷。至馆中设有提调人员稽查，乃其专责。携书外出，若曾经告知提调，即当与之同科；或纂修私自携归，该提调亦难辞失察之咎。着舒赫德查询明确，据实复奏。其所失之书，仍着英廉等上紧严缉，毋致阙少。"

一个月之后，也就是七月十五日夜，黄寿龄所失《永乐大典》六册在"御河桥河沿被人拾得"。《永乐大典》六册，何以失而复得，由于文献阙如，殆不可考。但从乾隆帝七月十八日的上谕中我们可略知一二："朕思此书遗失以来，为日已久，必其人偷窃后潜向书肆及收买废纸张等处售卖，书贾等知《永乐大典》系属官物，不敢私行售卖。该犯亦知缉捕严紧，不敢存留。遂于黄夜潜置河畔，以冀免祸。其情形大概如是。"乾隆皇帝要步军统领英廉"密派妥干番役等于书肆、纸铺、小市、荒摊等处留心体访……跟究贼踪。"

《永乐大典》是因为携出翰林院被盗，这就引起了清廷的高度重视，乾隆帝后来下令："所有翰林院现贮各书，着总裁等交该提调照各省进到书单，造成档册，纂修等领办之书，即于册内填注，仍每日稽查，毋许私携出外。"《四库全书》总裁质郡王永瑢也表示："所有《永乐大典》现交提调等通行查检，敬谨收贮，嗣后断不致各纂修任意携取外，至各省送到遗书……并伤令各纂修等务须在馆校阅。"应该说，乾隆的这道上谕在纂修《四库全书》时对《永乐大典》的妥善保存还是起了一定积极作用的。黄寿龄因失书被科罚俸处分之后，经乾隆帝改为从宽处理："虽然……咎所应得，第念《四库全书》处未定章程以前，纂修等将书携归校办者谅不止一人……其情尚稍可原。"于是，这桩盗书公案总算得以被了结。

7. 筒子河浮尸奇案

乾隆四十五年（公元 1780 年）二月初十这一天，驻守在紫禁城西北角（北长街北口一带）一个哨所里的护军哨兵，沿着筒子河边巡逻。冰封了一冬的筒子河刚刚解冻，早春的水面，平静如镜，这样，漂在河面上的一具浮尸也就格外显眼了。

哨兵发现浮尸以后，立即报告给值班的护军章京，章京又回奏给在景运门当班的护军统领崇信（为礼烈亲王代善七世孙），最后又惊动了皇室的大管家——总管内务府大臣们。于是，内务府慎刑司的官员们迅速出动，会同护军人等，七手八脚将浮尸打捞上岸。

死者为一年轻男性，从尸身悬挂的腰牌（出入紫禁城的通行证）上得知，此人是造办处的绣匠常德。经刑部传来的作作（验尸员）检验尸身，从头到脚均未发现伤痕，所以得出了"溺毙属实"的结论。不过他到底是失足落水？还是被谋杀者推入水中？抑或投河自尽？这一切尚不得而知。

现场得到的另一线索，是从尸身上找到一张当票。经派人去当铺核查，所当者为官绒一包（官用刺绣绒线）。

因为死者是造办处的绣匠，又死在紫禁城筒子河中，此案照例由内务府慎刑司审理。于是慎刑司将死者的父亲得受，以及造办处绣作头目田保住、催长长住、领催泰山保等人，一一传缉到案，经"逐一严加究讯"后，有关绣匠常德之死的种种内情，于是逐渐清楚。

原来，得受、常德父子皆属内务府包衣管领下，分别在缘儿作、绣作充当绣匠。绣作共有绣匠二十四人，承担一应内用绣工活计，由于"活限甚紧"，所以一向"分散各匠，按限成做"。至于常德其人，原即经常"做工迟误"，本年十一月初七、初八两日，常德所派活计又不能如期完成，到九日晨，常德即"乘间外出，至晚尚未进作"。催长长住曾派绣匠头目田保住到其家查问，其父未见常德返家，无以答对，于是"诡称患病在家"，病好后即归。后又屡次传唤，得受都称尚未痊愈。虽有人疑心常德外逃，但未想到他会投河自尽。那知失踪三月，竟一直在冰水中浸埋。为此，主审官最后得出的结论是："常德素日猾懒，兼之所领官物私行当用，该作催迫甚紧，常德一时情急轻生，似无疑窦。"

常德被迫投河自杀一案，本算不得什么稀罕事件。处于最底层的宫中奴仆——宫女、太监、苏拉、匠役们，当他们被逼得走投无路时，胆子大的外逃了，胆子小的总不外是投河、跳井、悬梁自杀。再者，造办处的匠人本来就是皇上家的包衣世仆，远比不上那些大人们豢养的猫儿狗儿，一旦轻生自杀，也不过如碾死个臭虫一般罢了。但此等人竟敢遗尸于皇家禁城重地，既脏了皇上家的御河水，又为大内添了几分倒霉晦气，更属可恶至极。然而死者既已咽气，就只有把死者的亲属和该管官员们从重责罚，以示警告了。

如此这般，内务府在上报皇帝的奏折中，就把一大批有关人员都牵连了进去。首先是常德之父得受与绣匠头目田保住，分别以"明知其子当差猾懒，不行管教"及"既知常德素日猾懒……乃敢于徇隐，至活计迟误始行连次催逼，以致常德在紫禁城内投河自毙"，应将两人"发往打牲乌拉充当苦差"。而主管绣作的催长长住与兼管绣作的库掌舒明阿，分别处以"革职留任"及"从重降一级留任"。主管造办处的郎中永德、佛宁、福克精额"均照失察律罚俸一年"。至于以质郡王永瑢为首的，包括福隆安、英廉、德保、和珅、金简等总管内务府大臣，以及常德所属之旗管领等人，均被处罚俸三个月至一年不等。紫禁城的护军统领、章京人等，也以"管束未周"交发兵部"分别议处"。

内务府的奏折上报以后，乾隆皇帝批以"依议"两字，于是将这一公案了结。

8. 尹嘉铨请谥著书冤案

乾隆四十六年，举国范围内文字狱由高潮已开始呈现低落的趋势，可是不料近畿直隶地方却平地起乍雷，发生了一桩令人十分费解的文字大狱——尹嘉铨著书案。

这一年的三月间，乾隆帝巡幸五台山，在回京的路上，驻跸河北保定。退休家居的原任大理寺卿尹嘉铨趁机递折为他的父亲尹会一请谥，同时请皇帝准许尹会一从祀文庙。尹嘉铨无论如何想不到，此举竟给他带来了杀身大祸。

尹会一又是怎样一个人呢？他籍隶直隶博野县，乾隆初年任河南巡抚，官声尚好。他又是雍乾之际有名讲道学的人，曾写过不少论述天理性命的著作。此人特别以纯孝著称，做官的时候凡有善政，必定归美于母亲；回乡家居，搞一些设义仓、置义田、兴义学之类的慈善事业，也要说是母亲的授意。其母去世的时候，尹会一已经五十多岁了，仍然头枕土块，躺在席子上睡觉，严格遵守所谓"寝苦枕块"的居丧古礼，人们对此举非常感动。这个老夫子平常最敬服的是康熙朝的汤斌，认为他不愧为本朝道学第一人。出于对汤斌的仰慕，尹会一抚豫时曾题请汤斌从祀文庙，可惜经廷议被驳回，但尹会一为此进一步抬高了身价，当时人都认为他与康熙朝三位讲道学的名臣——陆陇其、汤斌和张伯行不相上下。这样一来，就有好事者模仿孔子的弟子颜回、曾参、子思、孟轲的"四子"之称，把陆、汤、张、尹合称本朝"四子"。

尹嘉铨从小生活在这样一个道学家父亲身边，耳濡目染也开始习起道学来。长大后步入仕途，更以承接道统为己任，得意时甚至宣称自己是孟子后身，直接孔子真传。他举人出身，任过山东、山西、甘肃等省的司、道等官，后来内调为大理寺卿，官正三品，居九卿之列。但为时不久，即以年老休致。尹嘉铨在仕宦生涯中没有什么发展，恰恰在于他总是不忘大讲其道学，而当时讲道学并不符合"圣意"，有悖于时代的潮流。只是这个迂腐夫子吃不透时势之所趋，退休还乡之后仍一味醉心于作个道学家。这次借乾隆帝翠华西幸，车驾路经故乡，便恭恭敬敬缮具两件奏折，让他第三子候选教谕尹绍淳送到保定皇帝的行在。

三月十八日乾隆帝先看了他的第一件奏折。尹嘉铨奏称，家父生前孝行感人，曾蒙皇上赐诗夸奖，现已故去三十多年，请照乾隆元年特谥陆陇其"清献"二字之例，按御制诗内字样，也赐家父一谥。尹嘉铨的意思是，为父请谥，事成则博孝子之名，即便不准，也不会因此而得罪。这点私心岂能瞒得过乾隆帝，他平常对道学家的好名就颇不以为然，至于"满口仁义道德，满肚子男盗女娼"的假道学更是嗤之以鼻。尹嘉铨这个人也早就领教过了，乾隆帝还记得他当山东藩司时曾当面讨赏孔雀花翎，说没有翎子无脸回家见妻子。乾隆帝当时就对此人十分厌恶，终究也没赏给他孔雀翎。但假道学毕竟未便捅明，乾隆帝就作他妄求谥典的文章。大臣死后是否赐谥，赐什么字为谥，是一件十分郑重的大事，因为它关乎死去大臣一生应作什么样的评价。因此特由内阁议定撰拟，皇帝亲自圈定。如果都学尹嘉铨为博取孝名而请谥，那还成何政体？想到这里，乾隆帝提起硃笔在尹嘉铨奏折折尾批谕："与谥乃国家定典，岂可妄求？此奏本当交部治罪，念汝为父私情，姑免之。若再不安分家居，汝罪不可逭矣！"

没想到尹嘉铨还有一折！这个折子先从本朝陆陇其一人从祀文庙说起，然后引出家父生前曾有汤斌也应从祀的心愿，到结尾才点明，不仅汤斌，而且范文程、李光地、顾八代、张伯行也都在汤斌之亚，还有家父尹会一，也统通应请准一并从祀孔庙。乾隆帝读到这里，终于怒不可遏了，在尹折上奋笔疾书："竟大肆狂吠，不可恕矣！"

当天乾隆帝即召见军机大臣等，将经硃批的尹嘉铨的两个折子发给他们传阅，同时作了如下的指示：立即革去尹嘉铨顶戴，锁拿解京，交刑部治罪，查抄其博野原籍赀财，以及在京城家产。乾隆帝特别交代："查抄时资产物件尚在其次，如有狂妄字迹、诗册及书信等务须留心搜检，据实奏出。"

军机大臣面承旨意后立即办理。首先传谕直隶总督袁守侗派出臬司郎若伊等前往博野逮捕尹嘉铨，办理查抄事宜，其次拟写两通上谕：其一"明发"，通过内阁传谕中外将尹嘉铨治罪的原由；其二"廷寄"是命令在京大学士英廉"即速亲往严密查抄"尹嘉铨在京家产。两件旨稿经乾隆帝亲自核准后，一件发交内阁，一件由兵部封发，并作为"日行六百里"的急件，星夜驰送京城。

三月二十日天还未亮，大学士英廉便奉到行在军机处寄来的谕旨。按照旨意，他把书籍信件作为查抄的重点。从二十日到二十二日用了两天时间在尹家各屋中共查出书三百十一套、散书一千五百三十九本、未装订书籍一柜、书板一千二百块，以及书信一包共一百一十三封。将这么多的书信集中到一间大室之中，专派两名"曾查办过书籍之事"的翰林逐细搜检其中的"狂妄字迹"。

事情到了这种地步，朝臣心里都明白，尹嘉铨之罪绝不仅止于妄求谥典及从祀了。但皇上为什么勃然震怒、大动干戈？个中的奥妙却谁也一时猜不透。

三月二十七日乾隆帝回銮圆明园，第二天大学士三宝等会同刑部开始审讯尹嘉铨。从审讯的重点中人们开始了解乾隆帝发动这桩大狱的其中原由。下面看几段当时审讯记录：

问：你当时在皇上跟前讨赏翎子，说是没有翎子就回去见不得你女人。你这假道学，怕老婆，皇上到底没有给你翎子，你又怎么回去的呢？

供：我当初在家时曾向我妻子说过要见皇上讨翎子，原想得到翎子可以夸耀。后来皇上没有赏我，我回到家里实在觉得害羞，难见妻子，这都是我假道学，怕老婆是实。

承审官似乎有意戳穿尹嘉铨的假道学，而尹嘉铨对自己道学之伪也供认不讳。承审官穷追不舍，又问起尹嘉铨要娶一个五十多岁的老处女一事。

问：尹嘉铨你所写的"李孝女暮年不字事"一文，说李孝女"年过五十，依然待字，吾妻李恭人闻而贤之，欲求淑女以相助。仲女固辞不就"等语。这处女既已立志不嫁，已年过五旬，你为什么叫你女人找媒说合，要他做妾？这样没廉耻的事难道是讲正经的人干的么？

供：雄县有个姓李的女子守贞不字，年过五十，我还要将她做妾的话写在文字内，这就是我丧尽廉耻，还有什么辩白的呢?

让一个讲道学、重名节的人承认自己"丧尽廉耻",承审官该满足了吧?不然。下面还有更尖刻的讯问。

问:你妻子既肯替你娶妾为何必定要拣这五十多岁的女子?又明知道聘娶不成,她就可白得了不妒之名,这不是你妻子也学你欺世盗名么?且你既托为正人君子,必当成全此女子的名节,却听任你妻子要聘为妾,实属荡尽廉耻,这难道又是道学么?

供:我女人要替我娶这五十多岁的女人,她原是知道那女子断不肯嫁我的,她不过要借此表明她不妒。这原是实情。至于我任凭她做这样的事,实属我毫无廉耻,总是平日欺世盗名,所以我妻子也就做欺世盗名之事。今蒙诘问,我的肺肝已见,又有什么辩白的呢?

问供的刑官真是刻薄到家了,他们用尹嘉铨自己的言行,就把这位道学先生的五脏六腑彻底暴露出来了。说尹嘉铨有点假道学不算冤枉他,问题是承审官为什么对此大感兴趣?

原来,承审官们秉承了皇帝的旨意。乾隆帝之所以要剥掉尹嘉铨的道学外衣,让他把狐狸尾巴露出来,并不是反对道学。对于提倡纲常名教、维护帝王独尊的道学本身,乾隆帝是不会反对的,岂止不反对,真可谓尊崇备至。不过仅仅尊崇罢了,却不准大小臣工学程、朱、陆、王的样,也大讲其道学。他从历史经验中知道,讲学之风一开,最终就会危及帝王的统治。宋儒明儒聚徒讲学,好发议论,议论不同则分成派别门户,门户之争则朝臣角立朋分,朋党互相水火,党同伐异,则不以皇帝的是非为是非,结果小则紊乱朝政,大则倾覆宗社。因此,乾隆帝得出了这样的结论——"古来以讲学为名,致开朋党之渐",于是在打击朋党的政治斗争中,大力压抑讲学之风。他训诫大小臣工、读书士子对道学只要埋头潜修、躬行实践就行了。所以当时谁要以道学先生自居,大讲其仁义道德、修身养性,轻则受到社会舆论的讥讽,重则招致祸灾。尹嘉铨却出人意外地冒了出来,自己讲学倒罢了,又不知深浅地奏请皇帝尊崇一大堆不伦不类的道学名臣,重新煽起讲学之风,乾隆帝怎能不勃然震怒?他授意承审官从假道学一路问下去,归根到底,不在于把一个尹嘉铨搞臭，而是借此败坏一切讲学人的声誉，防止因学术见解不同而导致朋党死灰复燃。

当然，尹嘉铨如果仅仅是假道学，还不易问成大逆不道之罪。这不要紧，负责查阅书籍的翰林们已从尹嘉铨所著各书中签出"狂妄字迹"一百三十一处。恭呈御览后，乾隆帝认为下面几条最为紧要，于是命承审大臣严加审问。

其一，尹嘉铨在他的著作中写道："朋党之说起而父师之教衰，君安能独尊于上？"他的意思是，朋党往往以门生与座师的关系为纽带团结而成，反朋党的结果势必削弱"父师之教"，反而不利于皇权独尊。乾隆帝认为他有意和皇考世宗（即雍正帝）的《御制朋党论》唱反调，况且"古来以讲学为名，致开朋党之渐"，尹嘉铨推崇"父师之教"，提倡讲学，反以朋党为是，不知是什么样的意图？

其二，尹嘉铨仿照南宋朱熹的《名臣言行录》，也编一本《名臣言行录》，把清初以来的名臣如高士其、高其位、蒋廷锡、鄂尔泰、张廷玉、史贻直等人都罗列其中。乾隆帝认为，以本朝人标榜本朝人物大有问题，列入名臣的，他的子孙自然感激，不得列入者，他的子孙就会抱怨，一旦结为恩怨，门户、朋党之风就会复起。此外，朱子编《名臣言行录》是在宋朝南渡衰微之时，而今国家全盛，乾纲独断，哪里还有什么"奸臣"和"名臣"？这个说法，乍听起来很难索解，细细品味又不难明白乾隆帝的逻辑：朝廷上有奸臣擅政，自然反衬皇帝的昏庸无能，而如有名臣，也证明皇帝不很够格，不能大权独揽，所以还需要名臣来辅佐。

其三，尹嘉铨在所著书籍中把大学士、协办大学士称为"相国"，这本是当时人们习用的说法，无关宏旨，乾隆帝却挑剔说，宰相之名从明代太祖时已废置不用，本朝自皇祖（康熙）、皇考（雍正）到朕临御四十六年以来，太阿在握、权柄不移，有哪件事曾借助大学士的襄赞？他还通过这件事郑重告诫后代子子孙孙，都要以他为榜样，不许倚靠大臣的帮助。

从尹嘉铨的著作中，乾隆皇帝还从其中挑出不少问题。例如尹嘉铨模仿孟子"为王者师"的说法，在书中写有"为帝者师"四个字，乾隆帝嘲笑他学问浅陋，让大臣们评论，尹嘉铨"能为朕师傅否？"尹嘉铨自号"古稀老人"，"古稀"二字典出杜诗"人生七十古来稀"，不是帝王的专利，不巧乾隆帝也恰逢七旬大寿，自称"古稀天子"，又写了《古稀说》告示天下，把"古稀"垄断了。年逾七十的尹嘉铨不知眉高眼低，也以"古稀"自诩，结果被斥为"僭妄"。诸如此类的莫须有罪名还有许多，不过是为杀尹嘉铨多找些冠冕堂皇的借口罢了。

乾隆四十六年四月十七日，大学士、九卿等在反复审讯后，奏请将尹嘉铨按照大逆律凌迟处死，亲属照律缘坐。理由是他"妄比大贤，托名讲学，谬多著述，以图欺世盗名，又复妄列名臣，颠倒是非，隐启朋党之渐，甚至僭妄称'古稀老人'，种种狂悖不法，实堪切齿"。乾隆帝命加恩免其凌迟，改为绞立决，亲属一并加恩免其缘坐。同时命各省查缴销毁尹嘉铨著述或编辑的著作共82种，他在各地的碑崖石刻及拓本也一律铲削磨毁。各省部查缴尹嘉铨文字作品的工作，从乾隆四十六年三月起，到当年十二月才基本结束。

平心而论，尹嘉铨虽然不免有些假道学，但总算是当时一个肯于思考的人，至少在对雍、乾二帝的反朋党，对本朝名臣的评价等敏感的政治问题上，与乾隆帝有不同的认识。这本来属于统治阶级内部正常的意见分歧，乾隆帝却动用暴力手段加以无情的压制，从肉体上残忍地消灭尹嘉铨，以为"天下盗窃虚名，妄生异议者戒"。尹嘉铨的不幸结局不在于他道学不够纯正，而是他还没完全学会作一个服服贴贴、浑浑噩噩的奴才。如果他早生一百年，即在康熙年代，或晚生一百年，即在咸丰、同治年代，都有可能成为受人尊敬的道学名臣大家。可惜他生不逢时，又不识时局，结果以一个悲剧式人物留在了大清王朝文字狱的史载里。

六　嘉庆朝奇案冤案揭秘

嘉庆掌权，和珅倒霉，这是著名的历史事件。但这位被前皇压抑得有点病态的新皇，在和珅家抄了多少宝、杀了多少人、抢了多少财、房了多少女人等等，这恐怕没多少人知道其中真正内幕——

出宫就随身携带的兵部大印却被偷贼盗跑了，这件闹得满朝风雨的宫廷案却在没有任何头绪下迷糊过去了，你说奇乎？怪乎？

1. 皇家尊号译错案

清代嘉庆四年（即公元 1799 年）正月初三，乾隆帝驾崩于紫禁城养心殿。入殓后梓宫一直停放在景山观德殿，并拟定于同年九月初二日移往遵化裕陵地宫。为此举朝上下有关人员，紧张地忙于准备梓宫发引事宜。不料，就在这中间，发生了一桩翻译、誊缮讹错的事件，而这仅为了一字之差，且累及多人受罚，其中竟有两人险些被杀。

此案的原委是这样的：嘉庆四年七月二十五日，内务府大臣布彦达赉、阿明阿、缊布等人向嘉庆皇帝呈送了一份奉移梓宫途中所使用的赐奠折片。该折由满文书写，嘉庆皇帝在审阅时发现译文中错把其祖母孝圣宪皇后的"圣"字写成了"贤"字，因而非常气愤，认为"其咎甚大，非寻常讹错可比，因命军机大臣传旨严询"（可见中国第一历史档案馆藏：《军机处录副奏折·法律》，又见《清仁宗实录》卷 49）。下令将"所有承办奏折之主事德宁、缮写之笔帖式兴保，俱着交刑部治罪"，并决定对主管此事的内务府大臣也进行严加追纠。

为什么嘉庆皇帝如此发怒呢？这是因为"圣"与"贤"虽一字之差，但却差了辈，孝圣宪皇后钮祜禄氏为雍正帝的皇后、乾隆皇帝的生母，而孝贤纯皇后富察氏乃乾隆帝的第一个皇后。把祖母写成了母亲，这在皇帝看来属对其大不敬，所以决心要弄个水落石出，并治以重罪。

类似错误早在乾隆十三年时就已经发生过，也是在汉文译成满文时出的差错。那是在孝贤皇后的册文中，把"皇妣"二字，译成了"先太后"。乾隆帝为此也曾大发雷霆，在上谕中认为："从来翻译有是理乎？此非无心之过，文章不通可比。"结果协办大学士阿克敏因此被革职。

刑部接到嘉庆皇帝的谕旨后，立刻会同都察院、大理寺等有关部门（即所谓三法司）审理此案。参加的人员有刑部尚书成德，太子太保大学士、暂署尚书董诰，左侍郎、宗室禄康，左侍郎能枚，右侍郎德英，右侍郎汪承需，署都察院左都御史达椿，左都御史刘权之，左副都御史舒聘，左副都御史陈嗣龙，左副都御史蒋日纶，大理寺卿富昆，卿刘湄，少卿明志，少卿王尔烈等。据当事人内务府堂主事德宁（时年三十六岁）交代：“九月初二日，高宗纯皇帝梓宫奉移，奏请沿途遣员赐奠一折，系我承办。经领班笔帖式积善翻起稿底，将孝圣宪皇后尊号‘圣’字误翻‘贤’字，交兴保照底誊写折奏。我系承办之员，没有看出更正，实在该死，今蒙皇上圣明指出，只求将我从重治罪。”内务府笔帖式兴保（时年十七岁）也交代：“赐奠一折系领班笔帖式积善翻起稿底，经章京看定交给我照誊奏折，那知积善于稿底内将尊号误写，我不能详细看出，回明更正，实在该死，只求从重治罪。”办案众人听后觉得，“兴保既系照依稿底誊写，则错误之罪即以起稿之笔帖式为重，自应一并传讯”。于是，马上传讯内务府领班笔帖式积善。据积善交代：“赐奠一折，系德宁叫我起稿底，交与兴保照样誊写奏折，一时笔误将孝圣宪皇后尊号‘圣’字讹写‘贤’字，实在该死，只求从重治罪。”（见中国第一历史档案馆藏：《军机处录副奏折·法律》）主管此事的总管内务府大臣布彦达赉、缊布、阿明阿等人也深知事情严重，“自认错误，均请革职交刑部治罪”。

三法司会审后，认为：“德宁承办赐奠一折，积善翻起稿底，理应敬谨将事，乃将孝圣宪皇后尊号翻写错误，自应按律定拟，德宁、积善均应革职，依大不敬律拟斩，立决。兴保讯系照依积善翻出稿底缮写折奏，不能详慎看出，回明更正，其罪亦无可逭，兴保应革职，于积善减罪上减一等，杖一百，流三千里，系旗人照例于鞭责发落。”（出处同上）

最后结案由嘉庆皇帝钦定的，他觉得为此一字斩杀两人，流放一人，确实有点处罚太重，所以他最后裁决时，还是饶恕了死罪，对其他人也作了不同程度的从轻处罚。

早在七月二十五日的谕旨中，嘉庆就曾说：“除怡亲王永琅现在患病，永来系在圆明园，所递之折未经阅看外，布彦达赍、缊布、阿明阿三人自认错误，均请革职交刑部治罪，实属罪所应得。惟念布彦达赍管项繁多，一时未能兼顾，阿明阿初管事务，向来不识清文，朕所素知，两人情有可原，着革去总管内务府大臣，仍交军机大臣议处具奏。至缊布久管内务府，竟系福薄灾生，有心试朕留心事务否？着革去总管内务府大臣，并工部侍郎、正蓝旗满洲副都统，赏给四品顶戴，拔去花翎，仍交军机大臣严加议处具奏。一任缊布市恩邀誉，朕亦不惧。姑念伊于造办处事务尚为熟悉，着加恩留其佐领，在造办处司员上行走，以观后效。其管理造办处，俟朕另行简用。缊布不得以曾任大员自居，亦不得心存推诿，遇事知而不言，致于重戾……"又说："阿明阿因内务府奏折错误，已降旨革去内务府大臣，但念伊向来不识清文，管理内务府未久，诸事本未谙练，着加恩赏给头等侍卫，仍戴花翎，随同永来学习管理圆明园事务，朕非因阿明阿系藩邸随侍之人，同罪异罚也。"（见《清仁宗实录》卷49）实际上他通过上谕已把宗室贵族以及他在藩邸时的心腹人员都解脱了，只找了个缊布作替罪羊，给予较重的处罚。对于当事者德宁、积善和兴保三人的处理，他在七月二十八日又发布了一条上谕："三法司奏，将内务府呈递奏折书写错误之主事德宁……笔帖式等官，律以大不敬之条，实属罪无可宽，自应依律办理。惟是朕在藩邸时，向知内务府掌仪司承办祭告典礼，于列后尊号中，惟孝贤纯皇后尊号，常时敬谨缮写，此次竟系顺笔致误，且内务府人员，于清文本不熟习，至如缮写清文则多有依样描画，不但不解文义，且并不识字面者有之，即汉人中亦有能写不能识者。况此案总管内务府大臣等，已皆分别从轻示惩，未加深究。则此等微员，于万无可宥之中，亦不得不求其一线生路，量从末减。所有承办之主事德宁、写底之笔帖式积善，均着加恩免死，各枷号一个月，满日鞭责八十发落。笔帖式兴保，年仅十七岁，系照本誊缮，或竟不识清字，业经革职，着从宽鞭责五十，即行发落。"（见《清仁宗实录》卷49）

从这一桩案件看来，"伴君如伴虎"这句话一点也不为过。为皇帝办事的人，必须时时、处处、事事加以小心。稍不留心，就会遭到飞来横祸。即使一字讹误，就有身家性命的危险。发生在乾隆帝丧葬期间的这桩翻写讹错案，不正是一件典例吗？

2. 权臣和珅被诛奇案

大清乾隆朝，有一个权势显赫、炙手可热的权臣，名唤和珅。

和珅字致斋，为满洲正红旗人，钮祜禄氏，生员出生，世袭三等轻年都尉、御前侍卫。应差时，常不离銮舆左右，乾隆如有所问，和珅则对答如流，因此很得乾隆的欢心。就这样和珅平步青云，官运亨通，先擢升为副都统，又擢户部侍郎军机大臣，兼内务府大臣；又兼步军统领等职；官至文华殿大学士、吏部尚书，加封一等公。和珅自持是乾隆的宠臣，便目空一切，飞扬跋扈，宫禁大内，随便出入。渐渐发展到结党营私，招权纳贿，为所欲为，甚嚣尘上。乾隆虽有所闻，但因彼此之间关系微妙，从不过问。满朝文武，看在眼里，怒在心头，但却不敢参奏。自乾隆四十二年（公元 1777 年）起，和珅专笼用事，官居高位，达二十三年之久。

和珅一生贪婪无厌，突出两点：一是弄权纳贿，二是盗窃大内珍宝。

和珅受贿多少？谁也说不清楚，数字大得难以计算。当时的京官、外藩，凡是有油水的，都逃不过和珅的敲诈勒索。他身为吏部尚书，大权在握，谁要是不孝敬供奉他，很快就不明不白地失去爵位。陕西巡抚一次供奉二十万两黄金，他不屑露面，只让家奴接见。这且不说，单说和珅为人心地险恶，今天是密友，说不定明天即遭他阴谋暗算，官被罢，家被抄，落得个人财两空。

说来奇怪，和珅当权时，每过二三年，必然发生一桩大贪案。这倒不是贪案一定循规发生，而是和珅一手有计划导演的。那时候，满汉官员哪个不行贿，买个前程；哪个又不受贿，中饱私囊？这是官场中的普遍现象。和珅发觉某官员有贪污受贿行径时，却故意不动声色。只等某官员腰缠万贯、脑满肠肥、得意忘形之际，和珅则参奏查抄。抄得资财，大部分上进乾隆，小部分和珅暗自留下。查抄得越多，皇家得利就越丰。所以乾隆明知和珅做了手脚，因为利害攸关，就漠然不问了。有浙江巡抚王亶望，本来是和珅的宠人。每年孝敬和珅的"炭敬"、"冰敬"，约在三十万两以上，所"馈敬"的奇珍异宝还不计算在内。王亶望不但孝敬和珅，就连和府的家人，也不敢得罪。一年，和府管事家人奉命到杭州购买衣饰脂粉等物，王亶望以巡抚的身份，竟而亲自到城郊迎接，设馆湖滨，款待备至。这管事早就听说杭州姑娘美丽，很想开开眼，一饱眼福。王亶望得悉管家这一意愿，连忙派人将近五百里内的妓女全数召来杭州，在西湖大摆宴席。宴席间几百名妙龄女郎花红柳绿，载歌载舞，丝竹嗷嘈，灯火彻夜，好不热闹。这还不算，管事临行时，竟白白地将王亶望身边的一个爱妓带走，连同王亶望招待管事借用绅士们的陈设杂物，装了一船，满载而归。按说王亶望既是和珅的宠人，又倍极奉承巴结，应该得到和珅的庇护。不料，管家回报王某如何富贵连城，和珅马上参奏上闻，定了王亶望一个死罪，查抄财产数百万两，当然和珅得了莫大的好处。和珅之贪婪，可说是穷凶至极了。

　　和珅持宠之时，随便出入宫禁。宫中的禁物，任其取拿。只要他看见所喜欢的奇珍异宝，每多顺手盗取回家。当时，四方贡献很多，乾隆不可能——亲视；有些珍宝，虽然乾隆曾经过目，日久天长，早已忘却了。和珅二十几年盗取了多少？恐怕天不知，地不知，只有和珅一人知道了。

　　乾隆五十三年（公元 1788 年）孙文靖征越南归来，入宫朝觐，手持一个以雀卵大的明珠雕刻的鼻烟壶，准备奉献给乾隆。在进值房里，和珅一眼看见此物，走向前道："公远征辛苦，必获奇珍，手持之物能否看看，以广眼界。"孙文靖答道："这是鼻烟壶。"和珅突然说："阁下能见赠吗？"孙文靖为难地答道："昨天已奏闻皇上了，公爱此物，势难两全，请谅吧。"和珅微微一笑道："我不过是戏言一句，何必如此见小！"相隔数日，两人又遇于进值房，孙文靖见和珅面现得意之色，以为前嫌未释，深怕遭他奚落。不料和珅走步前来低声道："我昨天得到一明珠，请公观赏，不知此物与公进献的上下如何？"说完，从袖中掏出一物递给孙文靖。孙文靖一看正是自己进献皇上之物。心里惊讶：皇上之物，不几天就到了和珅手中，除了和珅顺手攫取而来，还能有什么解释？但不敢道破，只得奉承几句而罢。

宫内陈设有一碧玉盘，直径尺余，是乾隆心爱之物。一日被七阿哥（即第七皇子）失手打碎。七阿哥怕乾隆追究，慌张无计，旁边八阿哥道："何不找和珅商议，他有办法处理。"两人找到和珅，和珅故露难色，七阿哥更害怕了，失声哭泣。八阿哥心里明白和珅的贪婪，一有机会即捞油水，于是招和珅一旁耳语片刻，免不了许诺一些条件，和珅马上欣然答应下来。翌日三人如约相见，和珅拿出一个玉盘，直径尺五，色泽清润，更胜碎盘一筹。七阿哥携回宫中，放在碎盘原处。后来乾隆多次赏玩，并没有发现已是另一盘了。为什么宫中有什么，和珅也有什么？原来四方进物，全经和珅之手，上等的留下，次等的才缴宫中。小小一个玉盘，只不过和珅收藏珍宝中的千万分之一罢了。

乾隆与和珅还有另一层关系，即乾隆的幼女和孝固伦公主（固伦：满语尊贵之义。）下嫁和珅长子丰绅殷德，两人则是儿女亲家。有了这一亲近关系，和珅能得以有恃无恐，不是没有道理的。

乾隆有一次游江南归来之后，恋念苏杭街市繁荣，商店密集，人烟辐凑，车马往来的景象，于是选择圆明园的东偏处，仿照苏杭街道、店铺建筑，大兴土木，建成一个"同乐园"，其间肆尘鳞次栉比，街道曲曲弯弯。有处酷似苏州观前街，有处与金陵三山街一模一样，有处酷似杭州城内大街。凡属商货，尽皆敷陈于市。如古玩、估衣、酒楼、茶肆、饮食、陶器等市间所卖之物，这里应有尽有。甚至提篮卖瓜子、鲜花、糖茶等，沿街往来叫卖。各商店的货物来源均由崇文门监督在外面城市采运而来，店主全由内监充任，司账、取货、售货，由市上商店抽调担任，货物售出，将售价如数付与货主，售不出的物还原主。正月新年中，特许满汉大臣入园游逛，大家可以信步市街，购买货物；或与二三好友集饮酒楼、茶肆。市上游人杂踏，小贩担担也混杂其间，俨然一个闹市。乾隆每次入园，仅带小太监两人，路过酒楼，欣然入座。如民间一样，堂倌连呼酒肴，不行君臣大礼。遇有宗室间散大臣或西清馆中供奉，乾隆就相邀入座，猜枚行令。饮毕，堂倌报账，司账核计，付款，一如市肆情景。酒楼里人来人往，熙熙攘攘，乾隆左顾右盼，悠然自乐。

和孝固伦公主，喜穿男装。幼年时乾隆常带她到同乐园闲游，和珅在旁陪侍。乾隆命公主戏呼和珅为"丈人"。一次，走到卖成衣处，公主见有一大红呢夹衣，爱不释手。乾隆对公主道："你这么喜欢，何不向你丈人索要！"和珅于是就以三十八两纹银买好奉进公主。后来公主下嫁和珅长子，乾隆赐名丰绅殷德，命为散骑大臣在御前行走，赐住在和珅的京西淑春园，改名"十笏园"。

公元 1796 年颙琰即位，是为嘉庆皇帝，尊乾隆为太上皇帝，大权仍由太上皇把持。嘉庆早为太子时，很了解和珅是个佞臣，早有剪除之心了。但以上有乾隆的保护，所以隐而不发。公元 1800 年正月初三日乾隆驾崩，初八日即有御史广兴王念孙等上疏纠参和珅，列罪状二十条（录自《清鉴纲目》）：

（一）泄露先帝机密，以册立皇太子为拥戴功。

（二）骑马过正大光明殿的皇宫禁地。

（三）舆台出入大内。

（四）娶内廷使用女子为妾。

（五）民乱以来，故意延搁各路军报，并欺蔽实情。

（六）先帝不豫之时，举措不慎。

（七）擅改先帝诏书。

（八）兼吏部及刑部事务，又兼理户部，三部事务，一人专断。

（九）隐匿边情。

（十）误外藩抚绥之法。

（十一）偏用官吏。

（十二）任意撤去军机处记名人员。

（十三）家屋僭侈逾制。其多宝阁及隔段式样皆仿照宁寿宫制度。其园寓之点缀，与圆明园蓬岛瑶台无异。

（十四）苏州坟墓，居然设立宫殿，开设隧道。附近居民有"和陵"之称。

（十五）私藏品中，珍珠手串有二百余串，较之大内多至数倍。又有大珠，比御用冠顶大。

（十六）有内府所无之宝石。

六　嘉庆朝奇案冤案揭秘

（十七）家中银两、衣服等件逾千万。

（十八）夹墙之内，藏金三万六千余两。私库藏金六千两。有埋藏于地窖银百万两。

（十九）借款十余万两于通州附近当铺钱店，以生利息。

（二十）家仆虽然卑贱，有二十余万两资产。

嘉庆当即下诏褫夺和珅大学士职，逮捕入狱，十八日勒令自尽。查抄了其全部家产。正像弹劾罪状所说，抄出大量古玩珍宝，金银器皿，制作之精，较之皇宫大内所藏，毫无逊色，不少就是皇帝御用之物。至于房产地业、商号买卖，数目之巨，令人瞠目。和珅的府第，富丽堂皇，乃王府中第一流建筑（坐落北京什刹海前海西李广桥西街，即现在的恭王府），府第西部为花园，园内引入什刹海水。按当时王府花园能引入什刹海水的只有两处：一为醇亲王府（在北京后海北河沿，即今宋庆龄女士故居），一为和珅府。有人认为和珅府就是曹雪芹《红楼梦》中所描述的大观园。另在北京西还有一所别墅，正如和珅的第十三条罪状所说，园内楼台亭榭，花木葱翠，曲水流觞，极尽出静雅致，与圆明园的"蓬岛瑶台"没有两样。园内房屋之内，有以楠木雕花隔断，其规格尺寸一如皇宫大内。清朝"以楠木为屋"只有皇宫，其他人不管皇亲国舅若用楠木，是为"逾制"，法制不容。籍抄和珅的家产总共多少？据《清鉴纲目》记载：抄没家产"列九百号，已估价二十六号值银二百二十三兆八十九万两有奇；未估价者还有八十三号，以此例莫之，当得八百兆两有奇"（一兆是一万亿）。当时清政府"全国岁入；不过七千万两"，而和珅一人所贪蓄，"当全国十年岁入之半额而强"。

这里应该提到的是，和珅大权在握之时，曾秘密派人到江南寻求美女。有的充为姬媵，有的充为侍女。和珅上朝、退朝、出门拜客、更换朝服、侍茶传膳、侍寝等等全有专职美女。这些姬媵、侍女们，一个个容颜娟艳，体态可人，并设教师教授其诗词书法及弹唱歌舞，以供和珅享受。和珅伏法后，宠妾长二姑赋七律挽之：

　　谁道今皇恩遇殊，法宽难为罪臣舒。坠楼空有偕亡志，望阙难陈替死书。白练一条君自了，愁肠万缕意何如？

可怜最是黄昏后，梦里相逢醒也无。

掩面登车涕泪潜，便如残叶下秋山。笼中鹦鹉归秦塞，马上琵琶出漠关。自古桃花怜命薄，者番萍梗恨缘艰。伤心一派芦沟水，直向东流竟不还。

另有宠姬吴卿怜，本来是浙江巡抚王亶望的爱妾，王被诛杀后，由侍御蒋戟门将吴献给和珅为妾。和珅伏诛，吴氏怜自身的苦难，赋绝句述其满腹悲怨：

晓妆惊落玉搔头（正月初八晓起理发梳头，惊闻被籍没），宛在湖边十二楼（说的是王亶望家起楼阁饰以宝玉，传为"迷楼"；和珅家的池馆建筑，与王家相仿）。

魂定暗伤楼外景，湖边无水不东流。香稻入唇惊吐日（查封和府时，时方进餐，因惊而吐），海珍列鼎厌尝时（查封和府时，府中妾媵正吃燕窝汤，因都吃不下，多陈桌上。兵役看见，纷纷抢食，以不识为燕窝，全呼之为"洋粉"）。蛾眉屈指年多少，到处沧桑知不知。缓歌慢舞画难图，月下楼台冷绣襦。终夜相公看不足，朝天懒去倩人扶。莲开并蒂岂前因，虚掷莺梭廿九春。回首可怜歌舞地，两番俱是个中人。最不分明月夜魂，何曾芳草怨王孙。梁间燕子来逐去，害煞儿家是戟门。白云深处老亲存，十五年前笑语温。梦里轻舟无远近，一声叹乃到吴门。村姬欢笑不知贫，长袖轻裾带翠鬐。三十六年秦女恨，卿怜犹是浅尝人。冷笑痴儿掩泪题，他年应变杜鹃啼。时时休问漳河畔，铜爵春深燕子楼。

长二姑、吴卿怜的两首诗，道出她们的内心哀怨。特别是吴卿怜，一受害于王亶望，王被诛；又受害于和珅，和珅又被诛。试想在那时候，以一个弱女子，任人摆布，饱受摧残折磨，其情其景，足可让人们寄予无限同情了。

想当年，和珅生前权赫一时，娇滴妾媵，左拥右抱；侍女丫环，前呼后拥。一旦败落，有如秋风落叶，府第籍没，财产被抄，全部妾媵侍女，全遭流遣，有的沦为奴婢，有的配与兵士，有的流落烟花，有的出家为尼。自古以来，贪婪蠹国之臣，没有一个有好下场，而和珅其人，恐怕是一个最为典型的案例罢了。

3. 兵部大印遭盗奇案

清朝嘉庆二十五年三月初八日，文武百官宗室王公跟随嘉庆帝，由汤山取道昌平一路祭谒东陵。銮舆刚抵汤山行宫，兵部忽然来奏报：库贮行在印信遗失，印钥及钥匙牌也一并丢落。嘉庆帝闻知，不禁大为惊愕。以前各朝还未发生过丢失部堂大印之事，而今这件大案怎不让嘉庆帝恼火？于是当即命行在军机处传谕步军统领衙门，令其知会京师五城，多派捕役，严密访察。同时，谕令留京王大臣会同刑部立即锁拿兵部看库人员，严行审讯。一经查有情况，迅速具奏。

嘉庆帝认为兵部堂官没能事先预防，应首先给予惩处。管理部旗事务的大学士明亮，年已八十六岁，不能经常到署，虽旧日有功绩，仍被撤职并降了五级，兵部尚书戴联奎，左侍郎常福、曹师曾，右侍郎常英，全被摘去顶戴，分别受到降调处分。只有汉右侍郎吴其彦，因赴任不久，而且又出部办事在外，才幸免处分。

据兵部奏闻，兵部行印与行在武选职方及知武举关防等可印贮藏在同一大箱，存于库内。但各印都为铜质，惟独兵部行印及用印钥匙牌为银质。三月七日提取行印时，箱内铜铸各印俱在，惟有银印及银牌遗失，而贮存印信的印箱又是在库内旧稿堆上寻找到的。对此，嘉庆帝满腹狐疑：各印既同存一箱，何以只将银印和银牌窃去？窃贼仓猝之间哪有余暇将印箱移置高处？而银钥匙及钥匙牌却不值钱，为何一并窃取？所以，嘉庆帝在谒陵路上的三家店、大新庄等行宫，连日寄谕留京王大臣和刑部堂官，将拿解到案的胥役人等严切根究，务须早日查个水落石出。

刑部经过连日审讯，兵部堂书鲍干谎供：上年九月初三日，即皇帝行围抵京当天，已将兵部行印与知武举关防及各司行印同贮一箱入库。堂书周思绶曾在九月十三日请领知武举关防，于当月十七日送回贮库。嘉庆二十五年三月初七日请领兵部行印时，才查知印已遗失。当即派人四处寻找，库丁康泳宁在旧日稿案堆上将空印箱寻获。因为这个供词漏点甚多，因此，嘉庆帝谕令留京五大臣等严切追问堂书周思绥，同时饬知行在兵部，将上年随围的领催书役人等已来行在者，立即交行在步军统领衙门，派员解部归案。

四月三日，嘉庆帝谒陵后回到皇宫大内，审讯情形仍没见奏报。对此，嘉庆帝甚为不满，当即斥责有关官员"疲玩性成，互相推诿"。四月九日，嘉庆帝谕令将庄亲王绵课、大学士曹振镛、吏部尚书英和以及刑部堂官俱罚俸半年，各衙门所派承审此案的司员均罚俸一年。同时，谕令绵课、曹振镛、英和三人自四月十日起，每日必须赴部，"早去晚散，不可懈怠"，"若再迟延，严谴立降"！

四月十六日，兵部遗失行印案仍没审出实据，次日庄亲王绵课等只得递折上奏，请求议处。其实是想脱身，希望另派他人了结此案。但嘉庆帝认为，此案业经绵课等审讯多日，口供屡次更改游移，断不能另委派他人审理。即使日后要将绵课等全行斥革，也要令其审出实情。于是谕令将绵课等先行拔去花翎，曹振镛等降为二品顶戴，仍令其加紧研断，并限定于五月五日之前查出正贼或起获行印。倘能如此，当立即予以开复。否则，将于初六日降旨治罪。

在嘉庆帝的督催下，刑部堂官等严刑诘讯，兵部堂书鲍干始供出：上年收印时并未开看，恐系上年秋围路上遗失……刑部堂官即刻派章京赴圆明园向嘉庆帝奏报这一消息。嘉庆帝思忖："行印有正、备印匣两份。既然行印是上年秋围路上遗失的，而钥匙、钥匙牌与行印及正印匣必然一并失去。那么上年九月初三日交印时，一定是将备用印匣充抵入库的。备用印匣既无钥匙，又无钥匙牌，如果事先不向鲍干嘱托照应，收贮印信的鲍干岂会接收？"果然，嘉庆帝于四月二十四日得到奏报："上年八月二十八日秋围回銮时，在巴克什营行印连匣被窃。是夜，看印书吏俞辉庭睡熟。窃贼潜入，将缚于帐房中间杆上的行印连匣窃去。尔后俞辉庭用备匣加封，贿嘱堂书鲍干冒混入库。当时，兵部当月司员庆禄、何炳彝二人并没有开匣验视。此后，鲍干又贿通该班书役莫即戈私开库门，移动印匣，做出行印在库被窃的假象。"至此，遗失兵部行印案终于真相大白。

为寻找行印、捕获窃贼，嘉庆帝先后数次命军机处寄谕直隶总督方受畴和直隶提督涂锟，令其挑选能干员弁在古北口及巴克什营至密云一带百里内外，梭织往来，明查暗访，结果毫无所获。嘉庆帝在徐锟的奏折上无可奈何地批道："此印大约难得！"最后，只得谕令礼部重新补铸了新的兵部行在印信。新印的印文和印式有所改变，所用银两及铸造工费，则由兵部尚书松筠和上年秋围时署理行在兵部侍郎裕恩赔付。

清案案
大奇冤

七　道光朝奇案冤案揭秘

当朝国母皇太后的仪驾金物在皇宫内库不翼而飞，这恐怕是道光皇帝执政以来的一大丑闻。在那样层层设卡、戒备禁严的深宫内院出现遗盗奇案，你说，这大清还有哪块是安全之地？

1. 以假乱真的两条人命特大案

清朝道光年间，四川总督鄂山曾以昏庸溺职的罪名，向皇帝奏请将仁寿县知县李峻声革职。究其原因，就在于李峻声办理两起人命案时，被刑书邹居贤捉弄，以假乱真。这两起人命案互相牵连，案中有案，轰极一时——

仁寿县某山村有个财主，名唤骆先扬，手下有雇工姚二娃、欧娃，佃户林锡仁、林贵父子等人。

道光十三年（即公元 1833 年）八月二十日上午，林贵在佃种的土地上耕作，欧娃在山坡上割草。同村农户刘芳忠偷偷钻进林贵所佃的山林中砍伐树枝，欧娃看见，就喊叫林贵捉拿。刘芳忠赶快将所折树枝放进背篓逃跑。

林贵放下手中工具，追上刘芳忠，将背篓夺下，声言要将刘拉到乡约处理论索偿。刘芳忠不肯去。林贵火起，挥拳朝刘芳忠顶心打去。刘芳忠被击倒地，呻吟声唤，不能起来。林贵怀疑他有意撒赖，不予理睬，径自下山，仍与欧娃各自干活。当时路过这里的刘正新以及正在坡下犁田的姚二娃都看见他们吵打，但没有理会。

将到正午，林贵不见刘芳忠身影，再到山上观看，只见刘芳忠躺在地上，但已气绝身亡。林贵害怕问罪坐牢，就喊来欧娃帮忙，将刘芳忠尸体丢进离此不远的堰塘里，并伪造刘失足落水溺死的现场。回到山上，又拿起刘的背篓，放在堰塘边。一切布置完毕，才和欧娃回家吃饭，并嘱咐欧娃不要声张。

回到家中，林贵将打死刘芳忠，伪造落水现场的情况告诉他的父亲林锡仁。林锡仁心中害怕，就前往佃主骆先扬家告知此事。当时邻居刘友庭，肖显位也在骆家，听到了林锡仁的叙述。林恳求骆，等刘芳忠儿子来时，如果他们没有看出伤痕，就别再报请验尸，以

大清奇案冤案

失足落水而死埋葬算了。骆先扬等人害怕案发拖累自己，就点头答应。

一切布置妥当，林锡仁就找人喊来刘芳忠的儿子刘明富、刘明贵，带至堰塘前，告诉他们，刘芳忠落水而死，背篓还在塘边。兄弟两人请刘友庭帮助将尸体捞起。刘芳忠伤在顶心，刘明富他们没有将头发分开仔细观看，所以没有看出伤痕，相信父亲真是不慎落水。骆先扬等也在旁边说既是溺水毙命，没有必要报县官验尸。刘明富便请刘友庭帮忙，将父尸抬回草草埋葬。

由于知道刘芳忠真实死情的人太多，渐渐地，刘芳忠是被人打死的消息便传开了，传到刘芳忠已出嫁女儿王刘氏的耳朵里。十月十四日，她特地回娘家，叫兄弟刘明富前往县衙告状，为父伸冤。

仁寿县知县李峻声接到状纸，发票差高元童、鄢兴等前往传唤骆先扬、刘友庭到县候审。

骆先扬接票心中十分惊慌，于是即前往县中。路过铺场时，因与店主杨太熟识，知道他的舅舅邹居贤是县衙刑书，所以想请杨太转托邹居贤从中关照。他走进店中，向杨太说明来意，表示：如果邹居贤能挡住知县不验尸，不追究私埋之罪，事成之后，送邹谢礼五十两白银。

杨太马上答应。两人来到城中，杨太找到邹居贤，如实相告。邹见财起意，满口答应，要杨太转告骆先扬准备银两。

十月二十日，李峻声升堂，先传讯骆先扬和林锡仁，他们都叩头诡称刘芳忠为自己落水而死，林贵并没有殴打他。然后又传死者亲属王刘氏、刘明富等到堂，要他们指出其父伤在何处，以便检验。由于他们在殓埋尸体时没发现伤痕，此次控告又是听信传闻，无法指实。为了不致反坐诬告之罪，当堂恳请李峻声免验，具呈悔过。李峻声随即草草结案。

结案后，刑书生怕五十两银子落空，便派手下人何尚贵、苏含宽，分别邀请杨太、骆先扬、刘友庭到长盛酒店相聚。酒足饭饱后，邹居贤试探骆先扬：你答应的银两现在有什么打算。骆先扬不敢得罪这个凶狠的县吏，回答说：已经派人送信回家拿取，还未送到。

邹居贤怀疑他有意搪塞，便暗暗拉出杨太，嘱咐他将骆先扬骗到暗娼叶邱氏家中，银子到手，才能放他回去。然后，自己便退居幕后，回家去了。

杨太回到长盛酒店，邀请骆先扬到叶邱氏家中喝茶。骆先扬醉眼朦胧，欣然答应。何尚贵、苏舍宽、刘友庭、鄢兴等也一同前往。

一更时分，一行人来到叶邱氏家中。邱氏的丈夫叶立因患病已经睡觉。叶邱氏招呼他们在堂屋里闲谈。鬼混一阵，杨太问骆先扬，银子什么时候可以送到。骆回答说："今日天色已晚，明天早晨定能送到。杨太斥责他不该自食其言，骗人赖账。骆先扬乘着酒意说："这种事本来就不是正经债务，反正是你骗我、我骗你的生意。"并大骂杨太、邹居贤设局诈钱，杨太也开口回骂。骆先扬酒醉性起，一拳打去。杨太闪开，回身一脚猛踢他的肾囊。骆先扬疼痛难忍，呻吟倒地。等何尚贵找到邹居贤赶来查看时，骆先扬已经断气命绝。

邹居贤见骆先扬被踢死，虽然抱怨杨太，但因杨太是自己的外甥，而且挟持骆要钱，又是自己主意。为逃法网，决计移尸。他叫杨太解下骆先扬的腰带，缠绕在尸体颈上，用力拉勒，伪装成自杀形状。又叫杨太找来轿夫刘二，用钱收买，要他将骆先扬尸体背至观音岩坡下路边干沟内。最后嘱咐在场之人不得声张，便各自散去。

第二天，观音岩刘孟麟的佃户宋正聪，在干沟内发现骆先扬的尸体，报告主人。刘孟麟将此事报告县衙，知县立传仵作随往验尸。邹居贤密嘱仵作雷应沅检验时把骆先扬勘为自勒身死。雷应沅因是邹作保充任此役，毫不犹豫慨然允允。

李峻声带领一干人众，来到干沟内就地验尸。雷应沅翻动尸体，见肾囊右边红肿，用手揣捏，坚硬如石，知道是被人踢死。骆先扬死后尸体丢在沟内，当夜肾囊左边被老鼠咬伤。雷应沅即借此报称肾囊异常是被老鼠啮伤。取下项颈布带，有不很明显的红色痕迹。他本想报称死者自勒，但怕死者亲属和观看人众不服，弄巧成拙，只好报称被人勒死。李峻声不学无术，没有验出真正死因，就听任他人填格存案。然后，申报缉拿所谓勒死骆先扬的凶手。

骆家将骆先扬尸体运回家中埋葬后，他的弟弟骆先贵随即访查

大

清

大
清
奇
案
冤
案

得知其兄被杨太索讨银两、横加殴打的情况。于是便写状控告至县衙。李峻声传集人众审讯，杨太咬定不知道谁勒死骆先扬。李峻声昏庸无知，不作调查，就将到手真凶放走，传令骆先贵等候，将正凶缉拿后再行究办。不久，李峻声告病卸任，全案陷于停顿。

骆先贵与堂弟骆先义不服李峻声的审判，赴上级臬司控告，臬司将案子批往知州，并派人前往会同审讯。会审还未定案，骆先贵又第二次到臬司控告，臬司报告总督鄂山。鄂山下令将案卷人证提调成都，派成都府知府张日晸审理。

张日晸接手后，认真推敲研究，不但审出骆先扬的真正死因，也审清刘芳忠并不是失足自溺，而是被林贵殴打致死。为了进一步证实两条人命案的实际情形，经臬司批准，将骆先扬、刘芳忠的尸棺提调到成都，在张日晸、成都知县等官员亲视下，开棺验尸。最后验明，刘芳忠头骨顶心有紫红色排连指节骨伤四点，确属生前被人殴打所致。骆先扬囟门骨有红色血痕一点，上齿左边第六、七、八，下齿左边牙根里骨，都有微色血痕，确属生前受伤致死。至于项颈骨，检验无被勒伤痕。至此，这起因县役从中作弄，案中生案的大案，历经两年，终于真相大白。

法律规定，"赃犯旷野白日盗田园柴草木石等类，被事主殴打致死者"，凶手"照擅杀人律"处绞监候；"斗殴杀人者"也同此。据此，林贵、杨太被处绞监候。邹居贤被杖责一百，流三千里。雷应沅处杖一百，判刑三年。欧娃帮同弃尸，被杖责九十，判刑二年半。其余凡知情而不首告者，全杖责一百。

2. 道光帝皇太后仪驾金器被盗奇案

大清国时期，紫禁城东华门内的銮仪卫内驾库（又称銮驾内库），"内贮全分新大驾卤簿，大礼轿一，法驾步舆一，十六人亮轿一，各样轿十四，法驾、骑驾、銮驾共三百七十余件。"（见《日下旧闻考》）

卤簿就是皇家帝王的仪仗队。所用的器具，大多是金、银、珍

156

宝或丝织品等特制而成。内驾库昼夜都有人守卫值班，开库要登记，闭库贴封条，还有銮仪卫署官员监视，制度非常严密，再加上紫禁城警卫森严，可说是慎之又慎、严之又严，可算是万无一失了！可是，就是在这块禁地之中，还是经常发生失金、被盗等案件，不能不称之为奇案丑闻。据清朝档案记载，嘉庆、道光年间，銮仪卫金器被盗、遗失就有数起，尽管皇帝发谕旨，刑部动酷刑，都无济于事。往往查无结果，不了了之。道光二十二年二月间銮驾内库皇太后仪驾金器八件被盗就是一个典型的案例。

道光二十二年二月初十日，据銮驾内库值班官、云麾使文伦报称："贮皇太后仪驾金库，库门微开，当即会同查看库门，封皮擦损，锁头脱落，进库内查点，失去金器八件，内金提炉一件、金香盒一件、金瓶盖一件。随派总理堂务冠军使等查验，禀复相同。"十三日，管銮仪卫事大臣载垣等将案情奏报道光皇帝，称："将经管头尉长虎，文得，该班马甲十名一并交刑部严行审讯，务期水落石出，俟定案时，再将管库及值班官员一并交部议处。"十四日奉上谕："内驾库经管头尉长虎、文得及该班马甲十名均着交刑部严加审讯；管库官员、带甲该班官员着先行摘去顶戴，听候传讯；载垣、端华、玉明、满承绪着交该衙门先行议处。钦此。"接着，刑部传讯和严审銮仪卫的总头尉、头尉、民尉、旗尉、厨役、苏拉（杂役）等约二百余人。五月二十七日，刑部奏称："经臣部叠次添派司员昼夜严行熬讯，案内人犯无行窃情事，自应先行拟结，将案内轻罪人犯暂行发落。"同日奉上谕："刑部堂、司各官审办此案两月有余，未能究出正贼，着交部分别议处。余依议。钦此。"之后，刑部将有关人犯逐一发落。兵部将是日在库值班官、云麾使文伦，治仪正善嵘，带该班官、骑都尉德凌阿皆降二级调用，罚俸二年；管库官、冠军使松安，云麾使奇车布降一级调用，罚俸一年。八月二十四日，载垣等奏请如式补造金器，以备皇太后陈设之需。其中仅补造金提炉、金香盒、金瓶盖三件约计八成金一百三十两。其余五件，因库中尚有存储，只是成色未能一律，先请交工部擦洗，一律见新，以重典仪，而昭体制。同日奉上谕："载垣等奏请补造遗失金器一折。此项金器自应先行补造，……所需八成金一百三十两，即着载垣等赔缴，不准开销。该部知道。钦此。"（以上可见《銮仪卫》档案）

此案历经数月，既没有破案，又没有追获赃物，只是乱处分一通，便草草收场了。从此案的查处说明了当时清朝统治者的腐败无能，清官吏的昏庸懦弱到了何等严重的地步！

3. 伯父杀侄女奇案

清代道光年间，福建省光泽县一座深宅大院中，住着李氏兄弟三人。此大院分东西两宅，中间有一块空坪相隔。老大李贵渠、老二李贵沿侍奉母亲老官氏住在西宅，老三李贵璜与大哥不和，独住东宅。空坪南面是一座荒置不用的藏书楼。由于纨袴子弟荒淫贪婪、勾心斗角，就在这里发生了一场惨案——

贵渠、贵沿兄弟都有家室，但行为不正，经常嫖妓宿娼。他家附近，有个寡妇谢吴氏，带着一个女儿经营一家客店。道光五年（公元1825年），他们将谢氏的女儿勾搭到手，其行为作风传遍乡里。

李贵沿本有一妻一妾。妻子邓氏去世，留下一个女儿，乳名得姑。他自从暗恋上谢吴氏的女儿后，神魂颠倒。不久，托人从中撮合，既不经媒证，也不立婚书，就把谢氏娶回家中，做了填房，并严加管束，不许她再与李贵渠往来。谢氏当上了"二奶奶"，志得意满，耀武扬威，经常无故责骂殴打李贵沿的妾黄氏，并企图欺虐李得姑。得姑自幼性情孤傲，从心里瞧不起父亲和那个继母的作为，经常出言奚落，弄得谢氏无招可施。

道光十二年正月，李贵沿一病不起。他自知不久人世，不禁萌发父女之情，想到自己死后女儿得姑难免受欺，便潸然泪下，便挣扎起精神来，为女儿筹划出嫁事情。得姑自幼许配黄家为妻，黄家送来聘礼九十六千文。李贵沿将这笔钱交给得姑舅父邓诗观保存，放债生息；又当着家人之面，把十四亩田地指拨给得姑，讲明连同

邓氏遗留的衣服首饰，作为女儿的陪嫁妆奁。他素知大哥李贵渠阴险狡诈，不可信赖，于是将女儿婚嫁之事委托三弟李贵璜办理，并当众声明把李贵璜的第三子李淙权收为继嗣，承受家业。一切安排就绪，李贵沿咽气身亡。

李贵渠是个捐纳贡生，不仅行为放荡，而且贪财好利。他见二弟已死，就绞尽脑汁，图谋侵夺所有遗产。

李贵沿死后，因丧葬开支巨大，李贵璜征得侄女同意，将李贵沿前妻邓氏的部分首饰典当了三十千文。李贵渠知道这批首饰价值昂贵，便由得姑手中骗出当票，擅自赎出，企图变卖。李得姑获悉，坚决不答应，就向叔父李贵璜哭诉。李贵璜气忿不已，让谢氏拿出赎价，从大哥那里索回首饰，自己代为保管。李贵渠一计不成，又施一计，借口为李得姑筹办婚事，将她名下的田地卖掉，得款一百四十千文，九十千文交给李贵璜，其余的五十千文占为己有。李得姑听说，又哭又闹，弄得李贵渠声名狼藉。伯父与侄女从此结下了不解之冤。

谢氏嫁到李家之前，除了与李贵渠兄弟勾搭外，还与表兄谢才厚通奸。其丈夫一死，她乘机与表兄重叙旧好。十月间，两人正在奸宿，被人发觉，谢才厚狼狈逃跑。李贵璜听说后，当面将谢氏臭骂一顿，声明再不过问其家事。李得姑也觉脸上无光，便到东宅与婶母小官氏同住，只是白天到谢氏房中吃饭。谢氏便转而依靠李贵渠。

李贵渠占有了谢氏，心中乐开了花，怂恿她抛弃贵璜之子李淙权，把自己的儿子李熊收为嗣子，谢氏承口答应。李得姑听到此事，急告李贵璜。李贵璜大怒，聚集族人，重申李贵沿遗嘱，扬言要告官评断。李贵渠见势不妙，忙叫谢氏出面平息众怒，不再重新立嗣。另一面，却叫李熊在谢氏家中掌管田租账目，并乘机弄虚作假，侵占弟弟的家业，暗中变卖了不少土地，谢氏不管不问。

李贵渠和谢氏胡作非为，黄氏一清二楚，但碍于自己是偏房，隐忍不言。李得姑虽不知底细，但也有所觉察，多次恳求叔父李贵璜告官将谢氏赶出家门。李贵璜不愿家丑外扬，始终没有答应。

大清奇案冤案

道光十三年七月，李贵璜与黄家商定，将李得姑婚期定在九月初三。然后，忙着张罗嫁妆。

按当地风俗，姑娘出嫁前十天，必须在近房族亲陪同下前往宗祠，祭告祖宗。七月底的一天，李得姑路过谢氏房外，见谢氏与李贵渠并肩坐在床上谈笑打闹，十分恼怒，便快步走进庶母黄氏房中，把所见所闻叙述一遍，对黄氏说："我曾恳求过叔父，让他出头告官，将谢氏休弃；叔父碍于伯父颜面，不肯答应。现在我已忍无可忍。等到祭告祖宗时，一定向众族亲鸣告，惩治这两个败类！"黄氏劝道："家丑不可外扬，况且你就要成亲，离开这个是非之地，何必自寻烦恼？一切要谨慎从事，三思而行。"

她们在室内交谈，没料到隔墙有耳。恰巧这时李熊打门口经过，将她们的话全部听去，于是立即告诉父亲李贵渠。李贵渠听罢，既怪李得姑屡次相犯，又怕当着亲族出丑露乖，身败名裂。新仇旧恨涌上心头，顿起杀人灭口之念。于是同谢氏商议，谢氏早与李得姑不和，当即支持。李贵渠找来自己家的帮工族侄李蔼得和李方仔，请他们帮忙，并答应事成之后每人给银钱三十千文。两人素知李贵渠心黑手狠，现在又有利可图，就满口答应。

不久，老官氏染病在床，白天由李蔼得的妹妹李细妹在旁侍候；晚上由各房媳妇、姑娘轮流伴夜。八月初六，轮至李贵璜之妻小官氏伴宿。她走出大门遇见李得姑，便交待说李贵璜身体不适，她半夜要回家探亲，让李得姑告诉婢女冬梅不要闩门。李得姑照办。

她俩这番对话被李贵渠听到。他想东宅门不关，正是作案良机。于是立即把谢氏、李熊、李蔼得、李方仔叫到李熊房中，精心密谋策划。

他们反复商量，认为藏书楼地方偏僻，而且房屋隐蔽，正是下手的好地方。又因为不放心黄氏，就让李熊通知她与小官氏共同去老官氏房中伴夜。随后商定：先由谢氏出面，谎称老官氏病危，让李细妹把李得姑诱出房门，唤叫时声音要小，以免惊动别人……

众人正在交头接耳，不防大门突被推开，闯进一个人来。李贵渠按定惊魂一看，原来是自己大儿子李大雅。这李大雅老实呆笨，

缺少心计，嘴巴不紧，很不得李贵渠的欢心。现在他见李熊房中灯火明亮，人影晃动，便想看个究竟。李贵渠一顿臭骂，把李大雅赶了出去。之后，他拿出一把杀猪尖刀交给李蔼得，取出一床棉絮，交给李方仔，让李熊手持蜡烛，在三更时分潜入藏书楼。

谢氏按照既定方案，将李细妹从床上喊起，谎称老官氏病重，让她悄悄喊出李得姑。李细妹不知就里，急忙前去唤醒李得姑。因她是老官氏身边的人，李得姑信以为真，慌忙穿衣。李细妹在先，李得姑在后，二人同奔西宅。走到空坪，突然，由黑暗中窜出一条人影，从后面将李得姑猛地抱起。李得姑惊叫一声，就被用布带勒紧了喉咙。李细妹听到喊声，急忙转身，被一个人捂住了嘴巴。定睛一看，是自己的哥哥李蔼得。李蔼得喝令李细妹不准声张，赶快回房睡觉。李细妹战战兢兢、飞也似地跑走。

李得姑不能出声，两手乱抓，双脚乱跳，拼命挣扎。李贵渠、李蔼得、李方仔三人，七手八脚将她拖到藏书楼。李熊毕竟年轻，未见过这种场面，吓得呆若木鸡。经李贵渠喝问，才如梦初醒，跟跟跄跄跟随而入。

几个人把李得姑按倒在事先铺好的棉絮上。这时，谢氏也赶到楼中。于是，谢氏和李熊抓住李得姑双手，李蔼得按住两脚，李贵渠和李方仔一边一个，紧拉布带。由于布带太宽，李得姑喉间仍然发出声响。李贵渠便让李蔼得动刀。

李蔼得先将李得姑布衫钮扣解开，露出胸腹，取出杀猪尖刀，对准心脏，狠命戳下一刀。李得姑血如泉涌，顿时丧命。

李蔼得拔出凶刀，用棉絮揩抹干净，询问李贵渠怎么处置尸体。

李贵渠略一盘算，生出一条一箭双雕的毒计。他素知家中有一把公用的尖刀，平时保存在李得姑那里，不久前李得姑还磨了磨，用它刮洗箱柜。他派李方仔偷偷潜入李得姑住房，把这刀拿来，插入尸身。插时手忙脚乱，偏了位置，与原刀痕上下不一，也没有在意。然后，他命众人轻手轻脚将尸体抬到李贵璜房前的檐下，把李得姑胳膊弯在胸部，装作自杀模样，企图嫁祸于李贵璜。

李贵渠虽布置得有条不紊，毕竟心中慌乱，李得姑脚上的一只鞋子脱落了，他们都未察觉。之后，他们返回藏书楼，把血迹清理干净，用棉絮将凶刀包好，外面用那条布带捆上，又系上石块，丢入后门外的深水潭中。一切安置完毕，各自回房睡觉。

李细妹跑回房中，心惊胆战，不能成眠。黄氏由老官氏房中回来，见李细妹痴痴呆呆，对灯独坐，问她为什么还不休息，李细妹用言遮饰，黄氏也未深究。谢氏回来后，再三叮嘱李细妹不要多管闲事。李细妹知道事有蹊跷，但牵涉自己哥哥，也不敢再问。第二天，她被李蔼得送回娘家，不久就被嫁了出去。

第二天清晨，李贵璜家的婢女冬梅打开房门，一眼瞥见李得姑尸体，吓得骨软筋酥，飞报主人。李贵璜正病在床上，此时挣扎起来，出门察看。

在冬梅的呼唤下，东宅院内人丁齐集，李贵渠等也混杂其中。李贵璜详细察看李得姑尸身，见身下无血，加上门未上闩，当场断言：这是有人在别处杀死李得姑，移尸陷害。李贵渠听说，暗自叫苦，又发现李得姑脚上只有一只鞋子，更加慌张。赶忙拉出李方仔，暗中赶到藏书楼，在门旁找到遗落的鞋子，交给谢氏。谢氏乘人乱之机，将这只鞋丢入李得姑卧房。为避免走漏风声，李贵渠又把李大雅锁在家中，不许他出头露面。

李贵璜命人往报地保，鸣官请验。李贵渠知事有破绽，把李蔼得等叫到一旁，又密谋脱身之计——

李方仔有个妻兄名叫官鹏，是光泽县的讼师，专以包揽词讼，敲诈勒索为业。李贵渠叫李方仔将他邀来密商。两人交头接耳一番，一同来到尸场。官鹏指手划脚，扬言李得姑尸体仅有一处刀痕，且刀未拔出，显然为自杀。李贵渠连忙从旁附和。两人你一言我一语，蛊惑人心，弄得李贵璜也无以答对，不辨真伪。

初十，知县张梦兰率领仵作、吏役到李家勘验。李贵渠以死者亲属身分前后张罗，叙说侄女自寻短见，家门不幸；官鹏在旁附合帮腔。仵作朱吉本来就不熟练，听了两人话语又先入为主，认定李得姑被一刀戳死，将颈部勒痕认作尸体的自然变化。

张梦兰初踏仕途，缺乏经验，听了朱吉汇报，深信不疑。正欲

具结，刑书高洸在旁阻止。高洸是办案老手，对李贵渠等言行十分怀疑，俯身细看尸体，断定胸部伤痕是两刀相接，绝非一刀所致，于是回复知县，改过尸格。他回头看看李贵渠，李贵渠面红耳赤。

张知县回到县衙，传讯死者亲属、人证。因婢女冬梅与李得姑隔房睡觉，于是对她详加盘问。冬梅是个年仅十四岁的少女，一上堂便瑟瑟发抖，在知县追逼之下，她想起李熊、谢氏平时常与李得姑吵架，李得姑即将出嫁，谢氏也不管筹备嫁妆，便乱供：李得姑向李熊索要财产，互相争吵，被继母谢氏用刀戳死。

冬梅信口胡说，谢氏贼人胆虚。她不敢多加辩白，也含混供认杀人。但又不愿一人承担，就诬陷素有隔阂的黄氏，说有黄氏相帮杀人。张梦兰立即刑讯黄氏。黄氏被谢氏咬住，力辩无效，无可奈何，蒙冤画供。

李贵渠原想造成李得姑自杀的假象，没料到县官问成故意杀人案。他怕谢氏供出实情，自罗法网，便积极策划翻案。李得姑究竟一伤还是两伤，是案件中的一个关键，张知县并未深追。李贵渠为埋下翻案伏笔，便请官鹏用重金贿赂高洸，让他把尸格中的两伤改为一伤。高洸知道此案大有文章，早就想敲笔竹杠，现在事主送钱上门，便欣然笑纳，答应改填后归案上报。

奸诈狡猾的李贵渠知道，张知县审定谢氏、黄氏合谋杀人，证据不足，矛盾百出，有隙可乘。他与官鹏反复计议，买通狱吏，亲自到监中教唆谢、黄二氏翻案，并威胁利诱，让冬梅改变供词，坚称出事当晚她关好了大门，其余一概不知。

一切安排就绪，李贵渠托官鹏写具状词，多次到邵武府控告张梦兰审案不实，力辩李得姑确为自杀。邵武府提审人犯，谢、黄二人双双翻供。府中正准备让张梦兰参与会审时，李贵渠又到福建臬司衙门告了一状，指控光泽知县动用非刑，逼迫伪供，故入人命，荼毒百姓。

福建臬司将一干犯证提到省城，逐一研讯。公堂之上，谢氏、黄氏哭喊冤枉，冬梅也全部推翻原供。质问张梦兰，张说验尸时查明两处刀痕，显然凶杀；查阅案卷，尸格上却填明一伤。疑义重重，臬司将原审推翻，禀报福建巡抚魏元烺、闽浙总督程祖洛。

督、抚依据清朝定制，不敢拖延隐瞒人命重案，立即转奏朝廷。道光览奏，降旨将张梦兰先行革职，命总督、巡抚亲自审理，务必查明真情。

程祖洛和魏元烺遵旨分析原案卷宗，认为：断定李得姑自杀还是他杀，关键有二：（一）东宅大门当夜究竟闩死还是未关；（二）李得姑伤痕是一处还是两处；如为他杀，必须查明嫌疑者与死者的关系，有无杀人动机。要查清上述各点，最重要的人证应是冬梅。据此，立传冬梅审讯。升堂一看，冬梅年幼无知，言语含糊，一经恐吓，又信口乱供，费了九牛二虎之力，竟一无所获。

审讯无法突破，他们改变方略，派出得力捕役，乔装打扮，前往光泽县密访。通过密访侦悉：谢氏行为不端，一向淫乱，与李得姑屡出龃龉；黄氏与谢氏表面相安，实际上隔阂甚深，而她与李得姑关系亲密，无话不谈；发案后李贵渠行踪诡密，疑点很多；李蔼得和李方仔则逃之夭夭，拒不归案；李大雅则被禁锢在家……

依据新的线索，又增传新的证人，隔离审讯。李蔼得以生前曾磨尖刀为证，一口咬定李得姑为自杀。小官氏则坚称当夜院门未关，李得姑磨刀是为了刮洗箱笼。李大雅当堂供明在李熊房内发现众人计议及被喝骂锁禁的情况。

再讯黄氏，她供出李细妹当夜神色可疑，第二天被送回娘家，不久即出嫁的情况。立即捉拿李细妹追问，她供述了谢氏谎称老官氏病重，叫她唤出李得姑，空草坪上李贵渠等暗中劫持等关键线索，案情趋于明晰。

为了确认尸体伤痕，督、抚又严讯光泽刑书高洸。高洸一见苗头不对，立即把李贵渠行贿、官鹏出谋、改写尸格等全盘托出。官员们决定开棺重验李得姑尸身。经过仔细勘察，心坎、肚腹两处刀痕清晰可见，而且能够辨识一刀为生前所戳，一刀为死后插入，另外，颈部也有明显勒痕。

证据确凿，李方仔等供认了作案全部经过，李贵渠知道罪行无法掩饰，于是畏罪自杀。

一件谋杀案件终于查明。依据当时《大清律例》，首犯李贵渠已死不议；主犯李熊是死者堂弟，处以斩刑，立即执行；主犯李蔼得、李方仔是死者族兄，尊长杀卑幼从轻发落，只处绞监候。谢氏并不是李贵沿"明媒正娶"，不承认她与李得姑有母女关系，依常人论罪，处绞监候。其他人犯各担罪责，分别处流、徒、杖刑。

清案案 大奇冤

八　咸丰朝奇案冤案揭秘

这位嗜权嗜色都如命的皇帝，做什么事都不顺——招募人才却闹出了『大头鬼』奇案；为后宫选美，却横遭一顿臭骂；宠一个女人，却毁了爱新觉罗的江山，而且这个女人还是制造麻烦、奇闻和冤狱案的能手。

1. 好官椿寿自杀案

清代咸丰年间，浙江省衙门新调来一位巡抚，姓黄，名宗汉，字寿臣，福建晋江人，道光十五年乙未正科翰林，曾任兵部主事、户科给事中、山东按察使、甘肃布政使等职务，咸丰元年被提任浙江巡抚。

黄宗汉其人操守极恶劣：一是贪财，二是好色。他有个儿媳妇，生得极其娇艳，不知怎么被黄宗汉勾搭上手。一天，两人正在房中拥抱调笑，被儿子突然闯见。儿子一气之下，跑上前去搧了妻子几巴掌，然后将发辫剪下，弃家远走到四川峨嵋做了和尚。此事不知怎的被张扬出去，秽声远播，就这样山东呆不下去了，便调到甘肃任布政使。黄宗汉声名狼藉，却因其同年中有的是军机大臣，有的在户部供职，靠山硬，照样升官。咸丰元年，云南巡抚张亮基调湖南，黄宗汉升任云南巡抚。他嫌云南山多地贫，瘴烟重重，经过官场活动，才改调浙江。上任以后，他了解到浙江的漕运已经延期，认为发财的机会已到，便决定向身为藩司、又署理巡抚的椿寿敲一笔竹杠。

黄宗汉为人阴险奸狡。他明明要钱，却不明说，而是采取暗示的办法。一次，他在花厅接见椿寿，半认真半开玩笑地用手抚摸着椿寿头上的顶子，又拍拍肩头，暗示椿寿头上的乌纱帽掌握在他手里。这次暗示，见椿寿没有任何反应，便派了个心腹晚上到椿寿府中，神色诡谲地说："巡抚急需四万两银子，至今还没有着落呢。"询问椿寿有无办法。椿寿没有理会到黄宗汉索贿的意图，便如实告诉自己没有积蓄，一时拿不出四万两银子，无法帮巡抚的忙。心腹走后，幕僚提醒椿寿：黄巡抚上任不久，就开口借款，必有他意，大人不可不防。椿寿是旗人，道光庚子年中进士，曾任工部主事，外放到浙江任布政使。巡抚外调，他署理了一段时间，原是公子哥儿，初涉官场，根本不懂其中尔虞我诈和人心的阴险，又认为自己没有贪赃枉法的行为，虽然他也知道黄宗汉有意勒索，却不加理会。黄宗汉恼羞成怒，表面上不露声色，暗里却抓住椿寿在漕运上的延期，采取狠毒办法来进行整治报复。

所谓漕运，就是通过水路运输将征收的粮食解往京城或其他指定地点。早在宋朝以前用民运，元代初改用军运，到了清朝则改为官收官兑。因为这是关系到国计民生的大事，加上运输困难，船只转运、装卸的消耗，官吏、差役层层盘剥侵吞，耗资巨大，因此，承担这项差使的官吏都把它作为一种极为棘手的事。因为弄得不好，轻则丢官破产，严重的则赔上性命。椿寿署理巡抚后，恰逢浙江全省大旱，粮食歉收。这样一来，不仅钱粮难以按期征收入仓，而且雨量稀少，河干水浅，粮船无法远行。到了九月，邻省江苏的漕粮糙米三十二万多担，白米二万七千余担，全部安然运到指定地点，而浙江的漕米却停滞在岸边，迟迟没有启运，延误了数月之久。如果天降大雨，运河水涨，漕米于近期能够启运，到达通州卸米进仓，粮船仍然不能按限期返回，这样下一年的漕米必又延期。这个问题本来可大可小，如果上司肯替他说话，可以在天灾上找理由，即使给处分，也是轻微的；如果上司不通融，就会受到严重的惩处。黄宗汉索贿不成，便想利用漕运延期这件事来整一整椿寿。

这一天，黄宗汉派人请椿寿来衙门商谈漕运之事。

装载漕米的船迟迟没能启运，椿寿听说巡抚召见，心中十分紧张。赶到巡抚衙门，参见之后，见巡抚面含笑容，才略放心。

"请问贵司，今年漕运究竟作何安排？"黄宗汉悠闲地问道。

"卑职无能，致使漕运延误期限。"

"延误！"黄宗汉故作惊讶问道："为什么要延误？是什么原因使漕米迟迟没有启运？"

"今年浙江全省干旱少雨，河道干淤，航行困难，所以启运延误。"

黄宗汉专门找岔子，便故意笑笑说："河道干淤，本台怎能不知，但是，请问贵司，天旱是五月以后的事，漕船按规定应该什么时候启运？什么时候返回？"

按照朝廷定下的规矩，浙江的漕船在二月底以前全部启运，最迟不能超过四月份。现在已是金秋九月，秋风已起，而漕船却只启运了一半，这怎能全部推在天旱上呢？经此一问，椿寿无话可答。

　　黄宗汉见椿寿被问得哑口无言，心中十分得意。他完全清楚浙江省漕船延误启运的原因，逼着椿寿自己说出来。

　　椿寿沉默了一阵，只好回答："漕船迟迟不能启运，不全因天旱。漕帮的弊端很深，花样也很多，也在其中做了许多手脚……"

　　话未说完，黄宗汉便哈哈大笑起来："椿大人，你真会找原因，浙江漕帮有花样，江苏漕帮就没有了吗？为什么他们的漕船却能按时启运，按时返回呢？"

　　"大人，今年漕帮不仅耍花样，而且因为正在议论南漕海运的问题。他们担心饭碗，所以不大积极，这可能也是延误的原因之一。"椿寿理直气壮地回答。

　　黄宗汉见椿寿口气很硬，不禁勃然大怒，大声说："南漕海运即便能成，也是来年之事，与今年何干？漕丁顾忌衣食问题，你身为藩司，为什么不严加督催？"

　　这几句话，正击中椿寿的要害。今年漕运延误，正是因为他缺乏历练，未予督催，为漕帮所欺而造成的。此时，他悔之已晚，只好坐在那里，默不作声。

　　黄宗汉见椿寿被自己堵得无话可说，心中暗喜，于是又故作关心地说："现在该怎么办呢？贵司还要多想办法。"

　　椿寿呆坐在那里，心里也苦苦思索，心想，千说万说，只要让漕船尽快启运，船开了，延误日期，还有话可说，如果漕船迟迟不走，有理也会变成无理。想到这里，他便立即回答道："是，是，卑职当尽力催促，一定在一个月内全数启运。"

　　"好，好。"黄宗汉明知一个月全数启运根本办不到，他也不说破，故意赞赏道："老兄有此决心很好，不过，究竟作何处理，等我商量好了，再告知贵司。"

　　椿寿性情耿直，见抚台此时态度转弱，口气有所缓和，根本没有怀疑他有什么心机，便起身告辞。黄宗汉为了使椿寿不疑心他，还很客气地送出客厅。

椿寿回到府中，召集幕僚，转述了抚台大人的严厉指责和以后态度缓和的情况。有的认为黄抚台恃才骄傲，御下极严，现在态度缓和，谅想再不至于有所苛求，漕运延误，只要抚台出面说话，对上司便好交代。有的幕僚则持相反意见，他们认为黄宗汉狡诈阴险，手辣心狠，索贿不成，必施行报复，如果施放暗箭，难以提防，诸事应该谨慎从事。椿寿当面领教过黄宗汉步步紧逼的滋味，也心有警惕。他对幕僚们的两种看法都表示同意，认为当务之急是将漕船启运。只有这样，黄宗汉才抓不住把柄。

谈起漕运，幕僚们认为要在一个月内悉数启运，别的地方容易办到，只怕湖州八帮有困难。有位幕僚算了笔账，湖州府应交漕粮三十八万多担。几乎占了浙江全省漕粮的一半，偏偏那里一只漕船也没有启行，而那些漕帮的尖丁，也就是漕帮的管事和头目个个刁横，自恃钱多势大，轻易不把官吏看在眼里。椿寿听了，感到事态严重，决定亲自去湖州一趟，会一会湖州八帮的那些刁蛮的头目。

第二天，椿寿带了一名幕僚和几名精通武功的亲随，乘船来到湖州的南浔镇。

南浔镇是湖州府治，也是漕帮聚居之地，为浙江省肥地中的肥地。豪富之家，家家有园林，户户养戏班。听说藩台驾到，知府宋有光和一些富商亲自到码头迎接，惟有漕帮的尖丁一个也没有到。椿寿下船登陆，和前来迎接的官商寒暄几句后，沉着脸问："钱老大在家吗？"

钱老大，本名叫书田。他家世代在运河上驾船，父亲手里当上了漕帮尖丁，一生积蓄不少，不仅在南浔镇上建有豪华的住宅，还在乡下置了数百亩好地出租，传到钱老大手中，家业更加兴旺。钱老大财心很重，对手下的漕丁盘剥得极其厉害，人人恨之入骨。这次湖州八帮的漕船一只没有启行，主要是以他为首的头目装私货而延误了开船的时间。

知府听藩台问起钱老大，忙躬身答道："大概在家，属下派人去传来。"

"好，你要他到公馆来见我。"椿寿吩咐。

钱老大昨夜宿在姘头家，刚刚起床，听说藩台传唤，便慢腾腾地梳洗完毕，用过中点，来到公馆，一进厅堂，就觉得气氛有点异样，藩台高坐在上，两旁侍立着几名带刀的亲兵，一个个怒目而视。钱老大这时腿有些颤抖，赶忙双膝跪下："小民钱书田叩见大人。"

"你就是钱老大？"椿寿威严地问道。

"是！"

"漕船上装载私货，是犯法行为，你可知道？"

"知道！"钱老大见藩台突然提到此事，心中有些紧张。

"既然知道，你为什么明知故犯？"椿寿大声说。

"这……"钱老大万万没有想到藩台来这一手，更加紧张起来。

"给我拿下！"椿寿大喝一声。

随着喊声，拥上来几名亲随，掏出早已准备好的绳索，将钱老大捆绑起来。

"你身为尖丁，为装私货，延误漕船启运，本台先治你的罪，再向朝廷请罪，押下去收监。"

"慢，慢。"钱老大哀求道。

"你有什么话说！"

"小人犯法，理应治罪，只是……杀了我，漕船还是不能启行，不如……"钱老大说。

椿寿向幕僚对视了一眼，正色道："说下去。"

"只要老爷饶了小人，一定会想出个办法来。"

"如果再延期呢？"

"小人愿拿脑袋担保。"

"好，以三天为期，三天后你再到公馆来。"

于是，亲随上前将钱老大松了绑，钱老大叩了头退出。

三天以后，钱老大果然将八帮的尖丁都带到了公馆，向椿寿陈述他们商议的结果。

"启禀大人，今年河水浅，航行时间已经延误，要走确有困难，不论走与不走，都要赔偿损失，小民们商量，走也好，不走也好，各帮赔偿，只能一次，不能两次。"

椿寿点点头："你们说说，如果走，如何走法？"

"办法是有的，不过很麻烦，首先雇请民伕疏通河道，提高水

位，然后雇民船分载，以减轻漕船的重量。这样，再多的漕米也可以运走。"

椿寿听了，虽然感到此法可行，但工程确实巨大，便问："如果不走，那就只有奏请变价缴银，你们算算，那需要赔偿多少银子？"

那位幕僚插进来说："户部定价是每担二两银子，市价是七钱到八钱银子，一担要赔一两二钱银子。"

"就按一担赔一两二钱银子算，究竟赔多少？"椿寿又问。

"船上的漕米共是二十七万六千担，共该赔三十三万一千二百两银子。"有个尖丁回答。

这时，那位幕僚提出异议。他说："大人，与其拿这笔钱去赔偿，不如将这笔款子用来疏通河道，雇用民船。这样，既交了差，又治理了运河，也是一项政绩。"

椿寿一听这话，很有道理，便问："要多少天，才能将河道疏通，可以启运。"

有人算了算工程的数量，开河的民工数，回答说：如果一切顺利，一个半月时间完全可以航行。

椿寿听了，又盘算了一会儿，决定采纳这个意见，于是将湖州知府请来，交代了浚河的任务，委任知府全权负责。这时，钱老大和其他尖丁，再一次对椿寿说："启禀大人，不论疏浚河道，还是漕粮变价，湖州八帮全力支持，只是有一点要说清，漕帮只能出这次钱，三十三万两的六成，即二十万两银子，以后，再有什么花样，漕帮一概不能负担。"

椿寿也觉得漕帮的叮嘱在理，便拍胸说："这次就这么敲定，你们拿出二十万两银子，以后有什么困难，由本官全部承担。"

湖州之行，制服了钱老大，虽然取得很大成效，但椿寿已经心劳力瘁，回到府中便病倒在床，家人赶忙请医治疗。医生看了脉，开了药方，说是操劳过度，吃了两服药，果然大有起色，不等痊愈，便抱病挣扎着来见黄宗汉，向他回报了湖州所决定的开浚河道，提高水位，让漕船全部开出的计划。黄宗汉听了，不但不加指责，也不追问一个月能不能将漕船全数开出，反而大大夸奖了一番。椿寿从抚台上任以来，听到的全是指责，这次却受到了夸奖，几个月来梗在心中的一块石头，算是落了地。

过了一个多月，湖州知府派了差人送信说：疏浚河道的工程进行得很顺利，再有半月时间即可竣工。到那时，湖州八帮的漕船就可全数开出。又过了半个月，湖州方面又传来喜信，说漕船已全数开出，加之近段时间天气晴朗，南风悠悠，运河上片片白帆。椿寿一想起那一队队扬帆疾驶的漕船，心中就涌起无限的欣慰。几个月来为漕运问题操心劳顿，如今总算交了差，身上犹如卸下千斤重担一样的轻松。

椿寿夫人见丈夫几个月来为漕粮问题愁得寝食不安，心痛如绞。现在漕船已经全数启运，丈夫脸上也出现了笑容，她十分高兴。这天，她亲自下厨，为丈夫做了几样最喜欢吃的菜，同丈夫一起共饮。她拿起酒壶，给丈夫斟了满满的一杯，又给自己斟了一杯，然后举起杯来："来，妾身敬老爷一杯，愿老爷从此以后官运亨通，万事如意。"

椿寿举起杯来，刚要送入口中，忽然仆人闯进门来，报称："老爷，抚台衙门派人来说有急事，立刻去见。"

椿寿听说，连忙将杯放下，抱歉地对夫人说："抚台这人不好侍候，我还是赶快去，请夫人见谅。"

夫人长长叹了口气："老爷快去吧，妾身在家等候。"

椿寿急急赶到抚台衙门，见黄宗汉在花厅等候，上前行了礼，问道："大人见召，不知有什么要事？"

黄宗汉笑笑说："听说漕船全数启运，这很好，足见老兄是个干将，不过，有件事想同贵司商量一下。"

"大人请讲。"

"今年漕船延期到九月中旬才启运，什么时候到达通州，什么时候返回，贵司计算了没有？"

椿寿默默计算了一下，回答："返回时间，最快也要到明年四月。"

"明年四月返回，船只要修补，修补后再到各地受兑漕米，不知要多少时间？"黄宗汉又逼着问。

椿寿见抚台这样逼问，已意会到问题的严重性，但还是硬着头皮，小心翼翼地回答："依卑职看，从修补到受漕，如果顺利要到七月底八月初才能结束。"

黄宗汉听了，故作惊讶地说："照贵司所说，明年新漕，又要像今年一样，推迟到八、九月才动身。"他大声说："这不行，肯定不行。"

椿寿缺乏官场经验，见黄宗汉发急，反而安慰着说："大人，这没有关系，明年不是改用海运吗？"

"什么没有关系？"黄宗汉勃然变色："今年归你负责，明年就是我的责任，你这样做是什么用意？是要故意和我为难，是不是？"

椿寿一看抚台变脸，大出意外，忙解释道："卑职哪敢故意和大人为难。"

"那你说说，明年新漕延误，如何解决？这样下去，年年延误，何时能了？"

椿寿还是没有猜测出黄宗汉是在借故整治他，仍然一个劲地解释："请大人不要着急，漕运既然已经延误，何不就奏请朝廷，明年漕米实行海运。"

"如果朝廷不批准呢？"

"只要大人出奏，没有不准的。"

黄宗汉见椿寿说一句顶一句，没有丝毫央求的口气，心想看你嘴硬，能硬到哪里去，便把桌子一拍，怒斥道："看你的口气比军机大臣的口气还大，你有把握那就你出奏吧。"

椿寿出任以来，没有受过这样的斥责，气得面红耳赤，本想大声回敬几句，但想到漕运延误，人家随时可以摘掉自己头上的乌纱帽，顿感气馁，只得忍气吞声赔罪说："大人息怒，刚才卑职言语莽撞，还望见谅。漕运上的过错，还求多多包涵。"

黄宗汉见椿寿低头认错，心想：只要你此时识相点，为时不晚，且先用几句话将其稳住，看他下一步是不是将银票送上门来，便说："都是同僚，能包涵处当然要包涵，不过事已至此……"说到这里，黄宗汉故意摇头，连连说了几个难字。

椿寿见黄宗汉口口声声说难，更觉心慌，便又恳求道："大人

有何高见，还请教诲。"

黄宗汉不觉暗笑，真是书呆子，什么高见，开始就暗示了，还需再提吗？便装模作样地说："等我想一想再说吧。"说完，端茶送客。

椿寿回到府中，夫人还坐在桌旁等候，饭菜已凉，见丈夫愁容满面，担心地问："又发生了什么事，是不是又为漕米之事？"

椿寿点点头。

夫人咬牙切齿地说："这黄宗汉真是心狠手辣，三番两次地整治人，先吃了饭再说吧。"

椿寿摇摇头，呆坐了一会儿，来到前厅，将幕僚找来，将面见抚台的情况说了一遍，焦急地问："各位看看，黄抚台打的是什么算盘？"

幕僚们听说抚台又提漕米之事，无不感到诧异。他们沉默片刻之后，七嘴八舌地议论起来。有的说黄宗汉这样三番两次地在漕米上做文章，还不是为了银两，大人忍点痛，送他几万两银子，保险会大事化小，小事化无。

椿寿听了这些，悔恨交加。当初黄宗汉到任曾经多次暗示，索贿四万，只怪自己不谙官场险恶，断然拒绝，以致被他整治得几乎喘不过气来。为今之计，只有忍痛送笔厚礼，以保全自己。于是，他一方面派人到抚台衙门去打听消息，摸摸抚台的实底，之后到后房与夫人商量送礼之事。夫人听了，默默地在箱子底下取出一个精巧的首饰盒，打开一看，是一对用金丝编织而成的珠花，两只凤凰，栩栩如生，金光耀眼。夫人噙着眼泪说："这是妾身娘家的传家之宝，四万两银子估计值得，老爷拿去变卖吧！"

椿寿推辞说："不用，不用，下官从浮收中去想想办法。"

两人正在说话，家人来报，派去打听消息的人在前厅等候。椿寿来到前厅，来人告诉椿寿说："小人得到确实消息，抚台为了使明年新漕能够按时受兑启运，不误限期，准备将湖州八帮的漕船追回，同明年新漕一起装运。"

椿寿听后，没有悟出黄宗汉的诡计，反认为只是苦了湖州八帮白白花掉浚通河道的费用，与自己没有什么牵连，既然自己不会牵

大

清

连进去，也就无须再变卖夫人的首饰向抚台送礼了。

第二天，抚台衙门果然来了公事。公事上说："为了不误明年新漕启运期限，湖州八帮已经启运的漕船全部追回，候命办理。"椿寿看了公事，不敢怠慢，赶忙派出得力的差人，乘快船到运河去截挡湖州八帮的漕船，而自己却上抚台衙门，求见抚台，请示截回漕船上的漕米如何处理。

椿寿来到抚台衙门，递上手本，戈什哈拿着手本进去，立刻返回，很客气地说："抚台患病，正在请医治疗，恕不会客。"椿寿听说，只好悻悻而回。第二天大清早又去，又是说有病不会客，一连去了五天，没见人影，到第六天，递上手本后，正在门房等待，戈什哈送来一份公文，并说："抚台传谕，请大人按公文办理。"椿寿拆开公文，看不到几行，几乎昏倒在地，顿足大骂："黄寿臣，黄寿臣，你好狠毒，我与你无冤无仇，为什么硬要置我于死地。"骂了一会儿，无人理会，只好含悲忍泪返回衙门。

幕僚们听说藩台哭着回府，想必与漕米有关，且事态严重，便聚集花厅，询问原由。椿寿一脸悲戚之色，将抚台衙门的公事递给大家传看。大家看了，无不咬牙切齿痛骂黄宗汉心狠手辣。

原来黄宗汉发出的公文内容是：他以统筹漕运全局为由，为使明年新漕能按时启运和按期到达，决定本年湖州八帮的漕米追回后，留浙变价，全部漕米二十七万六千担，照户部所定价格，每石二两银子，共需五十五万二千两，限期一个月内报缴。

黄宗汉这一手极为阴险。如果早作出漕米留浙变价的决定，赔偿的银子，漕帮赔大部分，藩司赔小部分，而且这笔赔款还可以在今年浮收中支付，而现在情况完全不同。漕帮的赔款早已拿出，作了疏浚河道的费用。且事前有约只赔一次，不赔二次，将漕船追回，已经感到愧对人家，如何好开口要钱呢？至于"浮收"，也早已分发，无法追回。现在五十五万两银子的赔款，竟全数落到自己一人头上。

椿寿此时五内俱焚，悔恨交加，后悔自己当初没有送四万两银子，又痛恨黄宗汉心狠手辣。他目光停滞，呆呆地坐在那里，不发一言。

大清奇案冤案

幕僚们都知道椿寿宦囊所积不多，怎能拿出这笔五十五万两巨额赔款。大家坐在花厅冥思苦想，没有良策。解铃还须系铃人，惟一办法，只有去求抚台，收回变价的成命。

椿寿和幕僚们失策之处，在于他们只看到黄宗汉整治人的一面，而没有识透他整治人的目的还是为了索贿。如果此时托人说情，送上几万两银子，事情仍有转机，但椿寿钻在死胡同内，一心想的是哀求收回成命，所以连连碰壁。第一次硬着头皮去求见抚台。手本递进去，门上回复："抚台身体不适，概不会客。"第二次又去，仍是这样回复。第三次去仍是如此。椿寿一时沉不住气，赌气吩咐跟班："你回去取套铺盖来，今天就在门房留宿，不见抚台不回衙。"门房见椿寿这样坚决，连忙进去禀报抚台。黄宗汉见椿寿到了这样地步，不是托人说情，送礼上门，而是执著地要自己让步，更是恼火万分，决心拿出最厉害的一手来将他军。于是吩咐门房，要藩司到大厅等候。

椿寿在花厅坐候了一个时辰，才见黄宗汉穿着便服悠闲地踱进花厅，满面红光，毫无病容，一见椿寿，便沉着脸说："贵司有什么急事非见我不可？"

椿寿陪着笑说："惊动大人，卑职于心不安，只是漕米之事……"

黄宗汉没等椿寿说完，便拦住他的话，问道："老兄是为漕米之事而来？"

"是。"

"不要再提此事了，我已经参本上奏朝廷。"黄宗汉冷冷地回答。

椿寿一听，漕米留浙变价，已经出奏，犹如五雷轰顶，一时天旋地转，颓然倒在椅上。等到清醒过来，花厅里哪有黄宗汉的踪影，只有自己的跟班守候在身边。这时，跟班悄悄地说："大人，回衙吧，轿子停在门外等候多时了。"

椿寿泪流满面，全身瘫痪无力，长叹一声挣扎着起来，由跟班搀扶着，一步一步地走出抚台衙门。

就在这天晚上，椿寿在藩司衙门的签押房里绕室徬徨了几个时辰，在灯下含着眼泪写了一道遗书，要求朝廷为自己伸冤雪恨。椿寿写完遗书后，唤来奴仆耿兴嘱托说："天亮起程，务必将这件公文送交京师都察院，不得有误。"耿兴泣拜而去。

此时，天黑如墨，时已五更。椿寿整整衣冠，向北遥拜之后，上吊自缢。

第二天，天色黎明，黄宗汉正拥着宠妾酣睡，亲信将门敲开，报告藩台自杀的消息。黄宗汉听了大吃一惊，急急起床。他清楚地知道椿寿之死，完全是自己索贿不成，虚言恐吓造成，追究起来，自己要负责任。因为浙江漕米不能如期北运，以及来年新漕米改用海运他早已上报军机处和户部，并已得到认可。所谓"改用海运并无把握"、"漕米留浙变价"、"已经出奏"等等全是他的诈语，是一种整治椿寿的办法。其目的还是要椿寿识相，贿以重金，托人说情了事。谁知椿寿始终没能悟出这一点，又被五十多万两银子的赔款压得喘不过气来，被逼得走投无路，一死了之。

黄宗汉起床，急与心腹幕僚密谋对策，办法尚未想出，中午又有人密报，椿寿在天明时派一奴仆持公文赶赴京城。黄宗汉听后更是惊慌，但他老奸巨滑，虽知事态严重，仍不露声色，一方面派出亲信骑上快马，务必将椿寿派往京城的仆人截住，将遗书弄到手；另一方面则亲自去拜访驻防的将军和浙江学政万青藜。万青藜和黄宗汉是同年，听说抚台驾到，赶忙延至书房。

"藩台自杀，老兄将怎么处理？"万青藜一见面，就关心地问。

"一切要承老同年关照，那方面，小弟自有处置之法。"黄宗汉又凑近身子悄悄地与万青藜耳语一阵。

"好，好。愚兄按照老弟口径面奏就是。"万青藜连连点头。

黄宗汉深深一躬，无限感激地说："以后有什么事，小弟一定效劳。"说罢，起身告辞。

黄宗汉从万青藜那里回到书房落坐，那个派去截信的心腹已经回府复命。他用一千两银子买活了椿寿的亲信耿兴。耿兴交出遗书，携金远走他乡。黄宗汉在案头展示椿寿的遗书，自己的种种劣迹被揭露无遗，如果送到皇帝面前，自己的纱帽岂能保住？黄宗汉正在暗庆自己手腕高明之时，忽然，一个戈什哈慌慌张张地前来禀报："藩司的夫人拿着一把菜刀，站在门前，要见大人。"

黄宗汉一听，心中一惊，忙说："快去，快去，只说本院外出，要她改日来见。"

戈什哈刚走，"转来。"黄宗汉忙喊。

"大人有何吩咐？"

"你们要好言劝说，切不可动武。"黄宗汉叮嘱着。

椿寿的夫人虽被劝走，但黄宗汉总觉得有个阴影在缠绕着自己，心惊肉跳，坐立不安，闭上眼睛，仿佛椿寿横眉竖眼地立在面前。晚上，他命令几个亲兵持刀立在书房门前，守卫自己，以防不测。自己在灯下亲自草写奏章，谎称：藩台椿寿上吊自缢是因为浙江钱漕诸项支绌，本年久旱岁歉，征解尤难，该司恐误公事，日夜焦急，以致遽尔轻生，特此报请另调藩司。"奏章写好后，另将经过改写过的椿寿的遗书附上，派人专程送到京城，另派亲信携带巨资，赴京进行活动。

咸丰皇帝初登帝位，看了黄宗汉的奏折，见椿寿遗书中有"因情节所逼，势不能生"两句话，大起疑心，认为即令公事难办，为什么要自尽，是否另有内情？恰在这时，浙江学政万青藜帮助黄宗汉说谎的奏折也已送到。奏折中说：椿寿身后，留有遗嘱，"实因公事棘手，遽行自尽。"于是，皇帝批示："令黄宗汉详查具报。"

黄宗汉见了皇帝批示，更是胆战心惊，深怕此事遮盖不住，越闹越大，于是亲自修了一封书信给军机大臣彭蕴章，并送上一份厚礼，请他看在同年份上，关顾照应。

彭蕴章是江苏长洲人，也是黄宗汉的同年，为人谨慎小心，极重感情。彭蕴章看了黄宗汉的求情信，明明知道椿寿之死一定与黄宗汉有关，一则看在同年份上，二则受了黄宗汉的好处，还是决定帮他掩盖，但是，如何才能掩盖得严严实实，且又无懈可击呢？彭蕴章非常踌躇，因为这样一件案子，不是轻易压得下去的。椿寿是旗人，亲朋故旧很多，不少人在朝为官，何况皇帝又起了疑心。彭蕴章思虑再三，决定还是冠冕堂皇地派大臣去密查，只有这样，才能堵住不服气的人的嘴巴。派谁去适合呢？彭蕴章正在踌躇不决时，门上来报：何桂清大人求见。

彭蕴章听说，眼睛一亮，忙说："请。"

这何桂清是云南昆明人，也是黄宗汉的同年。乙未一榜中，何桂清的年纪最轻，而且仪表清俊，谈吐文雅，人缘极好，一直为彭蕴章所器重，在皇帝面前几次保荐。这次由户部侍郎外放江苏学政，准备即日启程赴任，正是彭蕴章派员去查椿寿死因的最适合人选。经过一番密谈，何桂清高高兴兴地接受了这项差使。

两天以后，皇帝给何桂清下了一道密旨，要他在赴任江苏学政途中，顺道调查椿寿之死。这个消息很快也很秘密地传到了杭州。黄宗汉得此密信，一阵狂喜，好像吃了一颗定心丸。

不久，何桂清以钦差大臣的身份来到杭州，装模作样地避见任何大员，又装模作样地做了一番"密查"，又装模作样地向朝廷呈上经过"密查"的奏章，结论自然与黄宗汉、万青藜的一样："公事棘手，遽尔自杀。"

一省藩台椿寿之死案，就这样在几个恶官的手脚里不了了之了。

2. 待选秀女怒骂当朝皇帝奇案

清王朝有一整套独具特色的选秀女制度，那就是每三年举行一次，规定凡年龄达十三至十七岁的八旗满籍女子，均须按年向户部一一备案，届期至京师紫禁城供帝后选看。所有京城及各地参加被挑选的适龄女子，都要先期启行，进京下车后，聚集在神武门内，按年龄排班，然后循序由太监引入顺贞门，备帝后相看选挑。制度周详，气氛隆重，规秩严密。当选的秀女，或为皇帝妃嫔，或被指配给亲王、郡王及皇子、皇孙。

据《清宫述闻》引述《春冰室野乘》载，咸丰朝的一次遴选秀女期间，竟发生了前所未有的违制抗旨事件，所以使这年皇家隆重的盛举草草收场。

这件奇案发生在咸丰初年，时值宫中大选秀女，当时，太平运动非常火热，且风靡一时，并已攻占长江重城南京，清廷惊恐，朝野一片惶乱，以至咸丰帝"忧劳旰食，每枢臣入见议战守事，至日昃乃退"。国事虽在危急之机，而选挑秀女例行大事仍照常进行。

坤宁宫门外那班当选候驾的秀女们，多属闺中年轻幼小女子，一经远离家门，辞亲别故，再加上舟车劳顿，食宿不惯，其心绪不宁的景况可想而知。

清朝选秀女事，全是内务府主持，执事人员司暨太监等，分担禁卫、整饬、排班、传谕等一应职责，他们只能恭谨遵照上谕办事，不敢稍有疏忽，只要秀女交头私语，逾班喧嚣等事，就立即呵斥。而上述那些"民家女子入宫禁已战栗不自胜，又俟驾久罢，倦不能耐，重以饥渴交迫"，所以有些秀女不免"相向饮泣"。

宫廷禁内之地，帝后选美之期，"相向饮泣"，是同"之子于归，宜其室家"的圣意相违背的。备选女子，不能遵规守纪，监管者岂能坐视不顾？为防干犯上怒，自身蒙受惩罚，一个监管者于是近前叱之道："圣驾行且至，何敢若此，不畏鞭笞耶？"正在悲泣的秀女，听到斥责，相顾失色，更加"战惧欲绝"。正当监者想要再度恫吓之际，忽然有某氏女勃然起立，挺身而出，厉声对监者道："去室家，辞父母，以入宫禁，果当选，即终身幽闭不复见其亲，生离死别，争此晷刻，人孰无情，安得不涕泣，吾死且不畏，况鞭笞耶！"没等监管者开口，那女子又道："且赭冠起粤峤间，不数载，悉长江而有之，今遂陷金陵（南京），天下已失其半，天子不能求将帅之臣，汲汲谋战守，……而犹留情女色，强攫民家女，幽之宫禁中，俾终身不获见天口，以纵己一日之欢，而弃宗社于不顾……吾死且不畏，况鞭笞乎？"

此女这番义正辞严的怒骂，真乃石破天惊，监管者听得异常惊讶，而且不知所措，无可奈何只得"急掩其口"，不让该女再说下去，以免招致祸端。恰在此时，"上适退朝，御辇已至前"。监管者遂赶忙"牵诣上前抑之跪"，而"女犹倔强不肯屈膝"。实际上，这时节"初，女所言，上已微闻之"。咸丰帝笑问其情况，"女侃侃奏如前语"。受到此女这等严辞斥责，但咸丰皇帝只说了声："此真奇女子也！"并"亟命释女缚，令引入宫中朝见皇后"去了。据载，该女子见了皇后，正值某邸初丧偶，正想续娶，"因以女指婚焉"。由于当时发生了这件事，结果，除这个女子一人给皇族宗室王公做了续弦外，其余的这届候选秀女都遣回原籍，以"皆宁其家"。

吴士鉴为此事件特写有清宫词一首，词答道："女伴三旗结队偕，绣襦锦襼映宫槐，犌牙已命南征将，选秀仍闻撂绿牌。"

但据《湘绮楼文集》，也记载此事，说这个"直辞女童"是满洲人，其父为京营四品官，职位是参领或佐领则不详；对该女愤懑骂朝之后，咸丰帝默然很久地说："汝不愿选者，今可出矣。"这就是说，这个女子在这件事情中，是被"温旨遣出"，不再列作选挑之属（即所谓的"撂牌"）；但他的父亲却受到降职一级处分。案发后这个女子如何归宿，清朝史料未有确定记录，但该秀女违制抗旨怒骂咸丰皇帝，此事恐怕不是虚夸的。

3. 戊午顺天府科场奇案

咸丰八年（即公元 1858 年）戊午科顺天府乡试，发生了一起轰动整个朝野的科场大案。这件科场案是由顺天府监考官员内讧引起的。谣言说贡院中出现了不祥的大头鬼，闹得人心惶恐。发榜以后，有人告发，在中式前十名中，有位旗下大爷平龄，因为喜好唱戏，曾经登台演出，所以"京师议论哗然，谓优伶亦得中高魁矣"。因而御史孟传金上疏弹劾。这样，事情就越闹越大了。

顺天府乡试的考场设在京城的贡院。主考官是军机大臣、内阁大学士柏葰，副考官为户部尚书朱凤标、左都御史程庭桂等。

咸丰皇帝于是派怡亲王载垣、郑亲王端华、吏部尚书陈孚恩等人查办这件案子。凡有牵连的考官先都解职听候查办。

这些查办大员们"与柏葰不相能，欲藉此事兴大狱以树威"。陈孚恩先找到监考的副都御史程庭桂，拐弯抹角地提到科场的情况。程庭桂是个老实人，以为陈孚恩是无意中提到开后门递条子的事，他就老实说，这也不足为怪，仅他收到的条子就不下一百条。于是陈孚恩借去查看，将条子全都拿走。陈孚恩查的结果，发现程庭桂的次子程秀，陈孚恩自己的儿子陈景彦也都牵连在内。陈孚恩有后台，掩饰过去，而其他人等"因此案情节甚多，非革职逮问，不能彻究"。于是，柏葰和朱凤标、程庭桂都被革职下狱。柏葰的门丁靳祥也被追捕归案，并死于狱中。

其实这件事柏葰本人不大知情，也没有纳贿的实迹，"若仅失察之罪，不过褫职而止"。问题在于柏葰自登枢府，就与肃顺一党不和，因而此案中夹有私仇。虽然咸丰皇帝也觉得柏葰老成宿望，有矜全之意。但肃顺等力劝"取士大典，关系至重，亟宜执去，以惩积习"。这样一来，咸丰皇帝虽然心犹不忍，也没有办法。咸丰九年二月下谕："情虽可原，法难宽宥，言念及此，不禁垂泪！"于是，柏葰和同考官浦安，中式举人平龄、罗鸿译，主事李鹤龄，程庭桂的长子程炳采等共七人，被绑到菜市口，准备开刀问斩。程庭桂发往军台效力，朱凤标革职，其余受株连而褫、革、降、调的有数十人。

清朝凡是一品大员临决之日，多加赦免，改斩为戍，这也是清代自立国之初就沿习下来的惯例。因而柏葰也自以为到时候皇上一定会刀下留人，赦免死罪的，他打点行装，准备圣谕一到，就起解登程。忽然看到刑部尚书赵光捧谕哭来，才知不免一死，叹息说："是必肃顺弄权，吾其休乎！"程炳采也大哭说："我为陈孚恩所绐，代弟到案，以至于此，陈孚恩谄媚权奸，吾在冥间当观其结局也。"

清王朝因科举案杀军机大臣兼大学士，这还是开国以来第一次。所以当市人看到年逾花甲的柏中堂，望阙谢恩，引颈就戮的神情，也不禁为之挥泪。

咸丰初年，条子之风盛行，大庭广众之中不以为讳。敏给者常致胜，朴讷者常失利。更有无耻之流，在条子上还加上三圈、五圈，如果获中，三圈就赠三百金，五圈就赠五百金。由此可见，大清国科举之腐败，官场之污浊。

清末薛福成在他的《庸盦笔记》中谈到此案时说："肃顺等人之意，在快私憾而张权势，不过假科场为名，故议者不以整科场之功归之也。"

《清史纂要》也说："实由端华、肃顺方用事，忌柏葰为先进，而性颇憨直，资望声誉均出己上，故藉端锄去之。"

所以，过了两年，即咸丰十一年"辛酉政变案"以后，肃顺在菜市口典刑伏法，也就成了大快人心的事了。

4. 辛酉奇案

咸丰十一年（公元 1861 年）辛酉，七月十七日，咸丰病危，召见御前诸大臣，传谕立皇长子载淳为皇太子，并派载垣、端华、景寿、肃顺、穆荫、匡源、杜翰、焦祐瀛"尽心辅弼，赞襄一切政务"。诸臣请咸丰用丹毫手书，咸丰以手力已弱，不能执管，遂谕"著写来述旨"，所以遗诏中有"承写"字样，至卯时（五时至七时）玄逝。咸丰的皇后钮祜禄氏、琳贵太妃乌雅氏都曾奠酒但不及懿贵妃那拉氏。嗣皇帝载淳是那拉氏生的，咸丰这种做法当然让那拉氏不快活。但当日即由敬事房首领传旨："钟粹宫皇后晋封皇太后"，这就是钮祜禄氏，时年二十五岁。"储秀宫懿贵妃晋封皇太后"，这就是那拉氏，时年二十七岁。又称钮祜禄氏为母后皇太后，那拉氏为圣母皇太后，这是援用明万历朝的故事，但在那拉氏总觉得还有区别，不够称心，因此后来又改徽号，一称慈安，一称慈禧。

咸丰十一年七月二十八日（即公元 1861 年 9 月 2 日），赞襄政务八大臣经两宫太后批准，拟定建元年号为"祺祥"，正式颁诏天下。

咸丰帝晚年，肃顺等的权势已超过各军机大臣，死后便以赞襄王大臣的身分统揽大权。肃顺和慈禧，性格上都属鹰派，俗语所谓"硬碰硬"，本是难以共存，都不喜欢还有比自己更有权力的人。肃顺很得咸丰帝的信重，隐察咸丰帝有忌恨慈禧专横之意，乘间以汉武大帝对付钩弋夫人故事煽动咸丰帝，咸丰帝有所不忍。后来醉中恼怒漏言，为慈禧得知，把肃顺恨得刺骨。

咸丰一死，慈禧便以肃顺专权事挑拨慈安，并力主两人一同垂帘听政。慈安以此举有违反清室祖制，起先未曾答应，后被说服，但要她先征求恭王奕䜣的意见，恭王正想用事握权，便起程抵达行宫，祭文宗的灵后，太后将召见，载垣等竭力反对，杜翰还当众说："叔嫂当避嫌疑，且太后居丧，尤不宜召见亲王。"但因太后坚持，奕䜣就约与端华同往，端华目视肃顺，肃顺笑道："老六！汝与两宫叔嫂耳，何必我辈陪哉！"奕䜣于是独往，两太后涕泣而道载垣等的侵侮，所以密谋杀计。奕䜣认为一定要还京，太后说："奈外国何？"奕䜣答道："外国无异议，如有难，唯奴才是问。"

两宫、恭王、肃顺，本来都是"一家人"，这时却各人心中有自己一本账，形成了微妙的三角关系。

当奕䜣回到京城前一天，御史董元醇已有一疏抵达热河行宫，这便是轰动一时的请两宫垂帘疏。因为清室一向无太后垂帘之制，所以疏中以"事贵从权，理宜守经"开始；所谓从权，便是"皇太后暂时权理朝政，左右不能干预，庶人心益知敬畏，而文武臣工俱不敢稍肆其蒙蔽之术"。董疏中又有"垂帘之仪"语，将应用"制"字而改用"仪"字，这是掩耳盗铃的手法。

董元醇此疏，虽为投机而奏，但上奏时间太早了，恭王还没有布置妥帖，只好"留中"，而载垣等人已极为愤慨，便拟一旨驳斥，并说："赞襄幼主，不能听命太后，请太后看摺，亦系多余之事。"杜翰甚至说："若听信人言，臣不能奉命！"其他各人，辞语也多激烈，声震殿陛，太后为之震怒手颤，幼主因惊怖啼泣，在太后衣上撒了一泡尿。

八月十四日，钦差大臣胜保从京畿抵达行宫，他是受奕䜣邀约而来。胜保这时任兵部侍郎，亲自督练京兵。对肃顺有示威之意，对两宫则是壮胆。

薛福成《庸庵笔记》有："两宫俟恭亲王行后，即下回銮京师之旨，三奸力阻之，谓：皇上一孺子耳，京师何等空虚，如必欲回銮，臣等不敢赞一辞（肃顺所以不让两宫回京，怕回京后不容易制伏慈禧）。两宫说：回京设有意外，不与汝等相干。"随即命令准备车驾，并派肃顺、奕譞等护送梓宫回京（这也是密定之计）。两宫及幼主在大行皇帝灵前行礼后，即启程回京。九月廿九日，到德胜门，慈安偕幼主同乘一轿，慈禧轿在后。

这时恭王授意大学士贾桢、周祖培（在户部时，屡受肃顺欺辱）等联名上疏，胜保之疏又同时抵京。两疏的焦点是：（一）控诉载垣等人的专擅，（二）请两宫垂帘听政。

两太后即密召恭王奕䜣面询一切。接着，又将在热河草就的谕旨宣布。旨中除含混地痛斥载垣等无人臣之礼外，只解除八大臣赞襄政务的职任。

到了十月初，诸大臣议会载垣等罪名，很久没有判决，后由刑部尚书赵光抗议，认为应照大逆不道律凌迟处死。上谕则改载垣、端华赐令自尽，肃顺则斩立决。

肃顺是在护送梓宫的途中留驻密云县时被捕的，并由密云押解宗人府。《庸庵笔记》说："肃顺瞋目叱端华、载垣曰：若早从吾言，何至有今日？二人曰：事已至此，复何言？载垣也咎端华说：吾之罪名，皆听汝言成之。故论者谓，三凶之罪，肃顺尤甚，端华次之，载垣又次之。"黄濬《花随人圣盦摭忆》说："以肃顺之才识论之，亦必早知西后之不相容，而有先下手之意，惜怡、郑雨王庸才，不能从，故同及于难。"后人也颇有为此案鸣不平的，《摭忆》又引王伯恭《蜷庐随笔》，极称肃顺的学术经济，不同时人的论调，因而称此案为冤案。王闿运《祺祥故事》：肃顺"临刑骂不绝，卒以拦阻垂帘，斩于市，而赐二王死，一时无识者谓之三凶，即诏旨亦不知垂帘之当斩也。"末两名意谓，将载垣、端华、肃顺谓之三凶，那是无识之人，应当斩的倒是主张垂帘的人。王文后段，对恭王的好财货，很有微词。闿运曾入肃顺之幕，待以国士，所以为肃顺鸣冤叫屈。《清史稿》评肃顺说："其赞画军事，所见实出在廷诸臣上，削平寇乱，于此肇基，功不可没也。自庚申议和后，恭亲王为中外所系望，肃顺等不图和衷共剂，而数阻返跸。文宗既崩，冀怙权位于一时，以此罹罪。赫赫爰书，其能逭乎？"爰书是指记录罪犯供词的文书。这意思是说，既然文书上赫然地记载了罪状，那还躲逃得了么？似乎含有皮里阳秋之意。

肃顺的骄横专断虽是事实，但当时如果由他们一派来当权以扶幼主，晚清的政局或许不至败坏到这个地步。虽然这话到现在来说，没多大意思了。

综观肃顺等人所以失败的原因，有这几点：（一）恭王奕䜣是当时亲贵中最负声望的人物，是幼主载淳叔父，而恭王因曾与洋人谈判和谈，颇有周旋，这时实际上已得洋人的认可和支持，所以他对太后的答词有"唯奴才是问"的话，即俗语所谓"保在我身上"。胜保奏疏中也有"且恐外国闻知，亦觉于理不顺，又将从而生心，

所关甚大"等等，这一点，很值得我们重视：过去的几次政变案，根本不考虑什么洋人、外国，这说明这时外国人的压力和影响，已深入到政变内部。（二）除外国人外，恭王又得到胜保等握兵权的武臣支持。（三）当时诸王大臣中，对西太后也有憎恶的，但她毕竟是嗣君的生母，既然要忠于嗣君，也不得不忠于其母。萧一山《清代通史》下册说："而两太后，八辅政，一亲王，又系鼎足三分之局。以势力论，则北京（指恭王）较优，以名份言，则行宫（指两太后所在的热河）为正，二者合而为一，则辅政之势孤矣。"这说得很中肯。慈禧能利用和联手恭王，这也是她棋高一着之处。（四）肃顺平日行事，也有不得人心地方，《庸庵笔记》记肃顺被押赴刑场时，"过骡马市大街，儿童欢呼曰：'肃顺亦有今日乎？'有的拾瓦砾泥土掷之。顷之，面目遂模糊不可辨云。"肃顺因为科场、钞票两案，无辜受害者特多，京中听到杀肃顺，个个交口称快。

　　这就是震惊中外、震惊历史的"辛酉政变"奇案，奇案的策划为慈禧一手所为。计除肃顺等人之后，慈禧太后将"女皇权"的把戏玩到了极点。

清案案
大奇冤

九　同治朝奇案冤案揭秘

这位做不了主的少年皇帝，却干出清王朝一大奇案——皇帝嫖妓。举国为之轰动的刺马案也发生在他这个朝代——一个小小的张义祥却让三位权倾晚清的钦差重臣『一身汗颜』，就连慈禧太后也伤透脑筋，一个并不复杂的刺杀朝廷官员案为何如此棘手呢？其内情黑幕让晚清的整个朝野震撼得颜色大变。

1. 总督的变童强奸案

同治元年的秋天，湖北武昌城外出了一件凶杀案，杀人凶手竟然是一名二品副将。这名副将带了几名亲兵，到武昌城外东游西晃。他看见有户人家的一位姑娘生得十分娇美，竟在光天化日之下闯入了这户人家，企图强奸姑娘。姑娘守身如玉，又哭又打，赖死不从，副将一怒之下，竟然用刀环将姑娘杀死，扬长而去。

案发后，被杀害的姑娘父母痛不欲生，一路哭着进城告状。可是告到江夏县，知县不敢受理，告到武昌府，知府又往县里推。弄得两位老人在大街上哭来哭去，有冤无处伸。

堂堂的知府、知县，平日上街，前呼后拥，敲锣喝道，坐在轿子里好不威风！升起堂来，打人、抓人、谁人不怕？为什么在这件强奸杀人的案子面前却噤若寒蝉，不敢管，不敢问？原来这个杀人凶手乃是个很有来头的人物。

问题并不仅仅在杀人凶手本身是个二品副将，而在于他有一个强硬的后台。这个后台老板就是现任湖广总督官文。

原来那个副将并不是什么沙场勇将，以军功升为二品副将的。他只不过是官总督的一名侍卫，只因他模样儿生得俊俏，被那位喜爱男色的官总督看中了，将他作了变童，当作女人玩弄。这位变童夜里当总督的男妾，白天又当总督的卫队长。偏偏这官总督宠爱他胜过美女，竟然以床第战功被保荐为二品副将。而这位变童也竟然以大将自居，扛着官总督的旗号到处横冲直撞，耀武扬威。官总督要管湖南、湖北两个省，上马管军，下马管民，而且又是满人，是当时全国仅有的三个满人总督之一，极受朝廷重视。他的变童兼卫队长，哪个敢碰？以此知府，知县一听说告的是他，都像乌龟似的将个头紧紧缩住不敢露面了。

告状的老夫妻二人正在街头痛哭之时，却听得一片锣声喝道声，自远而近。一个路人指点老人：

"这来的轿子里乃是藩台阎大人，是个清官，你去他面前告状，或许有用。"

老人听了指点，就走到当街，拦舆告状。

来的这位官，正是湖北省布政使阎敬铭，字丹初，为陕西朝邑人。这位阎大人生得其貌不扬，身材短小，两只眼睛一高一低，模样儿像个乡巴佬。早年间没有考中进士时，去参加大挑。大挑即是乾隆皇帝制定的录取制度，凡参加会试三科以上未被录取的举人中，挑选人才，一等当知县，二等当教职。但大挑着重形貌，以貌取人。阎敬铭刚刚跪下，主考的王爷就大声吆喝道："阎敬铭先出去！"阎敬铭十分愤恨，终于考取了进士，当上了户部主事、员外郎。胡林翼当湖北省巡抚，向皇帝点名请调阎敬铭去湖北总办粮台。胡林翼在奏疏中说："阎敬铭其貌不扬而心雄万夫。"阎敬铭到了湖北，不久就被任命为按察使、布政使。

阎敬铭接过状纸一看，气得七窍生烟，怒声说道：

"大胆奴才，一个娈童竟敢如此无法无天！你们先回去，我一定为你报仇伸冤。"

告状老人叩了几个响头，千恩万谢地走了。

阎敬铭的轿子本来是回藩台衙门的，接过状纸后，他不回府了，大声命令：

"打道总督衙署！"

阎敬铭的轿子到总督衙署前落轿，他怒气冲冲地闯进衙署，要见总督官文。谁知那个娈童副将早已将逼奸杀人的事告诉了官文，哀求官文保护。官总督见娈童又是痛哭，又是撒娇，便摸了摸他那粉嫩雪白的脸蛋说道："不要哭了，我料那江复县和武昌府也不敢审理这个案子，先拖他一阵子，到头来无非花几两银子算了。"那娈童副将这才起来陪着官文又说又笑。他们忽听得阎敬铭来了，官总督吃了一惊，他想：布政使来见，定然是为了那件案子，便吩咐文巡捕：

"就说本督有病，一概不会客。"

文巡捕出来对阎敬铭说了，阎敬铭道：

"我要见中堂大人，是有一件要紧的案子。如中堂大人害病怕风，不能出来，我就到卧室面禀好了。"

文巡捕一听，急忙说："中堂大人病体十分困乏，不想说话，请阎方伯大人，暂时回归府第，等中堂大人病愈再说好了。"

阎敬铭一听，知道是官文要庇护他的娈童，故意推三阻四不见，心中更加恼怒，便大声说道：

"中堂大人的病总有好的时候，我就在这里等他病好再见他。"

阎敬铭回头吩咐随从："你们回去把我的睡被送来，告诉门上，凡有人找我都叫他上总督衙署来好了，我这几天就在总督府办公，睡觉。"

总督称制军、制台，因为他兼掌军事，也称大帅。阎敬铭所以称官文"中堂大人，"是因为官文于去年已被任命为文渊阁大学士了。对于阎敬铭住在总督府等候接见，是出于官文意料之外的。阎敬铭真的在总督府住了三天三晚，把个官总督堵在房间里一步也无法外出，一个客也不能会，心中乱成了一团。他想：湖北巡抚严树森、武昌知府李宗寿都是阎敬铭的陕西老乡，何不请他们两人来劝劝阎敬铭。

严、李二人奉命来到总督衙署调停，对阎敬铭百般劝解，官总督却躲在屏风后面偷听。严巡抚和李知府两人劝了半天，阎敬铭一点也不买账，坚决表示："不斩杀人凶手，誓不回衙！"

官总督在屏风后听了半天，见阎敬铭这样坚决，无可奈何，只得亲自从屏风后走了出来，"咘嗵！"一声，竟朝着阎敬铭跪了下去。

谁知阎敬铭只朝官总督看了一眼，便双眼朝天，站在那里睬也不睬。

一位两湖总督，位列中堂，竟长跪在自己的下属面前，这是一个多么尴尬的局面！严抚台这时实在看不下去了，他板起脸孔对阎敬铭说道：

"丹初，你也太过分了！中堂大人已经亲自屈尊到这种程度了，你就一点也不能通融吗？"

面对着眼前这种局面，阎敬铭无法，只得走上前去扶起官总督，沉痛地说：

"中堂大人何苦为了一个奴才屈尊？杀人偿命，欠债还钱，自古如此，中堂大人何苦为一个奴才求情，难道就听不到被害百姓的啼哭吗？"

官总督自知无理，只是一味苦苦哀求："这个奴才跟随小弟多年，还望丹初兄网开一面，饶了他一条狗命。"

阎敬铭板着脸说道："看在中堂大人面上，饶了他的死罪；但定要将其革职，解归原籍，并立即启程。"

官总督听了，连声答应。这时才叫那位娈童副将出来，拜谢阎敬铭饶命之恩。阎敬铭一见娈童副将，想起告状老人，不禁勃然大怒，喝叫军士将副将拿下，脱去衣裤，重打四十大板，直打得那娈童副将粉嫩的白屁股上皮开肉绽，鲜血淋漓，哀声震耳。这一板板打在娈童屁股上，却痛在官总督的心头上；但他却坐在椅上假装镇静。

打完四十大板，阎敬铭立即命令派人将这个杀人凶手押解回原籍。这位藩台大人这时才来到官总督面前长揖谢罪。

阎敬铭不但刚正不阿，而且是清朝一位著名的理财能手。他后来当户部尚书，整顿财政，革除陋规，查核浮支冒领，对清末国家财政颇有建树。但后来因紧缩财政开支得罪了慈禧太后和满族权贵，生前是正一品的东阁大学士，死后却只给他个正二品的太子少保位。

2. 段知县判鸡奇案

清同治年间，浙江鄞县来了一位知县，他姓段名广清，是江苏人。到任以后，清正廉明，极受全县百姓爱戴。

一天，段知县坐了轿子下乡回来，到了十字街口，从轿子里远远望见人群象蚂蚁似的簇拥在街上一家米店的门口。众人一片喧哗声。段知县感到奇怪，吩咐落轿，命令快隶：

"到前边去查看一下到底出了什么事？"

快隶过去，一会儿，带来了两个人，一个是米店老板，一个是

乡下农民。人群也跟在后面前来观看县太爷断案。

段知县问："你们二人为什么事争论？"

农民禀道："小人因父亲生病，进城请医生，路过这家米店，一时走得慌忙，误将他门前一只小鸡踩死了。店老板要小人赔钱九百文，小人袋中只有请医的三百文，不够赔他，他便抓住小人不让走，所以在此争论，惊动了老爷，小人该死！"

段知县一惊："一只小鸡能值几个钱，怎么要赔九百文？"

农民禀道："小人也是这样说，但老板说他的鸡虽小，却是大鸡种，可以养到九斤重。按市价百文一斤，九斤就是九百文。他这样说，小人也没有办法，只好赔他。"

段知县问米店老板："你姓什么？"

店老板道："小人姓刁。"

"这乡下人说的话都是真的？"

刁老板道："是真的。"

段知县冷笑一声："到底你们做买卖开店的人，会算账！"

刁老板道："小人这只鸡确是大鸡种，可养到九斤，斤鸡一百文是市场大行市，小人并不敢多要他赔。"

段知县笑道："你索赔之数，也不算过分。"说罢转脸对农民说道：

"你乡下人进城，走路应小心些，急急忙忙地走，踩死了刁老板的鸡，理应照赔他。"

农民苦着脸道："小人不是不赔，无奈身上带的钱实在不够。"

段知县道："现钱不够，你身上还有衣服可以当几百文，剩下再不够，本县代你补上。"

旁边围观的人群，起初都替农民不服，但都怕刁老板难讲话，谁一插嘴，就会揪住你不放，所以只是心里骂他。等至见到段知县轿子过来，百姓都叫道："好了！好了！知县老爷一来，是非自有定论了。"谁知段知县来后，竟然要农民赔刁老板九百文，气得众百姓都低声咒骂：

"真是个昏官！一只小鸡要照九斤重赔九百文，世界上哪有这个道理？"

段知县在轿里听得清清楚楚，也不作声。

封建社会里官威很重，百姓不敢不遵官的命令。农民听了知县的命令后，只得脱下身上衣服送进当店，当了三百文，加上袋里现钱三百文，便是六百文。

"本县助你三百文。"段知县摸出三百文来交与农民。

农民凑齐了九百文，当街交与刁老板。

段知县笑着对刁老板说道："你真会算账，一只小鸡竟换来了九百钱，这样好手段，不愁不富呀！"

刁老板连连叩头称谢："多蒙老爷栽培！"

赔过了钱，两人都各分开，围观百姓也以为事情就此结束了。谁知段知县忽然喊道：

"回来！"

农民和刁老板只得又返回到知县老爷的轿前跪下。围观百姓也重新聚拢来。

段知县笑道：

"本县刚才所判还只有一半，还有一半未判你们怎么就走了？"

农民惊愕道："老爷！小人九百文鸡钱不是已经付过给刁老板了？"

刁老板也道："鸡钱已经付过了，九百文一文不差，小人没有别的话了。"

段知县笑道：

"不！不！本县还有话没说完呢。你刁老板的鸡虽说可以养到九斤重，但现在还没到一斤呢。俗话说得好：'斗米斤鸡'，就是说，鸡长一斤要饲米一斗。眼下你的鸡被乡下人踩死了，不用再饲，岂不省了你九斗米吗？他踩死你的鸡，赔了你九斤鸡钱；而代你省下的九斗米你却应算给他，这样才算公平。"

段知县说到这里，高声询问众人："你们说对不对？"

围观百姓听到这里，都高兴地齐声答道："老爷断得公平。"

米店老板无法，只得当众立即量了九斗米交给农民。农民荷着一袋米高高兴兴回家了。街上围观百姓一阵喧笑声，米店老板红着脸一头扎进后堂，不敢露面。

在众人高兴的喧笑声中，这个段知县的轿子穿过人群，向衙门抬去。

3. 恭亲王弹劾案

咸丰十一年（即公元1861年），慈禧太后与恭亲王奕䜣发动了辛酉宫廷政变案。政变后慈禧登上了垂帘听政的宝座，恭亲王奕䜣获封议政王，出任军机揆首，兼管总理各国事务衙门，以及宗人府宗令，总管内务府大臣，领神机营，稽查弘德殿一切事务等要职，集军、政、外交、皇室事务大权于一身。

慈禧与奕䜣的联合，基于权力斗争的共同利害。两人皆有极强烈的权力欲，慈禧意在独揽大权，奕䜣则想挟天子以令诸侯，所以政变成功，即呈两雄并立之势。

然而，历史往往是反覆迂回的，辛酉政变案时的慈禧与奕䜣曾以迅雷不及掩耳的突然袭击取胜，肃顺犹如被一个晴天霹雳打翻在地；曾几何时，又一个晴天霹雳却在奕䜣的头上炸响了。这便是同治四年蔡寿祺弹劾恭亲王一案。不过奕䜣毕竟不同于肃顺，一者他在朝野树老根深，羽翼遍布，旦夕间不可动摇；二则由缔结和约的机缘，深得洋人的后盾，自然是乌纱帽上安装了避雷针。所以这一场权力斗争虽然突击而始，却不得一发能定局，反呈波澜起伏之状，几起几落，持续近二十年之久。同治四年的第一回合，仅仅是一出连台大戏的开场白。

蔡寿祺，原名蔡殿齐，江西德化人，道光二十年庚子二甲进士，入值翰林院任编修，并曾于胜保营中稽核军务。咸丰七年丁父忧，当时太平军驻九江，未能返里，于是在次年取道秦晋入川，以求辗转归乡。同治元年从故里还京，复翰林院编修职。四年二月初七署日讲官，二月十四日即上疏八条，痛陈时弊，摺留中未发；于是又于三月四日再次上疏，直指当朝第一号权贵恭亲王奕䜣，弹劾奕䜣贪墨、骄盈、揽权、徇私四大罪状。疏中言：

"近来竟有贪庸误事因挟重赀而内膺重任者，有聚敛殃民因善夤缘而外任封疆者，至各省监司出缺，往往用军营骤进之人，而凤昔谙练军务通达吏治之员，反皆弃置不用，臣民疑虑，则以为议政王之贪墨。

自金陵克复后，票拟谕旨多有大功告成字样，现在各省逆氛尚炽，军务何尝告竣？而以一省之肃清，附近疆臣咸膺懋赏，户兵诸部胥被褒荣，居功不疑，群相粉饰，臣民猜疑，则以为议政王之骄盈。

……近日台谏偶有参劾，票拟谕旨多令其明白回奏，似足以杜塞言路……怵近年部院各馆差使，保举每多过分，而利害而缄口，臣僚疑惧，则以为议政王之揽权。

总理通商衙门保奏更忧，并有各衙不得援以为例之语，臣僚疑惑，则以为议政王之徇私。"

陈述过四大罪状之后，蔡寿祺干脆要奕䜣辞官引退，他说：

"臣愚以为议政王若于此时引为己过，归政朝廷，退居藩邸，请别择懿亲议政，多任老成，参赞密勿，方可保全名位，永荷天庥。"

这个胆大包天的蔡寿祺，颇有几分割下头颅为赌注的政治流氓的气味，这四大罪状竟全由"疑虑"、"猜疑"、"疑惧"、"疑惑"而定。原来他看准了当时的政治气候，切中慈禧太后的心思。所以奏折一上，两宫震怒，诸臣惶恐，奕䜣愤而不知所措。紫禁城内的一场好戏就此开锣唱戏。

此案一开始就极富戏剧性。惟《实录》、《起居注》等官方记载全讳而不志，而李慈铭《越缦堂日记》、王闿运《祺祥故事》全有极生动的描述。李、王皆当时权贵的座上客，消息大有来路，非一般野史的捕风捉影。

《越缦堂日记》极其绘声绘色地记述道：

"传是日王进见，太后谓王曰：'有人劾汝！'示以折，王不谢，固问何人？慈禧言：'蔡寿祺。'王失声曰：'蔡寿祺非好人！'欲逮问之。两宫怒甚，即召见大学士周祖培、瑞常，吏部尚书朱凤标，户部侍郎吴廷栋，刑部侍郎王发桂，内阁学士桑春荣、殷兆镛等，垂泪谕诸臣曰：'王植党擅政，渐不能堪，欲重治王罪！'诸臣莫敢对，太后复屡谕：'诸臣当念先帝，无畏王，王罪不可逭，宜速议！'周祖培顿首曰：'此惟两宫乾断，非臣等所敢知！'太后曰：

'若然，何用汝曹为？他日皇帝长成，汝等独无咎乎！'祖培因又曰：'此事须有实据，容臣等退后详察以闻，并请大学士倭仁共治之！'太后始命退，诸臣均流汗沾衣；而外间亦藉藉，皆言有异常处分矣。"

以上为三月初五日事。初六日，倭仁、周祖培等于内阁召讯蔡寿祺，蔡供四大罪状皆为风闻，惟所言"挟重赀而内膺重任"，"善夤缘而外任封疆"者，是指总理各国事务大臣薛焕、陕西巡抚刘蓉二人。所以倭仁等于初七日缮摺复奏，首言蔡摺之无实据，继又言及恭王："如果平日律己谨敬，何至屡招物议？阅原摺内贪墨、骄盈、揽权、徇私各款，虽不能指出实据，恐未必尽出无因。"最后又说："臣等伏思黜陟大权之自上，应如何将恭亲王裁减事权，以保全懿亲之处，恭候宸断。"慈禧于是将已草成的硃谕一纸交下，谕为慈禧亲笔，借幼帝名义罢黜奕䜣，命润色后"下内阁速行之，不必由军机"。如此违制而行，乃因军机全为奕䜣的党羽，绕道而发以求其神速，以免生不测。

此一硃谕现存于中国第一历史档案馆，原件错别字连篇，现一一订正抄录原文如下：

"谕在廷王大臣同看：

朕奉两宫皇太后懿旨，本月初五日，据蔡寿祺奏，恭亲王办事徇情、贪墨、骄盈、揽权，多招物议，种种情形等弊。似此重情，何以能办公事，查办虽无实据，事出有因，究属暧昧之事，难以悬揣！

恭亲王从议政以来，妄自尊大，诸多狂傲，倚仗爵高权重，目无君上，看朕冲龄，诸多挟致，往往暗使离间，不可细问；每日召见，趾高气扬，言语之间许多取巧，满口中胡言乱道。似此情形，以后何以能办国事！若不及早宣示，朕归政之时何以能用人行政？似此种种重大情形，姑免深究，方知朕宽大之恩！

恭亲王著毋庸在军机处议政，革去一切差使，不准干预公事，方是朕保全之至意。特谕。"

此谕经润饰后，又增如下语句："至军机处政务殷繁，着责成该大臣等共矢公忠，尽心筹办。其总理通商事务衙门各事宜，责令文祥等和衷共济，妥协办理。以后召见引见等项，著派惇亲王、醇郡王、钟郡王、孚郡王等四人轮流带领。"这是为革去奕䜣一切差使预做善后安排，两宫意绝了！

谕旨颁发后，不仅未致事件终结，反而一波三折越发不止。初八日惇亲王奕誴进摺为恭王申辩，摺中说：

"今恭亲王自议政以来，办理事务，未闻有昭著劣迹，惟召对时语言词气之间诸多不检，究非臣民所共见共闻；而被参各款，查办又无实据，若遽行罢斥，窃恐传闻中外议论纷然，于用人行政，似有关系，殊非浅鲜。臣愚昧之见请皇太后、皇上恩施格外，饬下王公大臣集议请旨施行。"

惇王为咸丰近枝亲王中最年长者，所言又直指谕旨。所以两宫于是召见孚郡王并军机大臣文祥等三人，令传谕诸王公大臣并内阁詹翰等，以惇王摺、蔡寿祺摺一并交发会议，并令文祥传所述旨。

初九日，诸王及近臣群集内阁会议，先是大学士倭仁传所受旨道："王狂肆已甚，必不可复用。"文祥也传旨道："朝廷用舍，一大秉公，从谏如流固所不吝，君等固谓国家非王不治，但与外廷共议之，合疏请复任，我听许焉可也。"两人述旨大相径庭，众论纷纭，意见不一不能成议，所以定十四日再议。

十四日，诸王大臣再次会议，适十三日又有醇郡王奕譞上摺为恭王请命，摺中有言："被参各款本无实据，若因此遽尔罢斥，不免骇人听闻。"而通政使王拯、御史孙翼谋也各具摺，均请"酌赏录用，以观后效"。这样三摺也一发交议，于是又有肃亲王华丰、内阁学士殷兆镛、左副都御史藩祖荫、给事中谭钟麟、广成、御史洗斌、学士王维珍等纷纷上疏，众议全倾向恭王。因为事态急转直下，两宫不得不偃旗收兵。

十六日颁明发上谕，谕中道："日前将恭王过失严旨宣示，原翼其经此次惩儆之后，自必痛自敛抑，不至再蹈愆尤；此正小惩大诫曲为保全之意，如果稍有猜嫌，则惇亲王等摺均可留中，又何必交廷臣会议耶？兹览王公大学士等所奏，佥以恭亲王咎虽自取，尚可录用，与朝廷之意正相吻合。

现既明白宣示，恭亲王著加恩仍在内廷行走，并仍管理各国事

务、衙门事务。此后惟当益矢慎勤，力图报称，用副训诲成全之至意。至在廷臣工，均为国家倚任，惟当同矢忠赤，共济时艰，毋得因此稍存疑虑，畏难苟安，致蹈因循积习。"

于是恭亲王再被录用，然而撤去议政王衔，又开除军机，但事态并未就此了结。十八日醇王又上疏，明刺倭仁扣发谕旨，没将七日的硃谕当众宣示，实则指慈禧将谕旨直下内阁绕过军机有违祖制。而从奕䜣开除军机，一应政务均呈脱节之势。原来军机处全属奕䜣的亲信班底，文祥、宝鋆更属奕䜣死党，他们有意重演肃顺等人辛酉年八月的搁车故伎。奕䜣于两宫召见时又假惺惺地洒下了一把辛酸泪。这样软硬兼施，两宫于是于四月十四日懿旨复奕䜣军机揆首之职，谕中道：

"本日恭亲王因谢恩召见，伏地痛哭，无以自容……今恭亲王既能领悟此意，改过自新，朝廷于内外臣工用舍进退本皆廓然大公，毫无成见，况恭王为亲信重臣，才堪佐理朝廷，相待岂肯初终易辙，转令其自耽安逸耶！

恭亲王著仍在军机大臣上行走，毋庸复议政名目，以示裁抑！"

该旨下达后，紫禁城内持续了三十九天的一场宫廷政治案才告平息。十分有趣的是，这一场戏以慈禧"垂泪"而始，奕䜣"伏地痛哭"而告终。

就奕䜣来说，是极尽全力应付了一场突然袭击，而慈禧的行事也现草率荒唐。她低估了奕䜣的实力及其影响，惇王、醇王、肃王等诸亲藩皆以恭王有匡服务社稷之功，怕兔死狗烹，于是全力为之请命。诸臣中各抒所见，实则意见两途，一以倭仁为代表，虽一味迎合两宫的初意，但倭仁代表了顽固守旧派，视奕䜣重用汉官、交通外夷，视为不端，此番正欲借两宫以抑奕䜣之势，惟和者寥寥，不能成事。至于其他诸臣，多为奕䜣的羽翼，此时惟拥诸王以唱和。这样，两宫的初意未能如愿，终不得不圆转退让而收场。

其实，两宫于八日召见文祥时，初意就已动摇。惜诸史籍皆未志召对之详情，无从确言个中的奥妙。李慈铭《越缦堂日记》做了一番猜测，他说："窃揣两宫之意，衔隙相王已非一日，退不复用，中旨决然，徒以枢臣比留，亲藩疏请，骤易执政，既恐危中外之心……且王夙主和约，颇得夷情，万一戎狄生心，乘端要劫，朝无可倚，事实难图，故屡集诸臣审求廷辩。"此说不无几分道理，再对照王闿运《祺祥故事》中所说的："朝论大惊疑，而外国使臣亦询军机事所由，用是得解。"可知文祥于面见慈禧时得以扭转事态的原因，就在于他打出了一张极有力的外国牌——借列强的淫威，协迫两宫退让。

恭王之所以于这一突然袭击中未致一败涂地，其原因之一也在得于列强的后盾，诸王大臣上疏为恭王请命者固然多，然最有力的二摺，当推御史洗斌、学士王维珍围绕夷务而说的，摺中说：

"十年秋间夷务不靖，人情汹汹，官民惊徙，凡平日奔竞专擅及优游养望之人，尽皆束手无策，而恭亲王维持大局，独能竭尽心力，不避艰险，日与文祥等委婉筹划，刻无停晷，卒使夷情帖服，渐次就抚，大局易危为安，至今赖之。"

"现在各省军务尚未尽平，如军机处、总理各国事务衙门事繁任钜，该王素为中外所仰重，又为夷人所信服，万一夷人以此为请，从之则长其骄肆之心，不从或别启猜疑之渐，此虽系意料必无之事，总不在圣明洞鉴之中。"

总而言之，庚申以后的清朝统治者，惟知一味屈服迁就外国列强，当慈禧头脑稍事清醒，她便懂得了，如果还未找到一个在办理夷务上更遂洋大人心意的人，而又贸然把奕䜣赶下台，那是不可能的。

经过这第一回合的较量，慈禧以小胜而收兵，奕䜣虽失去了议政王的头衔，然军机、夷务等实权仍然在握。不过经历了此番交手，奕䜣在言行着实有所收敛，他谨慎地维持力量平衡，以保全自我。就慈禧来说，虽未尽合初衷，然已为树立其寡头尊荣的专权地位显示了力量，奠定了基础。到以后尚有波澜起伏的第二回合、第三回合的斗争，以至十余年后终将奕䜣打翻在地，这是后话了。

回过头来再说挑起这场斗争的那个跳梁小丑蔡寿祺，因为慈禧与奕䜣达成了休战协议，他便被视为一根不能兑现的无用筹码抛出了赌场，由于疏劾奕䜣，及疏中言及总理各国事务大臣薛焕、陕西巡抚刘蓉行贿无实据，经吏部议处，给予降二级调用，落得个偷鸡

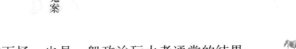

不成反蚀一把米。这样的下场，也是一般政治玩火者通常的结果。

4. 臬司盗金库奇案

清同治年间，有一年夏天，当时安徽省省会安庆城突然发生了好多起盗窃案。

安庆城南临长江，交通方便，为皖西南一带土特产的集散地，商业繁荣，有不少巨商富户。平常这里也少不了出盗窃案子，但却没有这次出的频繁；平常也不少人家被偷贼偷掉几十上百两银子和衣物首饰，却没有这次案子大，一偷就是几百上千两纹银；平常偷贼盗窃都是撬门、钻洞、爬墙、预伏等伎俩，总会留下些痕迹，这次发生的许多起盗窃案中却都是门户丝毫不动，墙根既没被钻洞、墙头也无人爬过，而黄金、白银、珍宝、首饰却已不翼而飞。被盗窃的人家到怀宁县、安庆府报案，府县派出捕役侦查，可是查来查去，查不到偷贼的一丝儿痕迹。

这边怀宁县捕役在四处侦查，可那边盗窃案仍然在不断发生，而且几乎天天晚上都有一户人家被偷，弄得个安庆城里满城风雨，疑神疑鬼。民间传说就更玄乎了，有的说是狐仙显灵；有的说太平军和官兵在安庆城打过好几次大仗，人死得太多，这些孤魂野鬼又无人超度，在阴间无钱用，作案就到阳间来。你若说不是狐仙，不是神鬼，却怎能墙不破、壁不穿、门不开、锁不坏，钱就不翼而飞了？

官府当然不相信什么狐仙神鬼，来了一起报案的，县官就将捕役传去交代一次，三日一追，五日一逼，捕役们一个个都被打得腿青屁股肿，可这神奇的偷贼依旧无影无踪。

这天，捕役们正在公事房中商议如何破案，忽有一名衙役急急忙忙地走来说道：

"县尊升堂了，传你们马上上堂。"

众捕役一听，都头皮发麻。但既然干了这门差事，吃了这口饭，挨打也得去。

众捕役战战兢兢地走上公堂，只见头号板子、夹棍等审问江洋大盗用的刑具摆满一地。朝上一看，只见堂上当中坐的却是知府大人，县官却坐在旁边相陪。案前红布盖着堆东西。

众捕役心想：知府大人怎么坐到县大堂上来了？却听得县官在堂上将惊堂木一拍：

"你们都到齐了吗？"

"到齐了。"捕班班头回答道。

"叫你们捉拿那偷贼可曾拿到？"县官板着脸又问。

捕班班头禀道："小人们日日夜夜城里城外细细访查，却总是查不到一丝儿痕迹。"

只听得"啪！"地一声，县官手中的惊堂木重重地拍在公案上：

"你们平常破案，从来没有这样长期不破的，如今这个偷贼，天天做案，从未歇过手，你们就查不到一丝痕迹，谁肯相信？一定是你们与偷贼勾通一气，偷贼偷来的东西你们坐地分赃，所以才这样不肯上紧去捉拿。"

班头禀道："老爷在上，小人们确实日日夜夜都不敢安眠；但这个贼手段太高明，失窃人家门户紧闭，东西就丢了，贼连头发都没落下一根。小人们都是爷娘所生，血肉之躯，难道就不怕挨打？"

县官手中的惊堂木又是重重地"啪！"地一声击在案上，喝斥道："本县不听你这些狡辩！你们可知道，这个贼现在变本加厉，已经偷到藩库里去了！"

县官这句话，吓得众捕役头脑"嗡嗡"地炸响。藩库就是省金库，省布政使分管财政、人事，省金库归布政使管，布政使称藩台，所以省金库也称藩库。藩库里装的都是国家经费款项，商店富户被偷还不打紧，这藩库被偷如果不破案那还得了？难怪知府大人也亲自来了。

这时知府插话道："昨天晚上，藩库的银子被贼偷走了一千两，库门窗都还好好的，门外还有巡丁值夜的也未发觉。藩台大人禀告了抚台大人，抚台大人传话下来，限三天破案。到时破不了案，本府和你们怀宁县老爷都要被革职充军。"

知府说到这里顿住，知县立时接口道："本县在革职前先好好整治整治你们，如果到期破不了案，本县不当堂夹死你们两个，也出不了这口气。本县到安徽来也当了几处知县，还从来没见过像怀宁县捕班这样不中用的。"

知县说到这里，指了指地上的刑具。众人朝地上的头号板子和夹棍等刑具瞧了一眼，都倒抽一口冷气。

知府这时却微微笑道："古话说：'重赏之下，必有勇夫'，你们中有谁抓住了这个大盗，本府就奖他一千两银子，藩台和抚台还另有奖赏。"

知县插话道："本县也奖赏一千，只要你们能破案。你们看！"

众人朝知县手指的方向看去，只见堂上案前的那块红布揭开了，这时现出了一堆银光灿灿的大元宝，每个约莫五十两，一共是二十只。

知县威严地冷笑一声："堂上是元宝，堂下是板子、夹棍，两边任凭你们选择。散堂吧！"

众捕役下得公堂，都聚拢到班头家里前来商议。班头道："这个该死的贼，偷到现在还不肯歇手！前几天还只是害我们弟兄挨顿打，这下子偷到了藩库，如果不破案，我们弟兄都没命了。瞧县老爷刚才那副神气，做官的逼到他要丢官时，他什么事都能干得出来的，他说要打死我们几个再去充军不是假的。"

众人道："这该怎么办？"

班头道："桐城县有个姓张的老捕快，现已辞职回家，他一生中破过无数的无头命案，盗窃奇案。如今只有请得他来，或者能够破案。"

众人听了忙说："既有这样的人，赶忙去请。"

班头连夜骑马赶到桐城，张捕快辞谢道："老朽年衰体弱，你们各位都无法抓获的盗贼，老朽还能抓获吗？"直到班头跪在他的面前请求，老捕快才算答应了。

次日清晨，张捕快跟着班头一道骑马赶到安庆城。一脚踏进门，只见厅上人都挤满了，全是捕班的捕役。捕役们一见班头和老捕快都来了，众人又惊又喜。

"可把你们盼来了，昨天晚上藩库又被盗了，又盗走了银子一千两。"

"哎!?"班头一听,惊得茶杯盖也掉在地上,打成了碎片。瞧那张老捕快时,脸上却露出了笑容。

"藩台大人又叫人来传话了,说三日内如果破不了案,先把捕班班头送进监狱。"捕役们又禀道。

"老爷子!我全家的身家性命就全仗您了。"班头脸色惨白地说。

老捕快微笑着说道:"我肚子饿了,请你弄点酒菜来,边吃边谈好吗?"

班头听了,连忙把众捕役打发出去侦查去了,厨房里送上酒菜来。老捕快与班头边吃边闲谈,直谈到夜幕降临,老捕快这才说道:"天已经黑了,我出去转转,你千万在家等我。"

班头问道:"你一个人去?"

老捕快点点头,笑道:"人多了容易打草惊蛇。"

老捕快换上了黑色的夜行衣,靠腰藏袖箭和飞蝗石,说声:"再会!"双脚一蹬,立马上了天井边的屋顶,转瞬间已无踪无影。班头心中不禁轻轻地赞叹:"好轻功!"

老捕快出了班头的家,鹤行鹭伏,来到藩库附近的房顶上埋伏在墙头边,双眼眨也不眨地盯着藩库屋顶。一直等到三更时分,果然有一道黑影在屋顶上飞檐走壁往藩库而来。到了藩库屋顶,从天井跳进藩库去了。老捕快心想:这贼的轻功不浅,武术定然也不低,我必须先下手为强。

老捕快轻轻往前移了移位,伏到藩库天井附近,一手攒着支袖箭,一手握着颗飞蝗石,悄悄地等待着。不一会儿,只见那贼从天井又蹿上了屋顶,肩上扛着个袋子,腋下夹着个包裹。老捕快更不迟疑,"飕!"地一声,一支袖箭朝那偷贼的面门飞去,那偷贼果然厉害,他听得风声,头一偏,那袖箭从他耳边飞了过去。然而就在他头一偏时,老捕快手中的一颗飞蝗石早朝他飞来,偷贼躲闪不及,"啪!"地一声,飞蝗石不偏不倚,正击中了偷贼的额头。偷贼不敢迟疑,忍着伤痛沿旧路飞檐走壁而去。

老捕快蹿到偷贼被打伤的地方一看,只见瓦上滴有鲜血,知道偷贼伤得不轻,不禁满心欢喜,便紧紧地追赶下去。那偷贼发觉后

边有人追赶，在前面没命地奔逃。老捕快心里暗暗赞叹：这偷贼武功不凡，肩上扛着银子，腋下夹着银子，头上受了伤，穿房越脊依然象猫似的。

老捕快只孤单一人，怕遭暗算，不敢过于贴近偷贼，只是紧跟在偷贼后面不放。两人一个逃，一个追，追到一处房屋天井边，偷贼向下一跃，跳了下去。老捕快赶到天井边，也想往下跳时，低头一看，大吃一惊，他认出这房子正是安徽省臬台的衙署。臬台就是按察使，掌管全省的司法与交通，与藩台同为抚台的左右手，位列正三品。老捕快不敢冒失，只得伏在屋上等待偷贼出来；一直等到天亮，也不见人出来，老捕快快快地返回班头家里。

班头也一夜未眠，到了天亮见老捕快回来，赶忙迎上去问道："老爷子辛苦了，夜里如何？"老捕快将夜里情况一说，吩咐班头："我和你马上去回禀知县。"

班头与老捕快赶进县衙，参见知县，讲述了夜里情况。知县道："臬台衙门里藏着贼？你可看清了。"

"小人看得千真万确。"老捕快回答。

知县道："既然这样，臬台衙门掌管全省司法，我如何能随便进去抓人？这事只有禀告藩台大人作主。"

知县立刻打轿来到藩台衙门，藩台一听笑道："这事好办。臬台大人自己是掌管刑法的，盗窃案件正要他办。你可带了人去将前后门堵住，请臬台人人合衙一查，查出头额受伤的人不就是了。"

知县受命，立刻带了捕役来到臬台衙门，将手版交与号房，请求拜见臬台大人。一会儿，号房将手版出来告诉知县："臬台大人头风病发作，一律不会客，挡驾。"知县无奈，只得再来找藩台。藩台恼怒地说：

"岂有此理！岂有此理！这样紧要的公事，他臬台大人竟然挡驾。我亲自去。"

知县在藩台衙门等了好一会儿，才见藩台大人怒气冲冲地回来了。一进门就传老捕快问话，问了几句后，板着脸对知县等人说道："你们一齐跟我上抚台衙门去找中丞大人，看他臬台大人再敢不见客！"

藩台大人坐着绿呢大轿，知县老爷坐着蓝呢大轿，老捕快、班头跟在后边，一齐上抚台衙门来。

藩台将老捕快昨晚打伤了贼以及臬台大人今天拒不会客的事一五一十说了一遍，巡抚大人勃然大怒：

"他臬司掌管刑法，省城里出了这么多大案，他竟敢不闻不问。旗牌官！"

旗牌官赶忙上前："卑职在。"

"你马上去臬台衙门，叫臬台大人立即来抚院衙门议事，有病也得来。你对他说，他如果再不来，本院就要亲自到他臬司衙门去办案了。"

旗牌官是专门掌管王命旗牌的。王命旗牌是一个大圆牌和一面蓝色旗帜，上面写有"令"字，是朝廷发给总督、巡抚、将军等一省大员的，它代表圣旨。所以旗牌官传人就代表圣旨下，臬台大人病再重，也不敢不来了。

臬台大人见了旗牌官，无法可施，只好坐轿来到抚台衙门。一进花厅，只见花厅上黑压压挤满了人，有安、庐、滁、和道道台，安庆知府，怀宁知县，主管地方治安的保甲局总办、会办、委员，掌管抚台大人直属部队的抚标中军参将。众官见臬台大人来了，都起立迎接。

臬台大人大摇大摆地走到上边抚台旁边一张空椅上坐下。抚台见臬台大人头上扎了一条黑帕，问道：

"老兄有何贵恙？"

臬台大人说道："说来也是老毛病了。早年得了个头风病，发作起来，头就像要炸裂似的，疼痛难忍。这两天又厉害了。不知中丞大人有何事这样紧急？"说罢，用手捂住额头，做出一副痛得难忍的样子。

抚台道："昨夜捕快在藩库看见偷贼做案，一追之后，那偷贼却跑到臬司衙门里去了，所以要请老兄来商议。"

臬台大人听了一怔，笑道："大帅放心，司里回衙立刻就查，若那偷贼真在司里衙内，他是决跑不掉的。"

抚台道："这事全仗老兄费心，省城近来出了几十起大案都未

破案，老兄掌管刑律，更是责任攸关。老兄如果抓住了这贼，大家都好交代了。"

臬台大人立刻站起来辞别道："大帅放心，司里这就回去查办。"说罢，就往花厅大门走去。

这时却有人走上前去拦住了臬台大人，口中说道："大人慢走！大人慢走！"众官吃了一惊，急忙顺声看去，那人正是张老捕快。

臬台大人惊问："什么事？"

老捕快上前向臬台大人请了个安，说道："大人的头风病，小人可以医治。"

臬台问道："你学过医？"

老捕快笑道："小人不但学过医，还家传有治头风病的秘方，只求大人解开帕子让小人看一看，小人对症下药，包治包好。"

臬台一听，脸色大变，支支吾吾地说："这……这帕子不能解，一解痛得好厉害。这样吧，我先回去办案要紧，这药方明日再说。"说罢，就要夺路走出花厅。

老捕快哪里肯放，紧紧拦住臬台去路，说道："就求求大人开恩别走吧，可怜捕班众弟兄为了大人板子也挨够了，大人这一走，有的就要被打死了。"老捕快又指了指知府、知县等众官员道："大人就是不开恩可怜小人们，也要可怜知府、知县大人，大人这一走，他们都要被革职充军了呀！"

花厅上众官听了老捕快这些话，一个个你看我，我看你，惊疑不定。臬台大人脸色惨白地说："我不懂你这些鬼话，我且去办了案再来同你算账。"说罢又要夺路逃走。

老捕快这时一手扯住臬台大人的袍袖不放，回身向抚台禀道："大帅！小人该死，昨夜用飞蝗石打伤的，正是臬台大人。"

臬台急坏了，结结巴巴地说："你，你你你，你胡说什么！"抬起右腿，一脚朝老捕快踢来。

老捕快挨了一腿，不便还手，却只是紧紧拉住臬台不放。

众官一听，都惊呆了，知县忙喝斥老捕快："你好大胆子，竟敢当面诬蔑臬宪大人！"知府、道台、保甲局总办也都目瞪口呆，不好吭声。只有藩台大人心想：这老捕快既是破过多少奇案，他必不乱说，昨夜老捕快打伤飞贼，今朝臬台就黑帕包头，又推三阻死，不肯会客……藩库失银，责任是我的，何不顺水推舟，即使错了，往老捕快头上一推就算了。

藩台想到这里，便带着笑上前对臬台大人说道："阁下就当着大庭广众之中将帕子解开让这帮奴才看看，省得他们疑神疑鬼；看过后，就当众问他个诬告大员的重罪。"

藩台这一说，臬台大人呆得像根木头站在那里，也不说话。藩台不好派人动手，也只呆呆地等着。这时抚台却说话了。

抚台大人是从知县一步步升上来的，他虽是官场老手，但如果说三品臬台大人是个偷贼，他也不敢相信，然而看见老捕快拉住臬台不放，臬台又神色仓惶，也不由得不怀疑，就吩咐家人："上去代臬宪大人升冠（升冠就是脱帽子）。"

家人奉命上前，臬台大人却双手护住帽子不让脱，僵持在那里。众官都像一群蜜蜂，"嗡嗡嗡"地喧闹，花厅里乱成了一锅粥。

老捕快见抚台已经下令，就乘臬台大人不防备，用力一掀，将臬台大人头上的蓝宝石顶戴官帽掀翻在地，顺手将黑帕一扯，额头上那块伤痕立刻暴露在睽睽众目之下。老捕快双腿朝抚台面前一跪："大帅！盗藩库银子的贼就是他，请大帅及各位大人作主。"

这一下子，把花厅上众官员弄得又惊又喜。知府、知县惊得呆了，不知如何是好；藩台可高兴啦，连忙请示抚台：

"大帅！既已这样，请大帅示下。"

巡抚大人没料到自己手下的三品臬台，专管刑法的大人竟是个贼，又惊又气又怒，大声传令：

"中军官！"

中军参将走上前来答应："卑职在。"

"你派人将他严加看管，本院马上拜折参办。"抚台吩咐。

老捕快又叩头禀道："臬宪大人飞檐走壁的功夫十分厉害，请参将大人千万小心。"

臬台大人这时把脚一跺："别说了，干脆把我送到牢里去算了。"

经过审问，才弄清了这臬台大人的来历。他本是个江湖大盗，

偷盗到不少银子，本可快活过日子，但他却忽然异想天开，发了官瘾，花几万两银子捐了个知县。当时正是官军同太平军打仗的时候，朝廷正要钱用，他便连保带捐，几年功夫，竟升到了三品臬台。谁知他贼心不死，当了三品大员，还要重操偷盗的旧业，越偷胆子越大，竟然偷进了藩库。他两个儿子这时也已捐了道台，这里的贼臬台老子一倒，那边两个贼儿子道台大人也就垮了台。

5. 同治皇帝嫖妓奇案

清朝同治年间，每当腊尾岁末，京师各衙门都要封印，停止办公。一些清闲无事的官员，有的在家中拥妻抱妾围炉享福；有的则呼朋邀友饮宴欢乐。一些戏迷们则到戏院看戏，戏散之后，又到馆子里小饮几杯。酒酣耳热之际，清唱几段，直到兴尽，才开始回家。正因为有此习俗，一些有名的饭馆，如广和居、福兴居、正阳楼、宣德楼、龙源楼等都备有胡琴、鼓板等乐器供顾客使用或欣赏。因此，每当夜幕降临、华灯初上之际，这些饭馆里不时有皮黄、慢板，配以幽雅的琴声传出，让行人侧耳驻足。

这天，翰林院侍读王庆棋同编修张英麟两人相约去戏院看著名老生程长庚和徐小香合演的《镇澶州》。散场之后，王庆棋对张英麟说："时间还早，反正回去也无事，何不去酒楼小饮几杯？"

这王庆棋是顺天府人，有一张俊俏的脸，酷爱京戏，而且擅长拍马之术，只因官运不济，自从咸丰三十年考中进士，授为翰林后，一直没有外放。张英麟是他的同年（即现今的同学），同在翰林院供职，又都热爱京戏，因此两人情意相投，经常在一起。这时听王庆棋提出要去小酌，便欣然同意。

戏院附近有家酒楼，名叫宣德楼，是一座有名的饭馆，因为离戏院不远，每天散戏以后，顾客都很多，生意也极为红火。王庆棋和张英麟两人便进了宣德楼。

王庆棋和张英麟是翰林老爷，又都是常客，刚一上楼，跑堂的便笑着迎上前来接待："二位老爷，请坐。"两人要了一个雅座，四个菜，边吃边喝，边谈论今天的戏，回味着其中不少令人倾服的唱腔。

"庆棋兄，来一段吧。"张英麟一时兴起，怂恿着说。

王庆棋看了看四周，酒客还不少，便推辞着说："算了，别丢丑了。"

"怕什么，逛八大胡同的多着哩，我们不过是唱几段戏。"张英麟此时喝了几口酒，戏瘾大发，便坚持着说。

腊尾岁末，王庆棋还欠人家几笔债，尚无着落，今天出来看戏，只是为了消遣愁闷，现在见张英麟一股劲地催促，也勾发戏瘾，便点点头说："好，来一段，你去把家什拿来。"

张英麟见王庆棋终于答应，兴冲冲地到饭馆账房那里取来了胡琴、鼓板，然后坐下，将琴弦调好。王庆棋喝了几口茶润润嗓子，两人一拉一唱，学着徐小香唱了一段小生戏。

王庆棋有一副天生的好嗓子，从小热爱京戏，曾受名师指教，进入翰林院后又结交了一些有艺术造诣的小生，闲来无事，经常和这些人混在一起，学了一些真功夫，唱起来不仅嗓音清刚遒健，而且咬字运腔都恰到好处。加上张英麟在胡琴上也有很深造诣，两人经常在一起一拉一唱，配合很好。所以一曲唱完，满座喝彩，都把眼睛盯住两人，巴望着再来一段。

张英麟是个胆小怕事的人，本想要王庆棋再来几段，但这时酒楼高朋满座，进进出出的客人很多，龙蛇混杂，人品不一，万一被人张扬，有玷官声，于是向王庆棋使了个眼色，将弓往轴上一搭，将胡琴套入布套，顺便取一块手巾擦手。王庆棋本不想再唱，见张英麟已经收琴，便也作罢。两人正准备喊跑堂的前来结账回家，只见一个十六七岁的穿着华美的少年从隔座起身，来到面前。一个身穿蓝洋布棉袍的随仆紧跟后面。

"尊驾找谁?"王庆棋问。

"找那唱《镇澶州》的。"美服少年回答得从容平静，语气中别具一种威严。

王庆棋是个极为机敏的人，从那美服少年的气质和装束，他想这肯定是哪家王府中的子弟，特别是那帽结子是一块紫红宝石，光芒耀眼，更加引人注目。他不敢怠慢，赶忙回答："是我，偶尔消遣，不中绳墨，见笑了。"

"不必谦虚，唱得很好，胡琴也拉得很好。"美服少年以一种极其赞赏的口气说，又问："你们姓什么，又叫什么，在哪个衙署当差？"

"我叫王庆棋，在翰林院。"又指着张英麟："他叫张英麟，也在翰林院。"

"你们都是翰林？"美服少年有点惊讶。

王庆棋点点头，恭敬地说："我是检讨，张兄是编修。"

美服少年点点头，转脸向随仆看了一眼，仿佛是要这仆人记住这两个人的名字。

随仆点点头。

"刚才唱得好，能不能再唱一段给我听。"美服少年笑笑说，是一种命令的口气。

王庆棋早从美服少年的服饰、气质和口气中看出有异，现在又听说再唱一段，不加思索，忙答道："可以，可以。我再唱一段，请教。"说完，向张英麟丢了个眼色。

张英麟也一直对来客的气度、口气注视着，见王庆棋示意再唱，急忙点头，迅速从布袋里取出胡琴，进行调试，咳嗽一声，拉开了过门，王庆棋顺着琴声，唱了起来。一曲未竟，突然又有两名俊仆出现在门外，霎时，楼下人声嘈杂，马声嘶鸣，车轮滚滚，隐隐传来吆喝声，"恭王驾到。"接着，楼梯声响，靴声喀喀，一位身着亲王服饰的中年人走了进来，极其恭敬地与那美服少年耳语了一阵。美服少年极不耐烦地用手挥了挥，亲王却仍然不走。美服少年无奈，只好微微颔首，向王庆棋、张英麟看了一眼，极不情愿地跟随亲王下楼。王庆棋拉着张英麟急步走到窗前，向楼下张望，只见美服少年被簇拥着上车。亲王为之驾车，马鞭一响，车声辚辚，顷刻之间，悄无声影。两人对视了一眼，面呈惊恐之色。

"早就传言，皇帝喜欢微服出巡。今日所遇，莫不是皇上？"王庆棋沉思着说。

张英麟点点头，神色不安地凑过去，低声说："庆棋，我问你，这会不会是一场祸事？"

"祸事?!"王庆棋不解地问:"什么祸事?"

"我们俩官职虽低,但都在翰林院供职。堂堂翰林,竟然在饭馆里唱戏,不是有污官声吗?"张英麟小心翼翼地说。

王庆棋想了想,摇摇头:"决不会有什么祸事。你想想,我们有污官声,那皇上微服私访,要我们唱戏给他听,那又叫什么呢?"

张英麟想了想,觉得也有道理,但心里总是像搁着什么事样横梗在那里,不能释然。

王庆棋却持相反的想法。他觉得今天皇上这么高兴,又是这么赞赏,又问过两人的名字和官职,说不定哪一天想起名字,为酬宣德楼一曲之缘,放个考差、学政等外缺。于是,他叮嘱张英麟说:"这件事你务必要沉着,千万不要乱说,否则有哪位都老爷知道了,上一道本章参劾,那真要倒大霉了。"

张英麟胆小怕事,听这么一说,心中凄然。于是,两人就此分手。

张英麟走后,王庆棋回到家中。他怕债主上门讨债,第二天便躲到京郊一个表叔家暂住。人虽住下,但心里却还想着宣德楼那段奇遇,时而绕室徘徊,时而拿着一本诗集凭着栏杆吟哦。他表叔开着一个杂货店,胆小怕事,见他近似痴呆,认为是债务所逼,焦虑过度所致,恐怕他一时想不开寻短见,便喊着他的名字说:"庆棋,年近岁逼,虽然欠了些债,一时还不清,来年再说,你千万要想开点,不能给我添麻烦。"

王庆棋放下书本笑着说:"表叔,你想到哪里去了,我是高兴啊!"

他表叔觉得奇怪,忙问:"人家都在办年货,你住在这里躲债,还高兴?"

"我不是说躲债的事,告诉你表叔,我快交好运了。"王庆棋解释着。

"当了这些年的穷翰林,还能升官不成?"表叔怀疑说。

"是的,是个升官的运气。"接着,王庆棋便把前天在宣德楼遇见当朝皇上的经过说了一遍。

"呵,真有这事?"他表叔吓了一跳。

"这样的大事，我怎么能哄你老人家。这几天，我是一面高兴，一面在想办法，看如何抓住这个机会。"王庆棋说。

"那你的办法想好了没有？"他表叔又问。

"办法是想好了，就是缺钱，你老人家借点钱给我吧，今后升了官加倍偿还。"

他表叔听了不再怀疑，慨然答应借一百两银子。

第二天，王庆棋怀里揣着一百两银子到前门去找了两个戏班子里编戏的朋友，花十两银子买了两本没有演过的秘本，然后直径来到琉璃厂的南纸店，买了几十张上好的宣纸，叫店里伙计打好朱丝格，然后带回到表叔家，聚精会神地用端楷誊正，再送到琉璃厂用黄丝线装订成册，前前后后共花了二十两银子。

夜里，王庆棋在灯下仔细翻阅着誊正装订好的两个秘本的内容。这两个本子，一个叫《悦来店》，取材于一个没落的旗人达官所写的《儿女英雄传》中安公子在悦来店巧遇侠女何玉凤的故事。另一个名为《得意缘》，描写落魄书生卢昆杰，为山大王看中，许以爱女狄云鸾，后来卢昆杰发现老丈人竟是打家劫舍的寨主，不甘辱身盗窟，而狄云鸾倒也深明大义，为成全夫婿弃暗投明的意愿，授以"雌雄镖"绝技，卢昆杰得以一路击退守路的头目，顺利下山。这两个本子都是小生戏，都有旦角，亦文亦武，场面很热闹。王庆棋从宣德楼那次巧遇，揣摩皇帝的爱好，认为呈上去一定会获得好感。

但是，如何才能将这两个本子呈到当今皇帝面前呢？王庆棋又去找张英麟想办法，结果找到了福安饭庄的郝掌柜，又通过郝掌柜找到经常来饭庄饮酒吃饭的熟悉的太监，将这两个本子呈了上去。

王庆棋将这两个本子呈上去后，便静候消息。过年这几天，他特别高兴，约了张英麟又到戏院去看了几次戏，到宣德楼去喝了一次酒。张英麟始终提心吊胆，深怕祸事降临，而王庆棋却谈笑风生，对这次采用的办法信心十足。果然，过完年后元宵节那天，朝廷发了一道明发上谕：

"翰林院编修张英麟、检讨王庆棋，着在弘德殿行走。钦此。"

"弘德殿行走"，就是师傅。上谕下发后，不仅引起许多朝臣的惊异和议论，连王庆棋本人也惊奇不已。他万万没有想到自己的两段唱腔、两本戏曲秘本竟然博得皇上如此信任，由一个穷翰林一跃成为帝师，只有张英麟有愧于心，有些同事向他祝贺时，他支支吾吾，不置一词。

圣旨发出后，张英麟、王庆棋进宫谢恩。两人被一个小太监领着，到东暖阁去拜见皇帝，行了叩拜之礼，抬头看时，端坐在御座之上的同治皇上，果然是那位美服少年，不胜欣喜。

同治皇帝接见时，只字不提宣德楼之事，只是说："卿等在翰林院供职多年，饱读诗书，今后入值时，应细心勤勉，不负朕托。"

王庆棋抢先奏道："臣蒙圣恩拔擢，敢不效犬马之劳？"从此，王庆棋、张英麟两人由穷翰林一跃而为帝师。他们的职司是教皇帝的诗文。王庆棋一着获胜，更加绞尽脑汁，揣摩皇帝的爱好，投其所好，以取得皇上的宠信。

同治皇帝载淳，十岁登极，十六岁大婚，因为所定的皇后不合慈禧的意，经常以祖宗的训示为名，要儿子以朝政为重，不要经常留宿宫中。他年轻好动，又有个固执脾气，见母亲竟然干涉起儿子闺房之事，便赌气对后妃一个也不亲近，经常独宿在乾清宫里，高兴时就微服出游。自从王庆棋当上侍读以后，侍读变成了导游，出宫游玩的次数越来越多，花样名目也越来越繁多。

一天，王庆棋为同治皇帝讲完课后，同治皇帝把他叫到面前，悄声说："王侍读，这几天奏章很少，晚上无聊，听说有很多野史、说部，趣味很浓，可不可以找几本来，朕无事时消遣。"

王庆棋一听，完全领会到皇帝的用意，便回答道："有一些稗官小说，是可以欣赏的，容臣到琉璃厂去一趟，寻找几本来奉上。"

皇帝叮嘱说："你明天一定回话，如果弄到手，就交给我身边的人。"

第二天，王庆棋到琉璃厂去了一趟。

琉璃厂是京城文物荟萃的地方，文房四宝古玩书画的精品，在这里都可买到。王庆棋花了一个上午在文奎、带经二堂买了几本谈风花雪月的小说，如《花月痕》、《品花宝鉴》等，又买了一部《金瓶梅》另外包在一边，带到宫中，交给了同治皇帝身边的太监

小李。

同治皇帝收到这几本书如获至宝，当天看到深夜，还不肯释手，第二天接见军机大臣时还头昏脑涨，一下朝向两宫太后请过安后，便又回到东暖阁拿起书本，聚精会神地看起来。

还有一次，王庆棋给皇帝讲完"明史"，皇帝小声问："你昨天说的东西，全带来了没有？"

"臣找了几本，只是抄刷得不好，字也小。"王庆棋低声回答。

"不要紧，你给我。"

王庆棋环顾四周，小心翼翼地从怀中掏出个小布包，递给同治皇帝。同治皇帝接过来，将布包打开，随手翻开一本，看了三四行，便觉脸热、心跳、口渴，便很快地将书本合拢，又一本正经地说："有好的'画'，也给我找些来。"

"是。"

过了几天，王庆棋又找了几本春宫画，密封以后，悄悄托太监小李带交同治皇帝。

年仅十六岁的同治皇帝，经不住凡尘色情的诱惑，微服私行的次数就更多了，今天逛八大胡同，明天到龙原楼小酌，而每次外出，大都是王庆棋陪伴。

不久，同治皇帝感染了梅毒，皇宫御医们不敢直说，只说是患了天花，一年后，全身溃烂而亡。当今皇帝死后，民间流传开一副对联，上联是："宣德楼、弘德楼，德业无疆，幸喜词臣上词曲"；下联是："进春方、献春册，春光有限，可怜天子出天花"。极其辛辣地讽刺了身为翰林的王庆棋为了自己升官进爵，引诱同治皇帝嫖妓玩乐，死于梅毒的丑闻奇案。

6. 太平天王金印遭盗奇案

同治四年八月十七日清晨，清政府权力中枢、位于紫禁城禁地的乾清门西侧的军机处，发生了一起震惊朝野的盗窃案，保管在军机处汉室柜子内的一颗金印被人盗走了。

这是一颗什么样的金印呢？它是太平天国天王洪秀全的金印，

印上镌有"太平天国万岁金玺"八个字，重一百余两。同治三年六月十六日，清军攻进了天京，太平军与清军在金陵城内展开了激烈的巷战。天王府火光冲天，烟焰满城，一队太平军从天王府内突围而出。这时，清军将领袁大升、周恒礼、沈鸿宾等人率领大队清兵直扑了上去，并从太平军手中夺获了这颗金印，宽广约七寸，同时还夺获了玉玺二方。清军将领将获夺的金印呈送大清两江总督曾国藩，曾国藩将金印、玉玺又呈送给慈禧太后与同治皇帝。同治皇帝过目后就将这颗金印和玉玺交给军机处保管。

军机处金印被盗，清廷大为震惊。这军机处是雍正年间设立的，那时用兵青海，军报频繁，雍正皇帝为了听汇报、发指示方便，保守军事机密，便在乾清门西侧设立了军机处，当时称"军机房"或"军需房"，指定怡亲王允祥和大学士张廷玉、蒋廷锡办理。青海战事结束后，皇帝认为这个机构对他专权独裁和指挥方便都有好处，就一直保留了下来。军机处设置军机大臣三五人，多时十一人，皇帝处理一切军政大事都直接找军机处，所以大学士不兼军机大臣便算不得真"宰相"了。由于军机处如此重要，任你是相国大臣、王公贝勒，只要不在军机处任职，想在军机处门前站一下也是不允许的。然而就在这样机密的所在，竟然被人盗走了金印，这怎不叫人吃惊？

这时军机处首位军机大臣是恭亲王奕䜣，他听说金印被盗，顿时吃惊不小，立马向慈禧太后禀报。慈禧太后脸拉得老长，命令恭亲王限期破案。恭亲王这时又正兼任总管内务府大臣，他想，军机处内都是一些久经考验的朝廷大臣，他们当然不会干出这种丢脸的事来；要偷，肯定是在皇宫内服役的那些苏拉、厨役们，他们趁服役之便偷走，他们人穷，又不讲脸面，过去皇宫内金银、珍宝失窃，都是他们干的。于是恭亲王指令内务府慎刑司将皇宫内的苏拉、厨役全部抓起来一个个拷问。

慎刑司等于是皇宫内的刑部，专管审讯皇宫内部的案件。可是慎刑司虽然对苏拉、厨役们严刑拷打，却始终无人承认，案子拖了三个月还没一点眉目。慈禧老佛爷也恼火了，责备恭亲王无能，恭亲王只得再命令番役处派人严密侦查，限期破案。

　　内务府番役处是专管侦缉工作的，有四十名番役，正副头目各四人。于是，由番役头目保祥、德荫和委署头目英奎等人，到紫禁城外查访。

　　十一月中旬，番役们查到北京东四牌楼，发现这里的万盛长首饰铺曾经在最近熔化过一方金印，于是将店伙计王太、王全拘传到案。经过讯问，这家首饰铺熔化的金印正是藏在军机处被盗走的那方太平天国天王洪秀全用的金印。

　　据王太、王全供认：八月二十四日，店中来了一位顾客，他叫萨隆阿，是满人，在军机处任军机章京。萨隆阿带来了这方金印，要店中将它熔成十根金条。开始，店伙计还有点迟疑，萨隆阿就骗他们说这颗金印是他一位在外省任道台的叔叔带来的。店伙计因萨隆阿是现任军机章京，很有权势，加上又是熟人，就答应了。于是这方珍贵的太平天国历史文物，曾经显赫一时的天王洪秀全金印从此消失了，它化作了每根重十一两的十根金条。万盛长首饰铺收了萨隆阿工钱四十吊钱。

　　番役处头目保祥等人将案情向恭亲王奕䜣一汇报，恭亲王大为震惊，盗窃金印的罪犯竟是军机处的军机章京萨隆阿，这太让人意外了。

　　军机章京是在军机处协助军机大臣办理具体事务的办事人员，比如拟写谕旨、收发文奏等。但由于他们办的都是涉及重要军国机密的公务，所以要求条件也是很严的。他们都是内阁、六部、理藩院的官员，由军机大臣亲自挑选，预期考取后皇帝亲自接见、记名以次传补，也都是兼职。军机处有章京三十二人，满、汉各半，分为二班，满、汉有一人领班。萨隆阿官居刑部郎中，是司法部门的五品官，又是满人，谁也不会怀疑这位五品郎中竟然知法犯法，沦为偷盗太平天国天王金印的罪犯。

　　但是既然案情已经查到了萨隆阿的身上，恭亲王也只得下令拘捕了萨隆阿。经过审讯，真相大白，萨隆阿招供了他盗窃金印的经过。

　　八月十七日清晨，身为军机章京的萨隆阿来到了军机处章京值房。这时，早班的汉章京已经上堂办事，房内的柜子已经打开，萨隆阿趁人不注意，飞快地从柜子里摸起了金印塞到身上，带回东单牌楼东观音寺胡同家中。

金印在家中藏匿了七天，萨隆阿一想不妥，便将金印带到东四牌楼万盛长首饰铺，找到熟识的店伙王太、王全，撒谎说这金印是他在外省做道台的叔叔带来的，请首饰铺熔成十根金条。金条熔成后，萨隆阿将其中的八根埋藏在炉坑里，其余两根拿到恒和钱铺去兑换了银钱。

萨隆阿在作案时也何尝不想到，军机处丢失金印，皇帝岂肯善罢甘休，定然要下令追查。但他却有他的如意算盘：第一，盗案一发现，怀疑和追查的对象必然是居于下层的苏拉、厨役、太监们，决不会随便怀疑到他这位五品郎中兼章京大人的身上。第二，金印是保管在军机处汉屋内，而他的办公室是满屋。汉章京值房内丢了金印，与他这位满章京大人毫无干系。第三，金印熔成了金条，原物无从寻觅，俗话说："捉贼捉赃"，赃没有了，贼也就难捉了。这些都说明，这个金印盗窃犯不但有老虎一样的胆量，而且有狐狸一样的狡猾。

但是，纸包不住火，不断的追查终于是使这名穿着五品官服、堂堂皇皇的军机章京大人的盗窃活动暴露了。开始上堂，他还支支吾吾，不肯承认；等到万盛长首饰店的店伙王太、王全被带上堂来，与萨隆阿当面对质时，萨隆阿这才不得不低下头颅，供认出了作案经过。他被番役押着来到东观音寺家中炉坑里取出了埋藏的八根金条，兑换的两根，钱铺已经转卖了，被责成赔偿归公。萨隆阿按照盗仓库钱粮本例定刑为绞监候，秋后处决。侦破此案的番役头目保祥、德萌，由六品赏给五品虚衔，七品番役头目恒喜、英奎、吉泰赏给六品虚衔。

这件盗窃军机处金印的大案，虽然让慈禧、恭亲王等人十分恼火，但为了家丑不外扬，只是进行了轻赏、轻罚，轻描淡写地结了案。那盗窃犯萨隆阿是否真的被绞还是走后门送贿被减刑释放，这都很难说清了。

7. 太平军将领李秀成叛变奇案

李秀成，又叫李寿成，太平天国后期重要将领。咸丰元年（公元 1851 年）秋天，在老家参加太平军。因其智勇过人，战功显著，由一名普通士兵逐渐晋升为太平天国的高级将领。咸丰八年，为后军主将，攻破了清军江北大营，取得三河大捷，不久被封为忠王，随后又破清兵江南大营，乘胜进取苏州、嘉兴等地，并三次进军上海，大败华尔洋枪队，击毙法海军提督卜罗德等。同治二年（公元 1863 年），天京危急，他返京建议洪秀全"让城别走"，遭到严词拒绝。次年八月，天京陷落，李秀成保护幼天王洪天贵福突围出走，途中两人失散，他避入城东四十余里的方山之中。在一座破庙里休息时，被几个打柴人认出，想把这位落难的太平军在涧西村隐藏起来。为了保证安全，他们劝其剃发装和尚，但这位忠王为保持"长毛"本色，立即一口回绝。打柴人中有个姓陶的想发大财，悄悄跑到清将萧孚泗营中告密，李秀成于是被百余名骑兵抓捕，接着献到曾国荃大营。曾国荃如获至宝，严刑逼问这位太平军将领。李秀成虽遭受"割其臂股"的酷刑而"殊不动"。后来，李秀成觉得有话要说，于是在囚笼中忍痛疾书个人生平经历，写成五万多言的《李秀成自述》。当月七日，在南京被曾国藩杀害，终年四十一岁。

李秀成大概没有想到，他这一生活得波澜壮阔，死了之后也不平静，不知不觉变成了一个有争议的人物。仅解放以后，谈到李秀成功与过的文章就达三百多篇。有的认为他是太平天国革命运动的杰出领袖，具有"逢轻重苦难不辞"的优秀品质，是德才兼备的年轻将领。他虽然在被俘后写了洋洋几万言的《自述》，但这只是缓兵之计，并非真的屈服，更不是向敌人投降。有的认为对李秀成应分开来看，他在被捕以前，作战英勇，功勋卓著，是太平天国后期器重的栋梁之材。可是他一旦成为囚徒，就看风转向，丧失气节，写下了乞怜求降的《自述》，可谓晚节不忠，不值得对其同情。还有的认为李秀成是可耻的叛徒，他"迷迷蒙蒙"混入太平军后，缺乏清晰的革命思想和坚定不移的意志，只是靠着机变与才干，才成为太平军的将领。在太平军时，他很注意发展自己的势力，个人主义严重，被捕后贪生怕死，公开投敌叛变。他的《自述》充分显示了一个叛变者的心迹，这是他苟且偷生的铁证，是为后人所不耻的记录。

很明显，不管对李秀成作出如何评价，都避不开一个很重要的问题，即如何看待他在死前九天留下的那份《自述》。换句话说，弄清了李秀成《自述》的真相，也就等于知道了他是否有叛变投敌的行径。公元1944年，罗尔纲先生根据广西通志馆从曾国藩后人家中抄录来的《自述》原稿及拍摄的《自述》原稿部分照片，分别从笔迹、用词、语气、内容等方面进行了认真研究，认定"曾国藩后人家藏的《李秀成自述》确为李秀成亲笔"。

然而，人们注意到在清朝的官场中，作伪弄假，冒功请赏，是一些官员们的拿手好戏。据呤唎的《太平天国革命亲历记》说："《忠王自述》很可能也是同样靠不住的。这篇文件或为某个著名的俘虏所伪造（他可能因此而得赦免），或为两江总督曾国藩的狡猾幕僚所伪造。"

由于有这样的造假先例，人们也就有理由对李秀成《自述》的真实性产生怀疑。公元1956年，年子敏发表《关于〈忠王自述原稿〉真伪问题商榷》一文，明确认为所存《自述》稿本是"曾国藩所伪造"。司法部法医研究所笔迹问题专家审定《自述》稿本后也持相同的观点。不过，这些看法并没有引起多大反响。其后，《忠王李秀成自述手稿》、《忠王李秀成自述校补本》陆续出版。接着台北世界书局影印出版了《李秀成亲笔手迹》，这给《自述》真伪问题的研究带来了很大方便。公元1979年，荣孟源在《中华文史论丛》第一辑上发表《曾国藩所存〈李秀成供〉稿本考略》一文。他认为"《稿本》不是李秀成的真迹，而是曾国藩删改后重抄的冒牌伪劣货"。其依据是：

第一，从每天所写起讫处看不为真迹。李秀成《自述》从同治三年六月二十日开始动笔，到七月初止，一共写了九天，每天随写

随交，真迹应是散页或分装为九本，不会是写在一本装订好的《吉字中营》横条簿上。另外，按照写作九天时间计算，至少应有八处间隔，而且也不可能每天都结束在末页末行最后一个字的位置。现在所见的《稿本》影印本，前后相连，看不出应有间隔，显然这是曾国藩让人把李秀成每天所写的真迹汇抄在一起的。否则是不会这样一气呵成的。

第二，从《稿本》字数上看不为真迹。写作人李秀成、删改人曾国藩、参加删改人赵烈文，都说《稿本》是五万多字，而现在看到的仅有三万六千余字，另外的一万多字哪里去了？如果说缺少的这一部分是被曾国藩删除，中间应有断痕，页码之间的文字必然难以衔接，而现在看到的《稿本》影印本上下页的首尾处均衔接得很好，这点该如何解释？另外，曾国藩所记《自述》的页数与影印本页数明显不合，这也让人产生怀疑。

第三，从《稿本》所记数码看不为真迹。《稿本》第三十一页记载为一万八千字，第四十页记载为两万八千五百字，第五十页李秀成的"今将三万七八千字"，应是真迹的字数。而《稿本》字数与李秀成所说字数并不一致，说明现存《稿本》是曾国藩等人删改后的抄件。

第四，从曾国藩删节处看不为真迹。曾国藩呈送军机处的《自述》，与他自己留存的稿本有多处字句不同，这显然已进行了修改。据赵烈文日记载，李秀成《自述》所供太平天国"自咸丰四、五年后均甚详"，而在《稿本》中与清军作战之事被删去一万多字，尤其是涉及太平军与湘军的几个战役均很简略，很明显这是被人做了手脚的东西。更奇怪的是，《稿本》自第一页到四十页，书口均标有页码，排序完整，没有差错，反而看不出任何删改的痕迹，这就充分说明《稿本》为地地道道的重抄件。

第五，从《稿本》字句行数看不为真迹。文中首尾均有太平天国格式的抬头，而《稿本》中多数"上帝"、"天王"等却不抬头；又如"稣"字，太平天国定为"耶稣"之专用字，凡遇"稣"字均以"苏"来代替，而《稿本》中有几处都直书"稣"字。太平天国的"国"字也不按规定书写；还有，凡"清"字均不避讳，却把不该避讳的"青"字写作"菁"，这些都明显不符合太平天国严格的书写规定和避讳制度。

从以上分析看来，作伪者对《自述》确实下过一番功夫，本想将其弄得天衣无缝，谁料想越是"完美"就越不真实，而且在不经意中留下许多漏洞，这是作伪者万万没有想到的。

值得注意的是，关于《自述》真伪的争论已经走到了外国。国际友人路易·艾黎同志也发表了类似的看法。1978 年 8 月，他在给中国友好协会的信中，也对《自述》的真实性提出了怀疑："他（曾国藩）可以先鼓励李（秀成）写下他本人的历史，然后再通过他的专家在同样的纸张、以同样的文风，添加上有害于太平天国事业的东西。之后，在显示他本人宽宏大量的同时，对全部东西加以编辑剪裁。""由于自首书是经过篡改的，所以，曾国藩对它的安全显得异常的神经过敏。他曾命令其家属不得给他人看这份自首书。我曾亲自在上海听见过他的孙子说过这件事。"

既然《稿本》不是李秀成真迹，是曾国藩删改后重抄的冒牌货，那么，这位太平天国的主要对手为何要保存这一假的《自述》呢？

荣孟源认为，这表明处死李秀成"（已）经中堂录供，当无人复疑。"更要紧的是，李秀成《自述》中有多处写下了不利于湘军的字句，所以必须删改以后才能上送。同时，清政府一直怀疑曾国藩攻占南京后发了不少财，他也一直有口难辩，对于这件上下敏感的事情，曾国藩正好借李秀成的口气说明一下南京城内"无银无米"的可怜相。这样，既能向上司表明自己的"清廉"，又能掩盖从南京劫掠的大量财富。所以曾国藩不仅要对李秀成的《自述》加以删改，还要留下《稿本》以备存查。当时，曾国藩已成为焦点人物，有些人正虎视眈眈地要算计他，对于《自述》这样重要的文件，他决不会轻易置之。这样看来，《自述》的内容是否真实就大可怀疑了。倘若拿来作为李秀成叛变太平天国的罪证，显然使人难以信服。

对于荣孟源等人的这些看法，有人表示了不同观点。陈旭麓在《上海师范大学学报》发表文章认为，《自述》是李秀成的亲笔，不是伪造的抄件。他提出了这样几点意见：

　　关于《自述》中每天所写起止时间、格式、避讳等问题，"我们不可能设想当时的李秀成好像后来的作家一样，有一个每天分节写出的章节安排"。"李秀成在皈依拜上帝教之前，已是一个二十六七岁青年，尽管熟悉了太平天国规定的书写格式，但有时疏忽，又回到早年的写法，犯了讳，也并不奇怪。"同时他还指出，《自述》原稿如果是伪造的，曾国藩在上报清廷和在安庆刊出之后，这种假东西已经起了应有的作用，他为什么还要保存这种明知是假的东西呢？为什么还要把这种假东西当作宝贝一样要传留后世呢？如果真是这样，无异于收藏和传留天大的祸患，深谙官场之道的曾国藩是不会干这种蠢事的。而且，他的后人（第四代）曾约农还要把这个易招物议的东西公之于世，于情于理都似乎说不过去。

　　还有人认为，李秀成《自述》是真迹无疑。如果说曾国藩对其进行了删改，这也是正常的，或者说是可以理解的。这位曾大帅是个聪明而十分谨慎的人，他不会容忍李秀成借这种形式在清廷面前说自己的坏话，所以不得不做必要的删改，而且这种删改也只是占了《自述》很小的一部分。另外，从稿本的笔迹上分析，也是李秀成的亲笔，如果请人仿写，几万字的长文不可能摹仿得处处流畅和逼真。而且从文字和内容上分析，《自述》所显露出的矛盾心理自然可信，其书写内容也符合李秀成的真实思想，用语及叙事口气也与其身份、地位和当时的境遇十分吻合。这些本属隐秘性的东西，不是别人能伪造出来的。退一步说，假定曾国藩手下能聘到这样的制伪能手，他也不会冒着欺君罔上的危险去干这种傻事，一旦日后败露，岂不是自灭其门？依照曾国藩的办事作风和为人特点，又岂能让这位造假高手存留于世？就算他干得巧妙不过，总会留些蛛丝马迹，为什么没有露出一点风声？而且安排得这么妥当严密？这些年来，围绕李秀成《自述》发表了很多见解和分析，不管说是真迹，还是认为作伪，都提出了一系列充分理由，而且也都能自圆其说，然而又都难以彻底说服对方。不过，有一点是公论：李秀成在曾国藩那里肯定留有书面交待，如果《自述》确为真迹，说他是太平天国革命的叛徒并不冤枉；如果此件有假，下这一结论似乎枉断。李秀成是否为太平天国的叛徒？这已成为历史的奇案。

十　光绪朝奇案冤案揭秘

这个坐在龙椅上大气不敢出、且本身就是一桩奇案的皇帝，他所处的朝代，就是一个天上没有太阳，地上没有亮光的昏暗社会，这时候的清王朝，官场更加昏庸腐败，社会风气糜烂至极，由此而来的便是奇案丛生，冤狱不断，它可以颠倒黑白、可以草菅人命，可以为所欲为——

1. 缉捕江洋大盗烧杀奸淫奇案

光绪初年，奉天（现今东北）地区有一江湖大盗张海令，纠集党羽四处抢劫，烧杀奸淫，无恶不作，官府四出缉拿，日久不获，受害百姓不计其数。

光绪十四年（公元1888年）冬天，张海令在海龙地方焚烧抢掠，官兵闻讯而至，将其包围。张海令嘴唇上有一道疤痕，官兵认出令其缴械，张抵抗拒捕，被快枪击中右臂，冲出包围逃逸而去。

此后，官吏层层上报，直达朝廷。光绪下旨通缉严拿，限期归案。官兵加紧搜捕，不见张海令的踪影。

第二年三月，海龙城总管多禄忽然得到报告，称已找到大盗张海令的下落，立即派副官古凌阿带兵追捕。由此，喧喧闹闹，真真假假，造成一件致死两条人命的错案。

通化县孤山子地方有个地主叫刘详，身任乡约，有钱有势，且良田百顷，牛羊成群，不但有长工短工，而且雇佣了一批身强力壮的打手看家护院。院丁虽多，但都武艺平常，没有一个能充任头目，他为此大为苦恼，便到处寻访求"能人"。这情况远近上下皆知。

光绪十四年冬，有一个彪形大汉，操山东口音，自称名叫李景珍，因家乡受灾流落关外，自幼爱好拳棒，愿意充当院丁。刘详见此人虽然口上有一疤痕，但五官尚属端正，言语通达，举止伶俐，便让他当众演示一番。那李景珍不慌不忙，拣选各种兵器逐一表演，舞刀时寒光闪闪，弄棒中滴水不进，确有一番绝技，雇工院丁群集围观，齐声为之喝彩。这喜得刘详手舞足蹈，乐不可支，当下录用，并许以优厚报酬，以礼相待。自此，东家与"教师爷"言语投机，和睦共处。

李景珍投靠刘详后，除带领一帮院丁操练巡逻外，别无他事，经常到处游逛，广为结交，特别与附近许家店的老板许连海最为投机，不久，便序齿结盟，拜了把兄弟。他经常到许家店玩耍，谈天说地，吃吃喝喝。

光绪十五年三月的一天傍晚，李景珍与许连海对饮小酌，已至酩酊。忽听门外人声嘈杂，想起身察看，但精神恍惚，两腿疲软，身不由己。刹时间，几名兵丁破门而入，不由分说，将他按倒。李景珍挣扎反抗，无奈醉迷无力，就被五花大绑，推搡出门。许连海不知何故，急急报告给刘详。

刘详正在家中用饭，听说李景珍被兵勇捉走，勃然大怒，拍桌骂道："王八胆大妄为，竟敢私抓我的家人！李景珍不出乡里，循规蹈矩，何罪之有？纵使有罪，自有地方官出票拘拿，与他当兵的何干？实在欺人太甚！"说完一跃而起，招呼院丁紧急集合。众院丁平时多得李景珍传授武艺，许多人还与他拜盟，听到消息，个个握拳掯袖，怒不可遏。于是，以刘详为首，各持兵器，让许连海带路，迅步追赶兵丁。

抓人兵勇是前面所提到的海龙城总管多禄的部下，由吉凌阿率领。他们行动秘密，未通报地方官，只由检举人敖景海带路，意在独自邀功。抓到李景珍后，兴冲冲返营，途经石家店，正在休息吃喝，不防猛然冲入一群武装院丁，无力应战，顿作鸟兽散。刘详等人有的救护李景珍，有的追赶兵勇，把带路的敖景海与兵丁戊德抓住。

刘详询问李景珍事出何因，李景珍摇头表示不知。敖景海在旁声言："你是大盗张海令，改名隐匿，还说不知？"李景珍怒目圆睁，一拍胸膛："为人不作亏心事，半夜敲门心不惊！是真是假自有分晓，干脆同去见官！"抬步便走。刘详身为乡约，知道劫持人犯罪名不轻，不如见官辨明，洗脱干系。于是，一行人登程上路，直奔通化县衙。

知县张寅升堂问案，分讯两造。敖景海坚持李景珍是江洋大盗张海令，但举不出确证。刘详则声称敖景海挟嫌报复，有意诬告。张知县与刘详素有公事往来，忆及去冬刘详曾告发那恒林为盗，而敖景海是那犯的舅父，认为刘详所说不无根据。退堂之后，撰文上报：此案不实，拟将李景珍释放。

吉凌阿狼狈回营。多禄听完禀报，怒火中烧，急忙命人具文上报，强调张海令改名隐匿，应予严办，劫持人犯者也应追究。

奉天省先后接到军、政两分报告，各执一词，便委派发审处承审委员、知府高同善审理。

高同善提审李景珍，李景珍矢口否认。又讯敖景海，敖景海已与其兄敖景云会商过，不但坚持原控，而且说有孙克举可以作证。于是传讯孙克举，孙克举说："我与张海令同村居住多年，极为熟识，他唇上有伤疤一块，可以辨认。"提来李景珍，孙克举肯定他是张海令。李景珍咆哮如雷，骂道："我与你无仇无恨，素不相识，为何血口喷人，陷我于死地？"

高同善正在犹豫不定，忽有一个营兵杨福到衙求见，自称曾参与围捕张海令，愿意当面辨认。于是传进详询，杨福说，围捕时曾击中张海令右臂，定留疤痕，可以验证。高同善当即命令从监中提出李景珍，脱下上衣一看，右臂果有伤痕一处。杨福也指称此人就是张犯。

这时，李景珍百口莫辩，刘详也无法证明李景珍不是张海令。高同善见证人言之凿凿，断定李景珍诡辩，下令用刑。李景珍仍不招承，反复声称口上疤痕是儿时摔伤所致，臂上伤痕为比武受创。高同善哪里听得进去？！命令严加监押。并将刘详逮捕，按劫掠重犯论罪。

高同善自以为审清一件疑难重案，亲笔缮写结案文书，拟将李、刘二人处以极刑，通化知县张寅革职查办。同僚上下纷纷祝贺他功劳昭著，升官有望。

李景珍及刘详在公堂上受了刑，伤势久不痊愈，狱中无人过问，又双双染患疫症，水米不进，奄奄待毙。

光绪十五年六月二十二日，奉化县又发生骑马纠众持械抢掠事件，知县赵臣弼闻报，派捕役往拿。经过一番格斗，终于抓获首犯。赵知县迅即审讯，犯人供称姓张名海令，积年为盗，作案无数，甘心伏法。赵臣弼大吃一惊：张海令已经关押入狱，如今又出一个张海令，谁真谁假？案情重大，不敢耽延，亲自将人犯押赴省城，详细禀报。

省中大员也觉奇怪，又批至发审局查办，高同善参与审理。经检验，此犯上唇有疤痕，右臂有枪伤，特征确切；审讯之中，滔滔不绝，供认不讳，声称："好汉做事好汉当，既已就擒，决不牵累别人！"

顿时，发审处乱作一团。高同善在众目睽睽之下，不甘服输，提出再验李景珍。事有凑巧，李景珍与刘详刚刚死去，人们到监狱时，只有两具死尸！细验李景珍尸体，右臂虽有伤疤，但显然是刀伤，并不是枪击所致。

真盗张海令收监待刑，发审处派员再提敖景海、杨福、孙克举等人盘问李景珍被诬真相。众人知道阴谋败露，无可掩饰，只好供出实情。

原来，光绪十四年冬，窃犯那恒林在作案时被当场抓住，送交乡约刘详。那恒林的舅舅敖景海前去求情，贿以重谢请刘详高抬贵手。不料，刘详一口回绝，将窃贼送往县衙审办。敖对刘恨之入骨，蓄意报复。后来，敖景海打听到刘详的院丁头目李景珍从外地流来，底细不明，唇上有疤，与传说中张海令的特征相符，蓄意使刘详承担包庇重犯的罪名，于是赴海龙城诬告，并亲自带路逮捕。审讯中，因说不出确实证据，便与其兄敖景云密商，买通曾与张海令同村而居的孙克举。孙克举见李景珍后，心知不是真犯，但见利忘义，贪财伪证。营兵杨福曾参加围捕张海令，为了讨好邀功，也出面作证。恰巧，李景珍右臂刀伤与张海令枪伤部位相吻合，高同善不加细验，也不听李景珍的辩白，草草认定，铸成大错。

此案办错，致死两条人命，非同小可。按大清律例诬告反坐的规定，敖景海被判杖一百，流三千里；孙克举、杨福杖一百，判刑三年。高同善"故入人罪"，被狠狠参了一本，终于革职查办，脱了官服换囚服了。

2. 老太监掘地刨银奇案

光绪四年（即公元1878年）四月六日，主管京城的步军统领荣禄和顺天府尹彭祖贤，接到从军机处转来的一道谕旨：立即查办沙河镇告退太监苏德掘得藏银一案。

　　老太监苏德为直隶景州人，曾充乾清门总管太监，同治十年一月因病求退。同年，他在京郊沙河镇西上地村置买已关闭当铺空院一块及临街瓦房六间。光绪四年春，苏德因盖房需用砖块，在挖拆旧当铺地基时，刨出小坛一个，发现坛内装满银两。几天之内，陆续刨出坛五个，小缸一口，里面共有藏银约万余两。苏德和家人将掘得的银两悄悄用马车四辆，分三次运回家中。

　　苏德自以为这件事神不知鬼不觉，谁知在装车运载时已被人发觉。不久，此事就传遍了北京九城，直达宫廷。

　　有关官员在向朝廷禀告此事的奏折中说："苏姓又挖出银七缸，金一铜箱。金系条，银系宝，每宝百两，系前明成化字样，均在十数万两。续又挖出银一窖，长九尺，深五尺，宽二尺，每日夜间装车载运，尚在刨挖。询问工人，据云苏姓已奏明皇太后赏给。"消息传出，这笔飞来横财，首先引起地方官员的觊觎，而兵丁的勒索讹诈，更是无日不至。最后，众口纷纭，人情汹汹，竟无一日安宁之时。

　　苏德知道此事无法再隐瞒，只得亲自进宫禀告：自己"世受国恩，得此异财，未敢丝毫挪动，情愿报效。"并表白外间传说的藏银数目是以讹传讹。要求派人查看，如果有以多报少，甘愿服罪。

　　慈禧亲信荣禄奉命赴沙河上地村查点窖银后，向清宫处交窖藏银两清单为：

　　第一袋碎银，95斤；第二袋小元宝，127斤；第三袋小元宝，147斤；第四袋方锭，89斤；第五袋小圆锭，77斤；第六袋小圆锭，92斤；第七袋小圆锭，75斤；第八袋小圆锭，100斤；第九袋大元宝，74锭，重242斤，有乾隆年号。外有呈祥大元宝一锭，方圆小锭五个，不在前数之内。共1，037斤，计16，592两。

　　呈报中还专门说明："仅止一万余两，并无十数万两之多。大元宝七十五个，每个重五十两，并非百两。宝上有乾隆年号，亦无前明成化年号。"至此，轰传一时乱乱哄哄的藏银案才真相大白。

　　当时，京城久旱，灾民麇集，顺天府正在五城办理赈务。慈禧为了显示体贴民情之意，下令将此项银两中的一万四千两交由顺天

府，作为资遣灾民之需，余银二千余两，赏给苏德，另赐给老太监金花红绸，以资奖励。就在这道上谕下达后的第五天，这一万四千两白银即已"归库存储"，至于其中有多少真正用在灾民身上，则无账可查，成为一段奇案。

3. 紫禁城贞度门失火奇案

光绪十四年（即公元 1888 年）十二月十五日深夜，狂风呼啸，寒气袭人，夜阑人静。骤然，紫禁城内火光映天，浓烟弥漫，人声鼎沸，一场无情的火灾发生了——这就是清朝有名的贞度门失火奇案。

贞度门位于紫禁城内中路南部，东连太和门，西接崇楼，北邻弘义阁。贞度门在明朝时称宣治门，未改宣治门前称西角门，明朝洪熙皇帝曾听政于此。清王朝，贞度门是官员上朝经常出入之门。其左右两庑为侍卫值宿处所，夜间值班官兵就住宿这里。贞度门地处要冲，东连太和门，为皇帝御门听政或举行重大典礼的场所。再向东是昭德门，也是官员上朝时经常出入之门。贞度门附近连接许多库房。太和门内东庑有缎库、甲库、毡库、北鞍库、南鞍库。缎库，专管收存、支发龙蟒缎匹、妆闪片金倭缎、宁绸、宫绸、缎纱、绫罗、绸绢、布匹、棉花等项物品；甲库，专管盔甲、枪刀、旗纛、器械等物品的收贮和预备；毡库，掌管弓箭、靴鞋、毡条等物的收存和支放；北鞍库，负责皇帝御用的鞍辔、伞盖、帐房、凉棚等物品的收藏和发放；南鞍库，专司官用鞍辔、各项皮张、雨缨、绦带等物品的查收、采买和支发。太和门内西庑也有五个库房：银库，掌管收存金银、制钱、珠宝、玉器、珊瑚、松石、玛瑙、琥珀、金银器皿等项物品；皮库，收存狐皮、貂皮、猞猁狲、海龙、银鼠等皮及哆啰呢、哔叽缎、氆氇绒、氍羽缎、羽纱、象牙、犀角、凉席等项物品；瓷库，收存金银器皿及古铜、珐琅、镀金新旧瓷、铜、锡器等；衣库，收存侍卫处领用青狐、红豹、貂皮、黄狐皮、端罩、皮袄、朝服、蟒袍，女官领用蟒袍、褂裙，萨满祭祀领用貂褂等衣物；茶库，收存人参、茶叶、香纸、绒线、绖缨、颜料等项物品。

这些库房储藏着宫廷御用重要器物，为宫禁重地。清王朝统治者对这里的安全和警戒甚为重视，昼夜派有官兵戍守巡查。

所以，贞度门失火，让清朝统治集团极为恐慌，"祗惧实深"。火灾发生时，满蒙王公贵族、军机大臣、内阁大学士、各部院尚书、侍郎、各旗副都统暨"翰詹科道、军机章京、各部院衙门司员、各旗营侍卫章京"以及"神机营兵丁、步军统领衙门兵丁及柏唐阿、护军官役、苏拉人等"，"共七千余人"，几乎倾巢出动，奋力扑救。当时参加救火的光绪皇帝的老师翁同和，对火势和扑救情形有过较为详实生动的记述。他在日记中写道："昨夜大风，五更止。平日早醒，是日独酣睡。仆猝呼余起，曰'大内火'，又曰'贞珠门'。急起，饭而登车驱入，始知贞度门。……由左掖门入，踏雪难行，至则门罩三间已落架，墙柱尚燃。余与福公、庆邸皆曰宜断火道，而莫之应也。门之西曰皮库，东则茶库。皮库尚开门出灯笼，茶库扃镳尚严，而火已穿入矣，人未知也！余出太和门观金水桥下水，凿冰一尺才得数寸水，机筒不得力。遂至朝房小坐，甫一刻，则火已透茶库上太和门檐，趋视则一门四面皆烈焰矣，何其速哉！人力难施，水又短缺，须臾越而东，毁武备院毡库五间，又向东焚毁昭德门。惟时撤昭德门东边屋，屋坚固不能动，锯之斧之仍拽不倒。于是传工匠撤尽东头两间，凡两时许始得将梁柁拽下，而被伤者近十人矣。火至昭德门，忽回旋不东突，撤屋者因下手，不然烬矣。余又至朝房坐。再往，火如故。未正驰回饭，饭罢复入，屋已撤三间，火道已断，柱犹冒火，馀烬仍熊熊。"直到十七日，火仍未熄灭，到处燃烧，"砖石红透"。经过两天的扑救，大火终于被扑灭。但由于当时消防组织废弛、消防设施落后、消防器具不全，加之水源不足，扑救效力甚低，火势不能很快控制，以致大火迅速蔓延，"延烧太和门及库房等处"，使贞度门、太和门、昭德门及附近库房多处化为灰烬，酿成巨大灾祸。

失火的原因，依据刑部《审讯贞度门值班官兵供情》一折记载："本年十二月十四日，护军校宝山带同护军十名在西大库接班。十五日夜，护军校宝山带同护军文致、德蕣、松幅、常受、觉罗常蕄、铁成、存幅、穆都哩，在库外毡棚内坐夜，听候送筹"，护军富山、双奎二人，因"年老未派巡更，拨在贞度门门罩内住宿，看守锁封。旧有洋铁油灯一个，挂在东山墙后檐柱上，经年已久，有烤焦情形。向来各处堆拨，夜间均不熄灯。是夜伊二人将灯点上，不觉睡熟，四更时，护军德犇巡更，瞥见贞度门东山墙柱火起，喊嚷伊等扑救，火势迅猛，以致延烧各处。"

这次火灾造成的损失十分严重。虽然目前还没有见到有关此项失火损失情况的明细记载资料，但从以下几方面也可窥其一斑。

这次火灾造成的直接损失，是把贞度门、太和门和昭德门等建筑全部毁之一炬。至于其附近的重要库房，据档案和《翁文恭公日记》记载，位于昭德门内东西房的毡库被烧毁五间，距离贞度门较近的皮库、茶库等，则更难幸免了，贞度门、太和门和昭德门焚毁，损失之大很难估价；毡库、皮库、茶库等库房及其存贮的器物，究竟损失多少，不得而知，其价值也无法估算。

太和门、贞度门和昭德门等需要重修。经工部、内务府会同勘估，认为"太和门一座，凡九间，昭德门、贞度门二座，每座各三间，显廊各二间，太和门东西库房各七间，昭德门迤东库房六间均应建盖。贞度门迤西库房六间内，修补一间，拆修五间。"此项工程，所需木料、石料、砖瓦、铜铁活计以及油饰等物料很多，而且由于是"要工"，所需物料质地要好，质量要高。太和门高六丈五尺二寸，昭德门、贞度门高四丈四尺五寸，所需木料，中柱高四丈四尺九寸五分，金柱高三丈七尺一寸，直径均需二尺二寸。太和门座原为楠木建造，其余皆用黄松。楠木产自湖南、四川等省，成材大木十分罕见，而且"采办既难，运解亦需时日"，因此，拟将"柁檩金柱需用大木之处一律改用黄松，角梁斗科拟用柏木，菱花、窗扉、宝瓶均用椴木。"这些木料，大部需要从云贵、湘赣等省采办，运解十分困难，要经过滇、黔、湘、鄂、赣、皖、苏、沪，直至津京等十几个省市的水陆运转，其需时费力，脚价耗资自是可观的。工程所需石料，柱顶石仍用旧基石，"将旧石铲平，另加石楚"，不另换新；"其栏板阶条等石，旧存完好者计可拣选三成，统以七成添新"。工程所需砖瓦，分为三项"海墁金砖"由工部行文江苏省令其赶紧运解"；墙垣露明处所用砖瓦"拟用汤泉烧造城

砖"，其余"参用停城砖"。工程所需"门钉、兽环、檐网各项铜活，向由造办处制造"。整个太和门等处修建工程，"除油饰需用颜料等项由户部行取，杉木由工部木仓行取，琉璃瓦料由工部饬窑烧造，均划除不计外"，"净需采买物料、拉运车脚、匠夫工价并办买铜、锡、叶子、金等项例银二十三万五千"余两。

为了嘉奖救火人员，由户部拨银二万五千余两奖给水会、匠人、兵丁等；修盖火班值房和添置消防器具需拨银一万三千九百余两。这也是这场火灾所造成的意外破费。

还有一件与这次火灾损失有关的事情值得一提。太和门失火时，正是光绪皇帝筹备大婚之际。大婚典礼定于光绪十五年正月二十七日举行。距大婚仅有一个多月的时间，朝门突然被大火烧毁，这对皇帝大婚是"不吉利"的事情。按照封建的礼法，无论如何必须加以补救。但是婚期迫近，原样重修根本来不及。于是，决定由扎彩工匠临时赶紧在火场搭盖一座彩棚应急。根据《清宫述闻》记载，这座彩棚与太和门的"高卑广狭无少差至，榱桷之花、鸱吻之雕镂、瓦沟之广狭，无不克肖，虽久执事内廷者，不能辨其真伪。而且高逾十丈，栗冽之风不少动摇。"笔墨描绘，未免失之夸张。但出于皇帝大婚庆典之需，搭盖这样一座彩棚的耗费，大概为数也很可观。

至于整个重建工程总共开支数目，由于目前没有发现这项工程的报销档册，无从知晓，但仅从上述几项有据可考的数字中，也可看出这次火灾所造成的损失十分惊人。

大火之后，光绪帝心有余悸，仅八九天之内，就连续发布了十来道谕旨，奖励救火出力人员，审处肇事官兵，整顿消防机构，妥拟防火章程以及勘估重修太和门等处工程，等等。统治者的用意，无非是想通过这些措施，达到惩前毖后，以儆效尤，"以弭灾异，而迓祥和"的目的。

其实，皇宫失火，烧掉几座宫殿，对皇帝来说无关紧要。但出于迷信和封建礼法的考虑，在精神上总是个打击，未免很不愉快。因此，对火灾肇事者的处置十分严厉。凡与火灾有直接关联的官兵人等，都要受到审办，给以不同程度的处分。火灾直接肇事者往往要判处死刑（绞刑）。贞度门大火之后的第三天，即十二月十七日，光绪皇帝就发布上谕："本月十五日夜间，贞度门不戒于火，延烧太和门及库房等处，所有本日值班之章京、护军等，于禁城重地并不小心看守，实堪痛恨，著交刑部严行审讯，按律定拟具奏。"根据这道谕旨，景运门值班大臣遂将当晚值班之章京护军校宝山、护军富山、双奎等十人解送刑部审讯。刑部讯鞫后，于十二月二十三日向皇帝报告审讯情况，并根据道光十六年太监韩进钰等失火延烧西佛堂一案、道光二十五年太监马庭溃失火延烧延禧宫一案、咸丰八年太监禹得馨失火延烧延辉阁一案、同治八年匠役城钰失火延烧武英殿一案的成例，拟对贞度门失火的直接肇事者富山、双奎，按失火延烧宫阙律判处死刑——绞监候秋后处决。负有管理责任的总管内务府大臣、步军统领福锟，前锋统领恩全等官员，也因"疏于防范"，依"监守不慎"例分别受到了降级、罚俸处分。

除对火灾肇事人员进行处罚外，一般还要奖赏救火出力人员，有的奖给银两，有的赏给缎匹，有的封官进爵，论功行赏。十七日，大火刚被扑熄，光绪帝就颁发奖赏参加救火人员的谕旨，凡到场救火之王公贵族、军机大臣、内阁大学士、九卿暨翰詹科道官员，以及各旗副都统等，都予以嘉奖，其中包括恭亲王奕䜣、礼亲王世铎、睿亲王魁斌、郑亲王凯泰、豫亲王本格、肃亲王隆懃、庄亲王载勋、怡亲王载敦，克勤郡王晋祺、庆郡王奕劻，贝勒载漪、载滢、载澍、贝子奕谟、溥伦，军机大臣额勒和布、张之万、许庚身、孙毓汶，大学士宝鋆、恩承，总管内务府大臣福锟、嵩申、师曾、巴克坦布、崇光，尚书锡珍、徐桐、奎润、李鸿藻，毓庆宫行走翁同和、松溎、孙家鼐，以及许多蒙古王公贵族等，共一百五六十人。随同到场救火的兵丁、匠役、苏拉人等，每人赏银二两，受伤兵匠每人加赏银十两，水会十五处赏银一万两，各木厂匠夫赏银一千两。随后又对救火有功人员给予奖叙。十二月二十二日军机大臣面奉谕旨，将为救火出力之水会十五处的主要负责官员——内、中、东、西、南、北城水会首事沈永泉、于凤冈、蔡珍、乐仲繁均交部议叙，徐秬芳、范鸿逵赏五品顶戴；薛德祥赏守备衔；王清珏、陆永明、陈长松、吴德昭、李洞、窦谨厚均赏六品顶戴；梁鉴、赵卿赏七品顶戴，

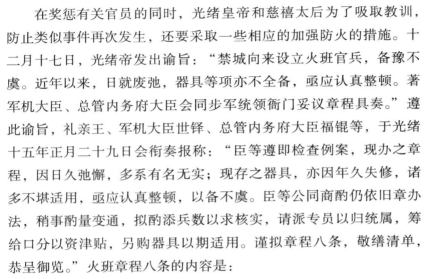

等等。

在奖惩有关官员的同时，光绪皇帝和慈禧太后为了吸取教训，防止类似事件再次发生，还要采取一些相应的加强防火的措施。十二月十七日，光绪帝发出谕旨："禁城向来设立火班官兵，备豫不虞。近年以来，日就废弛，器具等项亦不全备，亟应认真整顿。著军机大臣、总管内务府大臣会同步军统领衙门妥议章程具奏。"遵此谕旨，礼亲王、军机大臣世铎、总管内务府大臣福锟等，于光绪十五年正月二十九日会衔奏报称："臣等遵即检查例案，现办之章程，因日久弛懈，多系有名无实；现存之器具，亦因年久失修，诸多不堪适用，亟应认真整顿，以备不虞。臣等公同商酌仍依旧章办法，稍事酌量变通，拟酌添兵数以求核实，请派专员以归统属，筹给口分以资津贴，另购器具以期适用。谨拟章程八条，敬缮清单，恭呈御览。"火班章程八条的内容是：

第一条，调整火班官兵的组织和统属。从前火班官兵共有二百二十六名，分别归属于步军统领衙门、内务府护军营和銮仪卫，并分散驻守在紫禁城内和东华门、西华门外之大连房。"此项兵丁，集凑而成，漫无统属，分历各处，稽查难周，遂致奉行日久，尽成具文。"新的章程规定，除步军统领衙门步军一百名仍保留外，其余护军营、銮仪卫的兵丁均予撤回，另由内务府苏拉处挑选年力精壮民役、苏拉二百人，专充激桶兵，分为两班，五日一换；另选苏拉头目二十名，充当激桶咀子之差，随址更替。每晚演习一次，演完后将激桶添满，以备次日激打。

第二条，添置防火器具。原设激桶较小，不甚适用，加以年久失修，间有损坏，多已不堪使用；其他器具亦诸多不齐。新章程拟仿照水会局规模，采买头号洋激桶四架，二号四架，号衣三百二十件，长杆号灯三十二枝，提杆小灯一百六十个，催水旗八十杆，随上油水筐八十副，另备水筐一百二十副，长短木梯各四架，长杆水筐笤八十副，抬水筐笤八分铁矛八副，挠钩二十杆，柳罐八十个，铁锯八副，镢头二十把，以备应用。

第三条，调换值班处所。原来，步军火班官兵在武英殿前值班住宿，内务府火班官兵住东、西华门外大连房。新章程规定，内务

府激桶兵改在紫禁城内武英殿前值房住班；步军营火班官兵移至东、西华门外大连房，各分五十名东西住宿，均归稽查火班大臣统辖调遣。

第四条，酌给新设激桶官兵津贴。规定激桶官每人每日银二钱，激桶兵头目每人每日一钱五分，激桶兵每人每日一钱。

第五条，调派专员分别管辖教练内外火班。内务府激桶兵由苏拉处派内管领二员、副内管领四员，轮流值班，管辖教练；步甲激桶兵由步军统领衙门拣派地面官四员，轮流值班，管辖教练。

第六条，简派大臣统率火班官兵。过去，火班官兵"并无大臣专管，一切勤惰，漫无考核"。新章程规定由皇帝钦派大臣数人专管火班事务，督饬官兵演习器具，稽查值班官兵勤惰，奏参疏懒兵丁，责革旷误人员。

第七条，各处吉祥缸随时添水。过去各处放置的吉祥缸，因"年久废弛，多不上水"。新章程规定，今后宫内各处吉祥缸，分别由关防衙门、新设激桶处苏拉每日轮流添水，并派司员四人，五天检查一次。

第八条，各门值班官兵应遇事听调。章程规定，除午门等十四处值班官兵遇事不准派拨外，其左翼门等二十三处护军、内务府砃车三十二处披甲，遇事均须派拨一定数量的人员，听候火班统率大臣调遣。

光绪皇帝于当日就原则批准了上述章程。上谕称："详阅所拟酌添兵数、筹给口分、另购器具各条，尚属周妥，即著照所议办理。"同时强调指出，"惟立法伊始，要在专责成，勤演练，并随时认真整顿，庶不致日久仍成具文。"所以，仍责成总管内务府大臣、步军统领衙门负责管辖火班事务，毋庸另派大臣统率。并责令前锋护军统领按日稽查，如有官兵疏懒，"即由该大臣分别严参惩办"。经过此次整顿，"倘不认真经理，以致再有旷误，定惟该大臣等是问"。

尽管这样严厉，但清朝末年宫禁内的大小火灾仍时有发生。究其原因，无非是封建制度下盘根错节、根深蒂固的弊端所导致，而且在当时的社会条件下，想要根绝是根本不可能的事。

4. 讨债债主服毒自杀案

湖南省兴宁县境内滁口镇，住着三户无服同宗族人。他们分别是朱桂英、朱珍球、朱其荣。朱桂英以驾船为生，朱珍球靠打工度日，朱其荣则在镇上鬼混。光绪十四年（公元1888年）七月，朱珍球前往探望朱桂英。正好朱桂英外出未回，仅其妻朱季氏一人在家，两人言来话去，勾搭成奸。此后，朱珍球便暗中将钱财用物送给朱季氏，两人明来暗往，形同夫妻。久而久之，朱桂英也察觉他们的暧昧关系。但是，他明知故纵，不但不追究，反而雇请朱珍球帮忙驾船干杂活。朱桂英光管饭不给工钱，朱珍球也不计较。没料到，几年后，他们间竟会惹出一场大祸。

光绪二十三年十一月，朱桂英突然染病卧床，柴米无着，全家陷于困境。病中，他想起同镇伍好发曾经借过他的八元花银，于是，便叫朱珍球拿着借约前去讨债，以救家中之急。伍好发因家中无钱，央求暂缓，说以后肯定归还。朱珍球执意不肯，硬将他家中的糯米和茶油拿走抵债。

伍好发的恳求遭拒绝，家中仅存食物被拿走，心中顿生恶念，便以朱桂英指使朱珍球到家中劫掠财物为名，前往滁口巡检衙门控告。

滁口巡检杨振荣派弓兵李连、周通前去拘传朱桂英。两兵士来到朱家，因朱桂英病情稍稍转轻外出，便将他的妻子朱季氏带到巡检衙门，关押看管。季氏心中害怕，思虑再三，便托看管她的兵丁李连找杨振荣说情，声明愿意拿出六元花银销案。杨振荣见钱眼开，觉得有利可图，便不再追问伍好发控告之事，将季氏释放，让她回去筹措银子，限日呈交。

季氏回家后，向朱桂英讲明情况。夫妻心中十分着急，抱头痛哭。情急之中，朱桂英想到过去曾借给朱其荣花银八元，多次索讨仍未归还，决定再次前去催讨，以应付杨振荣的勒索。然而，不管朱桂英如何说，朱其荣仍不还账，继续拖延。朱桂英禁不住破口大骂，但仍然无济于事，只好回家另作打算。

流氓成性的朱其荣被骂后，心怀不满，决心泄恨报复。他跑到巡检衙门，告诉门丁刘齐生说：朱桂英很有钱，胆子又小，你们可以吓唬他，叫他多出钱。杨振荣听了刘齐生的报告，见仍可敲诈，顿时眉飞色舞，心花怒放。十二月二十四日，他命令弓兵周通，再次拘拿朱桂英夫妻，并附着周通的耳朵，叫他到朱家后如此这般。

周通到了朱家，气势汹汹，耀武扬威。朱桂英夫妻吓得手足无措，傻了眼。周通见此，便对他们说："只要你肯出二十元花银，我便能帮你们了结本案，否则，不但案子不能了结，而且你们定要皮肉受苦，最后还得掏钱。"

听了周通的话，朱桂英完全明白了杨巡检的心意。他愁肠百结，把妻子拉进内屋，对她说："与其被这些流氓贪官这样逼迫，还不如早死干净。"季氏听后大惊，一面为周通准备饭菜，一面劝慰丈夫，叫他千万不要往绝路上想。

周通在外屋大喝大吃，朱桂英在一旁一筹莫展。想到周通饭后就要把自己带进巡检衙门，心中害怕，欲生短见。于是他悄悄走进内屋，打开柜子，取出以前治病留下的砒霜，放入一碗糟酒中，一饮而尽。酒足饭饱的周通催促上路，朱桂英临行，神色凄惨地对妻子说："我到巡检衙署，如果案子不能了结，就不再回来了。你在家中要替我伸冤。"

回到巡检衙门，杨振荣命令将朱桂英关押外厅，等待明天交银子。当晚三更时分，朱桂英砒霜毒发，在地上翻来滚去，呼喊肚痛。看守他的周通见事不妙，急忙告诉李连。李连赶来查问。朱桂英忍着疼痛断断续续地将自己向伍好发、朱其荣讨账，反被他们控告，走投无路，被迫服毒自杀的经过告诉了他。他们急忙转告正在做着银元梦的杨振荣。杨振荣大惊失色，知道很快就会大祸来临。为了推卸罪责，他让人立即将朱桂英抬回家去。二十五日早晨，朱桂英在家丧命。

刘齐生得到朱桂英服毒身亡的消息后，惶恐不安，害怕连累自己，急忙找到朱其荣，埋怨他不应赖账生事造此事端，他要朱其荣设法消灾灭祸。朱其荣深知自己罪责重大，为逃脱惩罚，想出了一条毒计。

朱其荣找到朱桂英的堂侄朱甲启，对他说："朱季氏与朱珍球通奸，你堂叔是被朱季氏投毒害死的。"朱甲启信以为真，便请朱其荣代写状辞，为叔伸冤。状辞中诡称朱桂英外甥黄继发是朱季氏谋杀朱桂英的见证人。另外他们还请来保正朱平安看明尸体，然后，一齐来到巡检衙门，将状纸递给刘齐生。刘齐生早有准备，随手转交给身边的书识何瑞图，请他重新缮写，然后呈递杨振荣。杨振荣心领神会，立刻命令周通将朱季氏拘传到衙关押。季氏呼天不应，喊地不灵，披着重孝进了牢狱。

丈夫含冤而死，自己披枷带锁生死不知。听到衙署中连续不断的除夕鞭炮，想到丈夫临走时的遗言，季氏心如刀绞，决心控告。

新年之始，兴宁县知县李柏龄因其他案件下乡查勘，路经滁口镇，进巡检衙门歇息。季氏获悉，便央求前来探望的族人朱年年代为喊冤。李柏龄接状后，却先去查阅杨振荣转来的朱甲启状词。他先入为主对季氏通奸杀夫深信不疑，根本不管季氏控告的是什么内容。所以，审问一开始，就不准朱季氏辩白，先予痛打。然后命衙役将她解往县衙。正式审讯中，一而再，再而三地用刑逼供。朱季氏被打得死去活来，想到熬刑是死，不熬刑也是死，为了免去这种皮肉之苦，便含冤画供，委屈招认。李柏龄得供，即按"本夫纵容妻妾与人通奸，妻妾起意谋杀"例，将朱季氏拟斩立决，报请上司批准。

案了层层上报，经一年时间，由郴州至省城。臬司蔡希邠提审季氏，季氏咬紧牙关，全部翻供，并反控了丈夫含冤而死，自己又被陷害的冤情。蔡臬司大惊，迅速禀报巡抚。当时的湖南巡抚是清末有名的办案能手俞廉三。他调阅案卷，发现疑点太多，便驳令郴州知州任国钧重审。

任国钧将朱季氏押解回郴州，调集人证，重新审讯。朱季氏将自己与朱珍球通奸，朱珍球讨债，伍好发反告，杨振荣勒索，朱桂英向朱其荣讨债，朱桂英被拘传害怕服毒的经过，详细供述。在确凿的证据面前，伍好发、朱其荣等也只好供认了自己报复陷害的阴谋。

任国钧将一干人犯押解到长沙，禀报俞廉三。俞廉三于是将李柏龄先行撤任，奏请革职，归案审办。滁口巡检杨振荣，因任性妄为，声名恶劣，早已被前任巡抚陈宝箴奏参革职，解任回了山东海阳县老家。门丁刘齐生，闻听郴州复审，知道大事不好，逃之夭夭，经通缉被捕拿归案。人犯齐集，俞廉三派长沙府知府颜钟骥复审。在众证面前，各犯都供认串通诬陷勒索等情节，从此全案大白。朱其荣依《大清律例》"刁徒无端肇衅讹诈乡愚，致被诈之人因而自尽"的规定，处绞监候，秋后处决；刘齐生比照朱其荣减一等，杖一百，流三千里；杨振荣逃逸，缉获另结；知县李柏龄被革职；朱季氏虽然辩白伸冤，但由于她与朱珍球通奸，也被处罚。

5. 清宫内院里的三件奇案

（1）左侍郎送礼遭斩秘闻

光绪二十五年，户部左侍郎张荫桓向慈禧和光绪帝各进奉了一颗宝石。这是他出使英国时特地购买来的，一颗为红宝石，名叫"红披霞"，另一颗为绿宝石，名叫"祖母绿"，论价格，绿的远比红的贵。张荫桓把绿宝石献给了慈禧太后，把红宝石献给了光绪帝。

按当时情况，进贡物品必须经李莲英之手。有的进贡者，为保自己功名前程，往往都另备一份厚礼送给李莲英，以防他从中作梗。但张荫桓自恃深得眷宠，从不把李莲英放在眼里，这次进贡红绿宝石时，根本没备礼馈赠给李莲英。李莲英肚皮里气得很，当然不肯放过他了。

慈禧自得到绿宝石后欣喜万分，整天玩弄不已。一天，李莲英突然阴阳怪气地对慈禧说："张荫桓进贡宝石竟分得这样明白，难道咱们这边就不配用红的么？"

这一说不要紧，慈禧太后听了勃然变色，立刻吩咐李莲英将两颗宝石退还给张荫桓。她为什么生气呢？原来按照清朝习俗，衣饰的颜色都有讲究，正室可着红裙，而妾辈只能用绿。慈禧由于出身西宫，对此极为忌讳。李莲英短短一语，恰恰触动了她的一块心病，而张荫桓却因此而大祸临头。

慈禧大为光火的消息一传开，有些善于拍马的大臣便借故上奏

参劾张荫桓。慈禧正中下怀，立即派人拘捕了张荫桓，将他发配到新疆。不久，又发下一道圣旨，在新疆将他就地监斩。

太监李莲英的一句话，一个堂堂户部左侍郎，竟成了刀下之鬼，真是奇案怪闻！

（2）纸糊腊制御膳案秘闻

颐和园过去是皇家的园林，一般人是甭想进去的。那时，每年春、夏、秋三季，慈禧太后都要在王公大臣的陪伴下，到这里住下来游山观景，吃喝玩乐。

慈禧太后对于吃是很讲究的，而且胃口很好，可是她胃口再好，一顿也吃不了一百碗大菜。据说，她一个人每顿饭都要上一百个菜，什么鸡鸭鱼肉，山珍海味，她一个人当然吃不过来，只是拣她爱吃的三五种菜吃一点。像她不爱吃的海参等菜，就根本不吃一口，有的菜甚至连看也没看一眼，就端下去了。日子长了，伺候慈禧吃饭的太监小德张和大总管李莲英暗中密谋，既然许多菜慈禧太后连看都不看一眼，能不能做一些"样子菜"来摆一下，应应景，这银子省下来不就入自己的腰包了吗？小德张有点犹豫害怕，怕被太后发现惹下大祸；李莲英却满口应承说，太后那里出了问题由他来对付。

小德张派园内工匠们用纸或蜡仿制了慈禧太后平时不爱吃的火腿、扣肉、丸子等几十种"菜"。做得和真的一样，用餐时，摆在离太后最远的地方，太后是不容易看见的。她爱吃的菜，都给她摆在跟前，想吃稍远的菜都由小德张给夹。宫女太监们明知有很多菜是假的，也没人敢吭声。

有一年四月，忽然慈禧太后传旨，要乘龙船畅游昆明湖。龙船装扮得富丽堂皇，船上插着龙旗，太后由宫女、太监们搀扶，坐在龙船里欣赏大自然的景色。到了中午，船到龙王庙前，停船开饭。一会儿工夫，小太监们捧着一碗碗珍馐美味，排成一个长队送上船来。像往常一样，把她爱吃的清炖鸭子、鳜鱼等摆在她跟前。太后吃了几口鸭子以后，不知什么缘故，今天想起要吃扣肉，这是她从来不吃的。这下可吓坏了小德张，他急中生智，忙说："回老佛爷，扣肉已经凉了，让御膳房热一下您再用吧！"说来也巧，太后说凉点不要紧。小德张只好把一盘腊制扣肉端过来。太后用筷子一夹没夹动，就问："小德张，这扣肉怎么这么硬呢？"小德张忙说："我说凉了不是？"顺势把假扣肉交给了一个小太监，并吩咐让御膳房给"热"一下。凭慈禧太后的经验，已经发现扣肉是假的了，可是她不动声色，继续吃着、喝着。时间不长，一碗热气腾腾的扣肉端上来了。可她一口没吃，因为她已经吃饱了。小太监们刚要撤席，慈禧太后说："慢！平时有的菜我连看也没看一眼，今天我要把所有的菜都看一遍。"这么一看，可热闹了！硬纸壳做的板鸭，腊做的火腿，一百个菜有二三十个是假的。慈禧太后越看越生气，半阴半阳地叫了一声："我说小德张这是怎么回事呀？"小德张哼哼哈哈只是说奴才也不知道是怎么回事，方才端上来奴才眼看是真的，怎么变了样。这时李莲英转了转眼珠，胸有成竹地说："奴才恭喜老佛爷，贺喜老佛爷！"慈禧太后一听李莲英说话，气儿就先消了三分，她反问道："喜从何来？"李莲英说："今天老佛爷游昆明湖，在龙王庙前用膳，是老龙王孝敬您老人家。这不是他将供品借花献佛吗？"说着用手一指那些假菜假肉。这时，一群太监宫女也同声附和，凑过来给太后道喜。由于慈禧太后平时很迷信，经李莲英这么一说，加上太后这一天心情愉快，所以一场风波就这么平息了。可是小德张却吓出了一身激淋淋的冷汗。

（3）乐寿堂杀人奇案秘闻

"四书"上有句话，叫"智者乐，仁者寿"，慈禧也想以"智者、仁者"自居，将她在颐和园常住的宫殿取名"乐寿堂"。这个名字很好的地方，其实是一个罪恶的渊薮，光凶杀人命就有好多个。

有一次，光绪帝去颐和园见慈禧，向她报告英俄联军侵占我国帕米尔问题，并请示对策。正在跟宫女和格格们玩棋的慈禧听了完全不当一回事，冷冷地说："荒凉的边远之地有什么了不起，他们要占由他们占去好了！"

光绪帝没有想到，她竟然说出这种视国土为儿戏的话，难道她没有听清楚是怎么一回事吗？他想再明白地报告一遍。"亲爸爸

——"光绪帝刚刚开口，慈禧把头一扭，厌烦地说："我已经说了，别再啰嗦！"然后使劲地吸烟管。烟管很长，一个小太监跪在地上给她点火。光绪帝和慈禧的谈话吸引了小太监，他未注意，点燃烟斗以后，火柴又挨近了慈禧长长的衣角。慈禧闻到衣服的焦味，四下一瞧，发现是自己的衣服烧着了。几个太监、宫女急忙上前弄灭了火。

对光绪帝的到来，慈禧本来就生了一肚子无名火；又发生了这件事，更气得脸色铁青。她起身把吓得瘫在地上的小太监狠狠踢了一脚，吼道："把这个瞎了眼的东西拉出去，乱棒打死！"

在一旁的光绪浑身颤栗起来，他想为可怜的孩子求求情，但他不敢，也没用。

"事情完了，还傻站着干什么？"慈禧喝斥完，就扔下光绪帝，起身回寝宫去了。

因为一点小过失就置小太监于死地；有的人则完全是无辜受害。在清廷科举最后一次考试当中，山东济南才子王国军中了状元。慈禧听说今科状元的文章十分出色，便下令取来看看。试卷送到乐寿堂，慈禧一看卷首的名字就勃然大怒，没头没脑地骂道："放肆！"周围的人吓呆了，不知道发生了什么事。只见慈禧拿起朱笔在王国军三字上打了一个"×"，然后批道："洋人要亡我大清朝，你也要亡我大清君主，死无赦！"（她把"王国军"，谐读成"亡国君"）写完把笔扔出老远，下令，赐新状元五尺白布，勒令他悬梁自尽。可惜，名盖一时的才子，就这样毁于慈禧之手。

慈禧在政治权力上是顺我者昌，逆我者亡，在日常生活上也是这样。有一天，她想玩棋，可是李莲英不在，身边只有一个小太监。慈禧问他会不会下棋，小太监回答会。慈禧让他摆好棋，陪她解解闷儿。了解内情的人都知道，跟慈禧下棋，不管你棋艺多高，只能输，不能赢。天真无邪的小太监不懂这套自欺欺人的把戏，便认真下起来，慈禧的棋艺本来不行，很快被小太监杀得人仰马翻，无还手之力，不由得股股怒火涌上心头。小太监只顾自己下得顺手，完全没有想到大祸已经临头，他从自己的底线突然驱出一车，直捣对方腹地，高兴地喊道："将老帅！"慈禧一看：双车错，完了！她忍不住猛地掀翻棋盘，对小太监狠狠打了一记耳光，厉声喊道："来人，把这个不知高低的小混蛋给我重打四十大板！"

小太监经不住酷刑的折磨，钻心疼痛，而且羞辱难当。他想，伺候这种人，将来肯定不会有好日子过，便于当晚投入昆明湖自尽了。

乐寿堂的柱子上有一副对联，写的是："观音大士普渡众生，慈禧太后仁沐百姓。"知情人都说是天下绝妙的讽刺。

6. 假冒当朝皇帝奇案

大清国到了晚期不仅有假亲王、假大臣于京城外招摇撞骗的奇案。而且还有冒充皇帝进行诈骗的奇案秘闻。

光绪己亥年，湖北武昌金水闸这个地方，忽然来了一主一仆。主人看上去二十开外，长得细高条。仆人则四五十岁，面上不生胡须，满口京腔女音。主仆两人租下了一套房子居住。这两个人看上去衣著用品都极为豪华。每当仆人向主人进茶时必然要跪下；仆人对主人称呼为皇上，而自己却称奴才。邻舍的人觉得很是奇怪，于是就将所见所闻告诉了朋友，结果一传十，十传百，没几天的功夫就传遍了武昌。当时光绪帝正被幽于瀛台，于是就有光绪逃离京城来湖北依靠张之洞的传闻。武汉报纸客观地报导了这一消息，上海报纸也将武汉新闻进行了转载，结果以讹传讹，至使海外皆知张之洞有保驾之举。

因为来武昌的这一主一仆的被子上绣有五爪金龙，用的碗上也镂有五爪金龙，同时还有一枚刻有"御用之宝"的玉印，所以人们就更加确信这主人就是光绪皇帝了。于是前来谒见这位"光绪皇帝"的人便络绎不绝，居然有人向"光绪皇帝"行三跪九叩首礼，并口称恭迎圣驾。这位"光绪皇帝"也略举举手说道："不必为礼！"当时的候补官员中，不少人则认为这将是一个绝好的晋升机会。他们不仅前来拜见，而且还有进款于"光绪皇帝"者。结果这件事越弄越大，江夏知县不得不亲自查访，待知县询问这位"光绪皇帝"时，他只说一句，"见张之洞，方可言明。"后来有好事者，

又查明那仆人却为太监，且张之洞得知，让人拿了光绪帝的照片与之对照，结果面貌又极为相似。于是乃密电京城好友，询问宫中有无光绪皇帝出走消息。然而瀛台无人敢入，所以仍不得其实情。就在这时，流亡于日本的梁启超也居然给张之洞来函，其中有言"戾太子真伪，尚在肘腋"。张之洞见此书信后，犹如热锅上的蚂蚁，真不知如何是好。

又过了一些时候，张之洞在京的那位密友来函，言明据某太监讲，光绪仍然被幽于瀛台。此事不能再拖了，必须正式开庭审讯。这一天张之洞坐督署，提"光绪皇帝"和仆人到堂。张之洞开口便说："你要见我，今天我在这里，你们要如实地说出你们的身份和来历。""光绪皇帝"便说："堂上这么多人，我不便开口，待退堂后我便向制台当面说明。"张之洞大声喊道："胡说！不说就斩了你。""光绪皇帝"从容地说："我没犯法。"张之洞火更大了，拍案叫道："私用御物还不当斩！""光绪皇帝"毫不在乎地说："那就听制台处置吧！"再问仆人。仆人说，他本来是宫中太监，因偷了宫中物品被发觉后，逃出了京城。路上遇见了假皇帝，不知道他的姓名和来历，只是让自己和他到湖北来，并说到了湖北必有飞黄腾达之日。其他的事自己就不知道了。这次公开审讯仍未破疑，退堂后张之洞便将此案交给了武昌府由江夏县继续审讯。

在江夏县令的严刑拷打之下，主仆两人才供出了真实情况。原来这位"光绪皇帝"乃是满人唱戏的。名唤崇福。自小就入内廷演戏，所以深知宫中的一切事务。而他的面貌又特别像光绪皇帝，所以当时唱戏的都在暗地里称他为"假皇上"。这位仆人乃是守库的太监，他与崇福早就相识了。他因盗出大量宫中的物品被发觉，便与崇福商量，借光绪皇帝被幽于瀛台内外不通消息的机会，出走各省以便行骗取财。当真相大白之后，那个假皇上和仆人自然就身首异处了。

7. 《苏报》冤狱案

《苏报》原是营业性质的报纸，馆址最后迁入上海英租界。戊戊政变后，湖南人陈范接办，主张"忠君报国"，恢复光绪皇帝的权位，显露出政论性色彩。自光绪二十八年初冬，《苏报》增辟"学界风潮"栏，开始为东南学界所瞩目。此后，上海爱国学社教员蔡元培、吴稚晖、章炳麟为之撰稿，民族意识乃至仇满思想不时见诸报端。进入光绪二十九年后（即公元1903年），在拒法、拒俄爱国运动的激荡下，知识界中，特别是热血青年中，革命排满的潮流高涨起来。从五月开始，《苏报》改请青年领袖人物章士钊主笔，公开鼓吹反满革命、"杀人主义"，该报迅速革命化。适逢邹容《革命军》在上海出版，系统阐述革命理论。《苏报》立即载文介绍，并转载章炳麟"序《革命军》"一文。与此同时，《苏报》又把批判锋芒指向康有为、梁启超代表的保皇立宪派，介绍和摘登了章炳麟《驳康有为论革命书》。

光绪二十九年闰五月五日，租界巡捕房应两江总督魏光焘、江苏巡抚恩寿之请，逮捕了章炳麟等人，而邹容投案自首。《苏报》随即被查封。于是《苏报》案发。

光绪二十九年闰五月二十一日会审公廨开始审理此案。清政府委托的洋人律师指控《苏报》"污蔑今上，挑诋政府，大逆不道"，举出《苏报》所载文章中"载湉小丑，不辨菽麦"、"杀尽胡儿方罢手"、"以四万万人杀一人，奚啻摧枯"等文字为证。指控章炳麟、邹容"大逆不道，谋为不轨"，证据为《革命军》、《驳康有为书》。章、邹当堂为自己作了有力的辩护。

清政府运动各国公使，十月十五日该案由租界移往上海县"额外公堂"，由上海县会同英方陪审官等审讯。十一月初六日上海县"额外公堂"宣判，邹容、章炳麟判为永远监禁之罪。对此，外国领事团发生异议。清廷外务部恐劳而无功，于是答应从宽办结。

次年四月初七日复讯，当堂改判：章炳麟监禁三年，邹容二年，罚作苦工，期满驱逐出境。邹容不堪狱中之苦，于光绪三十一年二月瘐死狱中。章炳麟三十二年六月二十九日出狱，便赴日本编辑同盟会机关报《民报》。

《苏报》一案，堂堂清政府为原告，降尊与平民争曲直于上海知县前，在国人面前威信扫地。臭名昭著冤案丛生的清代文字狱就

这样可耻地演完了最后一幕。

8. 皇亲贵戚赌场奇案

清代光绪末年，玩牌赌博之风极其昌盛，上至宫廷王公贵族，下至肩挑小贩，平民百姓，无不以此为乐，并借以消磨时日。婚丧嫁娶，客人盈门，必然设此作为招待，狭巷胡同之中，不分昼夜，辄闻噼噼拍拍之声，至于穷乡僻壤，男女老幼，也乐于此道。有赌必有赌场，而京津一带，最豪华的赌场，要数载振兄弟所开的亲贵赌场。

载振为当朝庆亲王奕劻的长子，封爵为镇国将军，工部尚书。光绪三十一年，庆亲王七十大寿，天津段芝贵为了谋求黑龙江巡抚一职，除送寿礼十万两外，还将天津名妓杨翠喜赎身后，送给载振，载振在天津购置了一座庭院，作为杨翠喜的居室。这座庭院里有两座楼房，一座小花园，花园里假山、鱼池、花木掩映，极其精巧雅致。这座藏娇的金屋，既是赌场，又是卖官鬻爵的交易场所，消息传出，凡是要走后门、拉关系谋求美差的，都聚集到这儿来。一时间，庭院门前车水马龙，热闹非凡。载振派了几个精明强干、擅长赌技的管事，专门窥视这些赌客，根据赌客所下赌注多少，分为三等。凡输过三底，相当于一万两银子，仍能再接再厉者为上等，对这种豪客，给予极优厚的款待，满足所需；凡输过二底，相当于三千两者，为中等；输过一底，相当于一千两者为三等。最上等的赌客，则由杨翠喜出面陪伴务使其囊倾财尽，才肯罢休。所以开业以后，生意兴隆，收入极丰。

这天，载振正同几个朋友在密室饮酒，忽见听差张旺跌跌撞撞地跑了进来，连喊："不好了，不好了。"

载振听了大吃一惊，不知发生什么事，忙喝斥道："什么事，这么惊慌失措的？"

"京里御史参劾大爷聚众邀赌，皇上将折子发给了王爷，王爷在府里大发雷霆，派人来唤大爷立刻进京。"张旺结结巴巴地说着。

253

"呵，是为这事。"载振打了个饱嗝，轻松地说，随即吩咐："来人，驾车。"

这时，杨翠喜已闻讯赶来，连忙为载振换好衣服，又嘱托张旺，在路上务必要小心照拂大爷。

马车于天黑时进城，到得王府已是华灯初上。奕劻仍坐在花厅里焦急地等待，见了载振，畜牲长、畜牲短地痛骂了一顿，然后将参劾的折子掷在桌上。载振接过折子，看不了几行脸色大变，等到看完折子，已出了一身冷汗。原来这折子是一位姓耿的御史上的，折子中揭露他利用赌场，作为卖官鬻爵、暴敛财富的场所。

"你赶快回去，将赌场关闭，不然我要天津的官警出面。"奕劻怒气冲冲地说。

载振还想拖延一下，嗫嚅着说："请你老人家宽限一个月吧。"

"不行，一天也不能迟延。"奕劻斩钉截铁地说。

迫于言官的参劾和父亲的逼迫，载振连夜赶回天津，与几个心腹密商了一夜，第二天，极其勉强地将赌场关闭。

载振有个弟弟，名叫载搜，他也是个花花公子。他在天津也养着两个妓女，一个叫苏宝宝，一个叫红宝宝。两个姑娘长得无比妖艳，且服饰华丽，浑身珠光宝气，光手上钻石戒指，一只价值千金，饮食起居极其奢华，一天的开销需数百两之多。载搜近日从母亲处的需索，日益减少，正想开设赌场，另辟财源，听说哥哥的赌场被人参劾，已经关闭，便大笑道："胆子怎么这么小，他不开我来开，看那些穷御史能把我怎么样。"于是托人购置了一处庭院，依照哥哥载振的办法，也开设了一家赌场，由两名艳姬作为接待，以吸引赌客。开了近半月之久，虽然也是车马盈门，但赌客却不是豪客，只是一些普通公务人员和肩挑小贩之流，所下赌注非常微薄，赌场收入不及开支。载搜的手头日益拮据，不久红宝宝与一个客商潜逃，苏宝宝见红宝宝逃走，不久也席卷而逃。招揽赌客的艳姬一走，赌场更没有什么收入了，只好关闭。载搜忍气吞声去找哥哥，要求合伙再开一家赌场。载振正闲居天津，每天由杨翠喜陪着看戏、喝酒，甚是无聊，听了兄弟的话，忽发豪兴，心想天津不能开，干脆

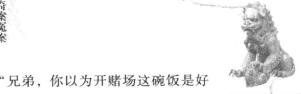

到京城去开设一家，便笑笑说："兄弟，你以为开赌场这碗饭是好吃的，合伙是可以的，今后能不能赚钱，我也没有把握。"

载搜笑道："大哥，小弟信得过你。"

载搜走后，载振与几个心腹商量了一会，决定在京城开设一家，要找一个隐蔽的地方，也不张扬。办事的人到京城转了几天，终于找到一处宅第，雇人装修，赌场便正式开张营业。载振兄弟都是纨袴子弟，只知吃喝玩乐，哪懂经商之道？开业以后，赌场虽然生意兴隆，无奈开销太大，渐渐入不敷出。这时，有个姓陈的清客提出建议，他说："贝子兄弟，乃是天潢贵胄，锦衣玉食，哪知世情变幻，要想赌场兴旺，必须设法聘请一位精于此行的人作经理，贝子兄弟退居幕后，坐享其成。"

载振听了，觉得极有道理，于是四处觅人。振贝子赌场要聘请经理的消息传出后，每天来应聘的人不少，试谈以后，不尽如意。这天，载振刚用过早点，正在卧室与杨翠喜调笑，忽然听差前来禀报，说有一位商人求见。这个振贝子步出客厅接见，一见之下，十分惊喜，原来那商人名叫王竹青，曾在天津一家洋行做事，也是风月场中人物。载振每次来天津，都是王竹青导游。以后段芝贵将杨翠喜献给载振，一笔赎身钱没有着落，也是由王竹青出面找洋人借了一万两银子，才成就这段姻缘。王竹青为这笔款子被洋人所开除，出走他乡，不知下落，今天，好友相逢，自然十分亲热。

"这一向你在哪里做事，离开天津，也不给我打个招呼。"载振埋怨着。

"多劳贝子关照。离开洋行后，小弟在上海，昨天回天津，听说这里招聘经理，特来打听一下。"王竹青说。

"是，是，是有这事，王兄心目中定有最佳人选。"载振欣然相问。

"你看小弟是否可当此大任？"

"你？"载振惊喜交集地问："不会骗人吧？"

王竹青认真地说："是真的。"

"好，太好了！你若肯来，生意一定会兴旺起来。"载振高兴地说。

于是摆下酒宴，两个侍女陪侍，两人边饮边谈。

"贝子，现在军警处刚刚成立，对赌场管得极严，我们是不是聘请几个洋人来照应。"王竹青端着酒杯喝了一口说。

载振听说聘请洋人，迷惑不解地问："我们不作洋生意，请洋人有什么用?"

"贝子有所不知，洋人势大，大小官员谁也不敢得罪他们，我们就借洋人来装点门面，让警方不敢干涉。"王竹青神态严肃地说。

"呵，是这样，好!"载振点头赞同。

第二天，载振派人在崇文门内东单牌楼另买下一座宅院，王竹青则到租界请洋人出面，聘请了两名无赖洋人，由他们自认是赌场的老板，而载振兄弟和王竹青则居于幕后。

当时，国运日衰，崇洋媚外的风气极盛，赌场有了洋人出面，果然气象一新。车马盈门，赌客日多，生意又见兴隆，每日收入数万两，有时高达十几万，成为全城红极一时的豪华赌场。

谁知，好事不谐。正当载振兄弟开设的赌场日进万金、蒸蒸日上之时，有人向肃亲王善耆密报了此事。善耆新近被任命为民政尚书，而当时的民政兼管警务，禁烟查赌，是他们的专责。善耆是亲王中以刚直著称的人物，到任不久，正想有所作为，闻报天子脚下竟有这样一个大赌窟，十分震惊，于是召集幕僚们商议搜捕方法。

"王爷，这件事要慎重，庆亲王要是怪罪下来怎么办?"有个叫黄全的幕僚提醒说。

"还有，听说赌场有洋人出面，弄得不好会不会引起洋人干涉，我看王爷还是睁一只眼闭一只眼的好。"另一个幕僚这样劝解。

善耆笑道："善耆生平是从不畏强暴的，感谢各位的好意。"

另一个幕僚献计说："王爷既然决心前往搜捕，鄙人等深感钦佩，不过，如果冒昧前往，找不到赌窟，岂不是打草惊蛇，白费心机。"

"先生有什么高见?"善耆欣然求教。

"依在下愚见，不如选几个精明强干的人，伪装成赌客，先去

试探，作为内应。"

"妙，妙!"善耆抚掌大笑。

于是，立即唤来几名心腹家人，交代了任务，并且规定每人用一方白色绸手帕，扎成花朵，系在衣扣间，作为暗记。布置已定，确定三天后开始行动。

到了约定的时间，善耆命令一队军警均着便衣，悄悄来到崇文门，将赌窟团团包围住，然后带领几名身着便衣的亲兵，装做赌客，直奔赌场。近前一看，善耆一愣，矗立在自己面前的是一座西式院落，门前是一道矮矮的围墙，围墙内树木葱茏。围墙的铁门虚掩，善耆推门而入，踏着石径直通大门，跨入大门，是一座客厅。客厅里墙壁上挂着字画。室内摆设一色西式。厅里悄无声息，很像是一座私人住宅。善耆站在厅里犹豫起来，心想，如果是洋人住宅，主人发问，很难回答，转念一想，不入虎穴，焉得虎子？如果错闯私人住宅，告罪就是。于是，硬着头皮往里面走去，穿过一间小厅，只见两个身着西服的洋人坐在案前，见有人来，斜看了一眼，爱理不理地问："你们是来干什么的？"

"我是奉上司之命来抓赌的，你们为什么要干这犯法害人之事？"善耆理直气壮地回答。

听说是抓赌的，两个洋人吃了一惊，马上从怀中掏出手枪指着善耆喝道："你凭什么说这里是赌场？赌具在哪里？赌客在哪里？这类事怎么能轻易诬蔑，你快走开，否则我这枪是不认人的。"说完，两人趋身向前，一左一右用枪点着善耆的头。

旗人尚武，善耆更是经过名师传授，练就一身武艺，此时见洋人趋前，等他们立脚未稳，两只手同时伸出，如闪电一样，将短枪击落在地，立即一个转身，伸出腿来，一脚一个，将洋人踢倒在地，身旁亲兵一拥而上，掏出绳索将两人捆得严严实实。恰在这时，一阵急促的脚步声，一个衣扣上系着白绢花的便衣男子出现，善耆一瞥知道是派去的密探。

"怎么样，赌场在哪里？"善耆急忙问。

"王爷，请随我来。"那密探向善耆单膝一跪。

于是，由密探为前导，穿过长长走廊，转弯抹角来到一间密室。虽是白天，依然灯火通明，有男有女，人人服饰鲜艳。善耆挥手命警队蜂拥而入，大喝一声："不准动！"一齐把枪支指向众人。那些男女赌客正在低头押宝，听得喊声，抬头看时，见一排排乌黑的枪口对准自己，有的吓得瘫倒在地。善耆举目看时，也大吃一惊，那些赌客中大多是王公贵族，贝勒、福晋、郡王、格格，有的是自己的亲戚，有的是自己的长辈，衣香鬓影，裙屐冠裳，不下数十人。这些人见了善耆，且骇且呼："七王爷行不得，我们愿受罚。"

善耆当着警队的面，不敢稍事气馁，只好硬着头皮，装着公事公办的样子："既然如此，我不能不顾全诸位的体面，但是要答应，今后永远不设这等机关，今日各罚一千两，以充警费，大家认为如何？"

这些王公贵族，都是极讲面子的人，只要不交警方，多少钱都愿受罚，齐说："好、好。"于是有的交银票，有的交首饰，霎时间，赌桌上堆满了首饰和银票。善耆命两名亲兵，一人登记，一人点数，用包袱包好。

善耆见罚款交齐，又问："这里的老板是谁？"

在场的人个个低头不语。

"再不自动出来，我就要派人搜查了！"善耆愤然大喊。

没过多久，从内室走出载振、载搜兄弟，两人面红耳赤，畏畏缩缩地走向前来，向善耆双膝跪下，口称："七爷……"

"你老子在朝为官，你兄弟俩却干这种伤风败俗的营生，岂不给他丢脸？"善耆指着兄弟俩骂了一顿，然后约法三章：（一）从今以后不开赌场。（二）将天津商人王竹青驱逐出京。（三）罚款五千两。

载振兄弟连连点头答应照办。

善耆带领警队全胜而归。

经此一战，人们都以为京城赌风可以稍加收敛，殊不知载振兄弟，过不了多久又将赌场移到天津，而京城的赌风仍未减弱，一直刮到清王朝灭亡。

9. 珍妃冤死奇案

　　光绪帝七岁的时候，他的老师翁同和告诉他，广东有一个女孩，很喜欢火车玩具，而且自己会拆卸装修，还说她长大了要自己制造火车、轮船。从那以后，光绪皇帝就把这个同自己志趣相投的人引为知己，想象她一定是个聪明、美丽的姑娘；可是，他后来娶的皇后，看过姑娘成群的皇妃候选人，都个个呆若木鸡，同他心中想象的广东姑娘毫无共通之处。这使他非常失望。

　　在光绪帝选妃的时候，正好广州将军长叙带着两个女儿到京议事。翁同和与长叙是朋友，闻信即前往拜访。来到长叙官邸，翁同和看见院中有两位姑娘在玩照相。一个胖一点，着旗袍，穿木底鞋，一身标准的满族少女打扮。另一个身材苗条，皮肤白里透红，一双眼睛清澈而机灵，露出智慧而温柔的光彩；身着西服，乌黑油亮的长发像黑缎一样披在背后，十分萧洒。她们就是长叙的两个闺女，大的十七，小的十五。几年前翁同和对光绪帝提过的正是这两人里面的一个。喝茶的时候，翁同和得知，姊妹俩跟江西才子文廷式读书，学业不错，特别是二姑娘，读了不少介绍西方国家情况的书籍，有富国强兵的理想。长叙叹息说，可是她是一个女子，如果是男孩，也许将来会做一番事业的。

　　回宫以后，翁同和说广东的那个姑娘来京城了。光绪皇帝一听真是喜出望外，但他又想，他的命运掌在慈禧手里，即使自己中意，又有什么用呢？不觉深深叹息了一声。

　　后来。翁同和托熟人向慈禧吹风，说长叙的女儿可作皇妃候选人，慈禧果然同意"亲眼看一看"。

　　慈禧在太监、宫女的族拥下来到养心殿，坐定之后，内府官员便领着姐妹俩款款而来。大殿上下的眼光，一下被两位姑娘聚集起来；光绪帝的两眼眨也不眨地盯着二姑娘：只见她落落大方，步履轻盈，没有丝毫造作之态，她简直就是美和智慧的化身，这就是他多年想象中的人！他见过成千上万的美人，不曾有一个像这个女子让他一见倾心。他有生以来，第一次感到了生活的光明和美好，如同一个穷汉忽然获得了一个宝库。

看过之后，慈禧问皇帝、皇后意下如何？皇后看出光绪皇帝中意的是妹妹。她想，如果选中她，皇帝定会被她完全占有，便故意说姐姐不错。光绪帝说他喜欢妹妹。慈禧从他两人的表情中已经明白他们各自的真意，便做了一个照顾双方情绪的决定："将姐妹俩都纳为妃子，共同侍候皇帝。"同时封姐姐为瑾妃，封妹妹为珍妃。

第一夜，光绪帝宣召珍妃侍寝。宫女们将一条毛毯铺在她床上，让她脱去衣服，等太监来背她去皇帝寝宫。

"为什么侍寝要脱去衣服，让人背去？"珍妃问。

宫女们告诉她，因为前朝有个皇帝被宫人刺杀，以后便定下这个规矩。

珍妃一听，变色说道："既然不相信我们这些人，为什么又让我们去侍寝？"但她心想，既是旧例，自己也不好破，再说自己是爱皇上的，虽然有气，还是照办了。朝廷有规定，妃子侍寝，到了一定时候就得离去，不能整夜呆在皇帝身边。皇后派出的包打听却报告说，珍妃一夜没离皇帝寝宫。之后，不仅整夜，而且连续几夜都同光绪帝厮守在一起。皇后妒火中烧，不仅每天拿嘴脸给珍妃看，而且挑拨瑾妃同妹妹的矛盾。瑾妃是个没有心眼的人，加上被冷遇所产生的怨恨，果真对妹妹也淡漠起来，有时同皇后一起，在慈禧面前一唱一和，说妹妹的不是。

珍妃自己对这一切并不在意，但她怕给皇上带来麻烦，光绪帝却劝她不必担心，他一国之君难道连一个爱妃也保不住吗？珍妃深情地说："只要皇上永远爱奴婢如今日，那奴婢什么也不怕了。"

珍妃把全部爱都献给了光绪帝，使他感到无限幸福。她还为他分担政事上的忧愁，成了光绪帝难以离开的助手。

有一天，翁同和报告光绪帝，说英、俄两国军队入侵，光绪帝立即去颐和园谒见慈禧。光绪帝离宫，珍妃紧锁愁眉，坐立不安地等待着他，设想他可能遭遇的种种情况。她话也不说，晚饭无心吃，等呀等，光绪帝终于回来了。她赶紧走上前去迎接光绪，发现他情绪激动，便小心地问他有什么事。光绪帝说："国土被侵占，太后都说什么不毛之地让人家占去算了，一句话就丢了大片国土。"珍妃听了感到又惊又气，但她担心光绪帝气坏了身子，便宽解说："皇上光生气也无用，只有让国家强盛起来，列强不敢欺侮，才是根本。"光绪帝问国家如何才能强盛起来呢？珍妃答："效法外国开矿山和工厂，办海军，练新兵。"

"这不是前人办洋务的老路子吗？"

"是，但李鸿章他们是虚张声势，并没有认真兴办，要是皇上脚踏实地，认真兴办，是一定会见效果的。"

"那银子从哪里来？现在李鸿章训练水师，还正伸手向我要钱呢！"

"皇上不必发愁，大清国地广物博，只要开源节流，是会有钱的。"接着，她拿过一个瓷罐，把自己身上的银子、龙洋都装了进去，并取过案上的笔，写了一张"富国强兵储蓄罐"的条子，贴在罐上，然后笑眯眯地望着光绪帝。光绪帝高兴地点了点头。珍妃说，从今天起，她每天从俸银中节省十块钱放进去，不久就会有不少。

光绪帝激动地抚摸瓷罐，说："爱妃的精神可嘉，但是这点钱能顶什么用呢？"

"皇上不要小看这点钱，古人说，涓流成海，聚沙成塔。"

正在这时，王商报告说翁同和求见。随着一声"请"，翁同和拿着工部一份奏折进来，上面说，修复颐和园尚缺三千多万两银子，同李鸿章商妥，由海军经费中开支。

光绪帝没有看完，就一拳击案，气愤地说道："不顾国家危亡，一味讨好太后，太可恶了！我立刻驳回去！"他抓起奏折踅进内宫，准备批驳。珍妃同皇上有相同的心情。她说："是该驳回，不过，要是太后生气怎么办呢？"一句话点到了光绪帝的痛处，他颓然落坐在龙椅上。

"奴婢倒有个想法。"

光绪帝以期待的目光注视着珍妃。她告诉他，可采取一个既可保护海军银两，又可以向慈禧交待的批法，说海军军费专款专用，不便挪用，修复颐和园不足经费着户部另行筹拨。光绪认为很好，就照此批了。

慈禧看了皇帝的批语大为光火，骂道："现成的银子不让我花，让我去花没有影儿的。哼，我还在，他们就这样克我！"拿起笔把朱批几笔勾掉，改批为："修复颐和园所需的钱，仍由海军经费中照拨，毋庸再议。"

慈禧的改批，把光绪帝气得怒火万丈，但又不敢公开发泄，走到寝宫，看到珍妃的储金罐，不禁无名火起，一掌打去，储金罐飞落地上碎成几瓣，里面的龙洋撒得遍地都是。珍妃不知发生了什么事，委屈地看着光绪帝。光绪帝像怒骂又像解释地说："成千上万的银子，他们任意挥霍，咱们这样辛辛苦苦地积攒有什么用！"

"皇上，这一点奴婢也想过，但是加一点总比少一点好，要是大家都这样做，何愁国家不富？"

珍妃说得这样恳切和沉痛，光绪帝感到在她面前这样发作太不应该。他躬身捡起一块罐片抚摸着，望着珍妃那近乎哀求的神情，一股热泪夺眶而出，哽咽地说："爱妃，要是朝廷内外有一半人像你这样以国家为念，那大清朝就绝不会是现在的局面了！"

内忧外患，弄得光绪帝寝食难安。珍妃献计说："治天下之道，莫大于用人，选贤任能是当务之急。"而且她认为科举考试难以发现真才，要广开才路，如请有识之士推荐等。接着，她推荐了饱学多才的文廷式。

光绪帝十分欣赏珍妃的意见，积极物色有胆有识之人，寻觅维新之路。但是，他看到，从太后到王公大臣，都一味谋权争势，耽于享乐之中，毫不以江山社稷为念。日本侵略军已打进东北，他们仍麻木不仁，执迷不悟。珍妃对光绪帝说："问题的症结在太后，皇上应当劝她以国事为重，不要再这样下去了！"

"那只能是虎口拔牙，徒自取伤害！"光绪帝叹息说。珍妃不忍同他争辩，却自己决心冒死进谏慈禧，为挽回局势出一点力。

刚好，慈禧要珍妃等前去颐和园陪她看戏。珍妃觉得这是个好机会，便不顾光绪帝劝阻，毅然去了。那天演出的是《哪吒闹海》。

慈禧看得正起劲，忽然李莲英来报告，清军在平壤吃了败仗。慈禧听得发烦，就嚷嚷说：不要为这种小事来干扰她看戏。站在一旁的珍妃犹如万箭穿心，头发被热血冲得简直要直立起来。她顿觉双眼一黑，便赶紧抓住慈禧的坐椅。慈禧不高兴地问："怎么哪？"珍妃趁此机会，跪下说："奴婢有几句话想禀太后，不知当讲不当讲？"

"说吧。"

"太后，眼下国难当头，奴婢希望太后停止游乐，缩小祝寿规模，减少庆典开销，发动全国官民协力抗击敌寇。奴婢以为，这才是对太后万寿诞的最好庆贺。"

慈禧听了，本想大发雷霆，但心想珍妃的话并没有说错，要是发作反显得自不占理，便强压下怒火，应付说："说得有理，回去告诉皇帝照办。"这个结果，大出珍妃意料。不久，光绪帝果然得到懿旨，说因为打仗花钱，原定在颐和园举行庆典改在皇宫内进行，以便节省从皇宫到颐和园沿途的开支。

抗战接连失败，引起全国震惊，纷纷要求惩办消极抗战的李鸿章。文廷式和珍妃的哥哥志锐大胆上书指责李鸿章和慈禧。慈禧看罢奏折，一下摔到地上，把战败的责任一下推到主战的光绪帝头上。事先，她还听皇后、李莲英说，珍妃也参与其事，以往对珍妃的恨一下发泄出来，叫李莲英把珍妃姐妹立即找来。慈禧厉声骂道："你这两个狐狸精，平时迷惑皇上不说，现在公然出来干预朝政。"

珍妃辩道："奴婢按规矩陪伴皇上，从来不干预朝政。"

"你还敢强辩，快拿棍子来！"慈禧大吼。

光绪帝吓得连忙叩头，说她们实在没有做什么错事。

"哼，平时蛊惑皇帝，现在又怂恿你对日开战。她俩为何自己不去临阵退敌？"

珍妃实在听不下慈禧的谗言，凛然地说："倭寇来犯，朝廷是战是和，奴婢从未插过嘴；不过奴婢蠢想，天下兴亡，匹夫有责，即使上书言战，恐怕也不算什么过错！"

慈禧气得脸色铁青，狂叫道："来人！将这个狐狸精扒掉衣服，重打四十！"同时狠狠指责皇帝把她宠坏了，限他下令把她们姊妹降为贵人，幽禁三个月，不准召幸。光绪帝不敢吭声，一一答应下来。

珍妃被关在景仁宫，有两个贴身宫女陪同。光绪帝从慈禧那里出来，直奔景仁宫探望珍妃。她已经被打得趴在床上动弹不得了。一见光绪帝，她拼命挣扎起来，委屈的泪水夺眶而出，但她嘴上问的却是："眼下战势如何？"

光绪帝轻轻擦着她的眼泪，说："败局已定，太后让我忍辱求和。"

"又要割地赔款了！"珍妃难过地哀叹道。

珍妃忙劝慰说："失败乃成功之母，皇上不要灰心，只要选贤任能，图维新致强之道，中国总会有富强的那一天！"

三个月之后，李鸿章奉慈禧之命与日本签订了《马关条约》。这项割地赔款的卖国条约，激起了全国图存救亡的浪潮。这时，对珍妃的禁令已经解除，光绪帝又把她召到身边共商大事。接着，光绪帝起用了康有为、谭嗣同等人，实行变法维新。以慈禧为首的顽固派迫于表面赞同，背后却大肆抵制破坏，随时准备废掉光绪帝。

后来，因为袁世凯的出卖，光绪帝拟对慈禧实行"兵谏"的计划败露。慈禧决定先捕杀康有为等主张变法的人。动手之前，她以陪她"游园"为名把光绪帝、珍妃骗到颐和园软禁起来，割断他们同变法派的联系。珍妃知情以后，建议光绪帝写一密诏，叫康有为等火速离京避祸。但他们被慈禧拉着"游园"，脱身不得。为了赢得行动的时间，慈禧在"游园"之后，又留下光绪帝和珍妃在排云殿"教他们雕葫芦"。估计时间差不多了，慈禧遣散了其他人，单留下光绪帝和珍妃、李莲英。

慈禧突然厉声说道："今有一人大逆不道，要毁我江山社稷，我要你立即革职拿办！"

光绪帝一听大惊，忙问："谁呀？"

"康有为！"慈禧指着光绪帝说："你马上亲写一道密令，盖上玉玺，叫部兵统领急速捉拿康有为，交我亲自治罪！"

光绪帝不觉打了一个冷战，但他见珍妃点了一下头，便答应道："是！"

慈禧拿到密令，吩咐光绪帝、珍妃在原地等候，她去办件事就回来。光绪帝知道她是发令去了。

慈禧刚跨出门，珍妃要光绪帝把给康有为的密诏给她。她刚拿过藏好，李莲英就回来了。珍妃迎上去微笑着说："李总管，你看皇上的衣服全湿了，快去取件干的来换换。"

"这个——"李莲英想赖着不走。

"快去，你没看见我冷得发抖吗？"光绪帝喝道。

李莲英斗不过，只得去找王商。李莲英一出门，珍妃迅速用雕刀把葫芦切开一个三角口，把密诏封好装进去，再封好。这时王商跟着李莲英进来。

"王商，皇上衣服湿了，快去玉澜堂取干衣服来换。"

王商转身要走，珍妃又让他把太后赐的葫芦带回，她回去要好好练雕葫芦。王商接过葫芦、刻刀出门，李莲英想跟上去检查，珍妃却叫他去给皇上拿鲜藕。慈禧不在，他不敢公开对抗皇上，只好去拿。

王商察觉到光绪表情很紧张，便琢磨着珍妃让他带葫芦的含意。他仔细检查了一遍，发现了三角口，于是揭开，取出密诏，立即送给在东宫门等候皇上接见的林旭。林旭知道事急，不及多问就驰回京城的南海会馆。康有为得诏，马上赶乘去天津的火车，第二天坐英国轮船重庆号去了上海，再由上海逃到了香港。等李鸿章奉了慈禧的密令赶到南海会馆时，康有为、梁启超都已经走了。

慈禧带人从颐和园回到皇宫，一见光绪帝就破口大骂。侍立在一旁的珍妃看到事情已经发展到难以挽回的地步，毅然跪下说："太后，皇上并无罪过，即使有，也恳求明白指出，不应任意辱骂。"

"闭嘴，没有你说话的份儿；骂？我还要废掉他！"

"皇上是天下人的君主，不是太后私有，岂能随便废黜！"

珍妃理直气壮的顶撞，气得慈禧暴跳起来，她扑向珍妃，揪住她的头发，拳打脚踢，口里骂道："混账东西，我还没有同你算账，你倒教训起我来了！"

珍妃直挺挺地跪在地上，任慈禧打骂，不动，不吭。

慈禧打骂累了，叫喊道："把这妖精关进黑屋，严加看管。"

几个卫士抓起珍妃就走，珍妃挣扎着，不断回头呼喊："皇上，要保重……"

慈禧第三次垂廉听政，光绪帝被囚禁在慈宁宫旁的偏殿里，后来又囚在瀛台。维新派的人物遭到了残酷镇压。

珍妃在景仁宫关了一段时间，慈禧想进一步亲自折磨她，看着她在肉体、精神上受苦，便令珍妃去"伺候"她。每天给她端茶送水，铺床叠被，抹桌擦地，如同奴仆。还不时斥责辱骂。为了保护光绪帝平安，这一切她都忍耐着，有时被太后打得昏死过去，也一声不吭。

不久，珍妃被重新禁闭在"北五所"。这里原来是药房，长期弃置不用，破旧荒凉，院内蓬蒿丛生，鼠兔出没，珍妃的住房阴暗潮湿，霉气薰人；床上只有单薄的被褥。她穿的是破烂衣裳，吃的是粗糙饭菜。李莲英每天还奉慈禧的旨意来当着面数落她的"罪行"，詈骂凌辱她。这一切她并不在意，她最揪心的是光绪帝和国家的安危。

囚在瀛台的光绪帝当然也在为珍妃担心，但一水之阻，如在天涯。后来，他从王商口里得知珍妃囚在"北五所"，就托王商以瑾妃的名义给珍妃送糖果。珍妃见糖果的商标是英文，知道这一定是皇上送来的。她打开糖盒，果然看见光绪写的一封信："朕住瀛台，一切均好，万望爱妃保重！"珍妃顿时热血沸腾，泪下如雨。看守珍妃的老太监同情珍妃的不幸遭遇，便同王商一起为他们暗通信息。

通了消息虽然给光绪帝和珍妃带来了无限的欣慰，却更使他们渴望见面。在一个夜静灯阑的黑夜，王商终于弄到一支船，载着光绪帝渡南海去会见珍妃。两人一见，抱头痛哭。

"爱妃，是朕连累你遭难，看你现在形容枯槁，真叫朕心如刀割！"

　　珍妃连连摇头，叫光绪帝别那样说。她告诉他，只要他健康活着，有朝一日重振朝纲，富国强兵，她就是死了也感到幸福。

　　光绪帝紧紧抱住珍妃，深情地说："'在天愿做比翼鸟，在地愿为连理枝'，这就是朕对爱妃生命不谕的誓言。"

　　"'春蚕到死丝方尽，蜡炬成灰泪始干'，这是奴婢对皇上的一腔情思。"

　　深沉的倾诉，不觉已送走了大半夜时光。王商在房外轻音地催促。房内两人为分离痛彻心肝。珍妃把光绪帝的手按在自己的心口，说："皇上，奴婢这颗心是为你跳动的！"然后她轻轻推开他，要他快走，万一被巡逻的人发现就不好了。光绪帝依依难舍，慢慢走了。

　　八国联军进犯，慈禧惊惶万状，决定化装西逃，同时裹协皇帝、皇后一起逃走。一切准备做好了，她吩咐李莲英把珍妃带来。

　　事前，珍妃曾同光绪帝约定，国难当头，绝不为了自身安危而弃国出走。但是，当她看到李莲英带着幸灾乐祸的奸笑来到她面前时，便知道自己的生命已到了最后关头。她庄重叱退了李莲英，换了一身干净衣服，对着尘封的破镜理了理散乱的头发。两年的冷宫生活就要永远结束了。进宫前后的生活在她脑际一一闪过。她最难割舍的是光绪帝，最担忧的是国家受外侮的猖虐。自己的生死已经置之度外，但她觉得应该给皇上留点什么。她走到案前，提笔写了一首陆游的诗："死去原知万事空，但悲不见九州同。王师北定中原日，家祭勿忘告乃翁。"写毕斟酌了一下，将"乃翁"二字改成"亡灵"。她感到自己满腹的话语，都被这首诗表达出来了，不觉产生了一种轻松的心情，长叹了一声，迅速走出冷宫，径向乐寿堂走去，李莲英慌忙跟在后面。

　　到了慈禧面前，她立即明白她要逃跑了。慈禧看了看珍妃那鄙视的眼神，解嘲地问道："我这身打扮，你觉得好笑吗?"

　　"不，没有什么好笑的，弄到国破家亡，化装逃跑，奴婢只感到可悲！"

　　慈禧像是被抽了一鞭，战栗了一下，接着她说："洋兵已经打进北京，不能不走。可是皇上硬要留在北京，你去劝劝他。"

"皇上本不应该走，他是一国之主，外敌入侵之际，他岂能置祖宗基业和老百姓于不顾，而只图个人逃命呢？"

"你知道洋鬼子进来会无恶不作的！"

"奴婢早已知道，所以才支持抵抗外侮。现在奴婢愿以死报国，决不苟安偷生！"

慈禧吩咐李莲英："把她押到景祺阁去等我。"

景祺阁北面小院里有一口水井，平时盖着石盖。珍妃到后不久，慈禧随后也到了。她看了珍妃一眼，说："你不愿走，我也不强迫。但你这样的花容月貌，洋鬼子决不会放过你。为了免遭污辱，你就在这里死去吧。"她指着那口井，并对李莲英说："把井盖打开！"

面对死亡，珍妃多年来积压在胸中的怒火燃烧起来，她逼视着化装成村妇的慈禧说："你用大清的权力，来强逼一个手无寸铁的弱女子去死，这算什么威风？有本事，为什么不去抵抗那些杀人放火的强盗？"

"你，死到临头也不怕……"

"怕？我早知你容不得我活下去，可惜我只活了二十五年！不过这二十五年中，我活得正直、清白、问心无愧！太后，你想想你自己，你一生的所作所为，对得起谁？能问心无愧吗？"

慈禧气得全身发抖，大叫："把她推到井里！"

"住手，我自己去！"珍妃挡开想动手的李莲英，转脸对慈禧说："太后，奴婢就要遵照你的旨意去死了。此时奴婢有句忠告，望你做点好事，把朝政归还皇上，让他把国家治理好。你不为大清朝着想，也该想想你自己死后的名声，不要做国贼和民族的罪人，让后世唾骂，遗臭万年……"

慈禧跳起来，声嘶力竭地吼叫："快把她推下去！"

"太后！"珍妃高声喊道："儿媳同皇上夫妻恩爱一场，在永别的时候，愿你看在皇帝面上，让奴婢见皇上一面！"

慈禧什么也听不进去，一个劲儿地狂叫："把她推下去！"

李莲英抢步上前，抓起珍妃，投入井中……

"盖上井盖！"慈禧感到有点昏眩，但她没有忘记杀死珍妃的最后一道手续。

一年零四个月之后，慈禧又带着光绪帝回到京城，因怕珍妃事件引起麻烦，便暗令李莲英把珍妃的尸体打捞起来，装棺收殓，葬于西直门外的田村。据说，珍妃尸体完好，一点也没有腐烂，好像安详地睡着。此后，慈禧夜夜惊恐，梦中常梦见珍妃持剑向她刺来。为掩人耳目，慈禧降旨，追封珍妃为"恪顺皇贵妃"。

附一

1. 宣统元年王公贵族刑事案件一览表

案　由	犯事人	年岁，旗分	犯事地方	罪　名
爱新觉罗·常顺被崀陈氏喊告将伊霸占	常顺	34岁，镶红	干面胡同	常顺先与崀陈氏有奸，后又荐送下处卖奸，合依纵妻与人通奸律杖九十
宗室英袭报伊妻郁氏服毒身死	英袭	46岁，镶蓝	西直门内北小街	验明郁氏为服洋药毒身死
爱新觉罗·连惠在日本冈田太郎行窃	连惠	24岁，正白	未详	爱新觉罗·连惠依窃盗律杖八十徒二年
宗室玉奎用刀将妹砍伤身死	玉奎	40岁，镶白	南岗子	玉奎依于殴其亲妹致死律减一等杖一百徒三年
广白氏呈控宗室春锡抢夺伊女	春锡	35岁，正红	宣武门内二龙坑	春锡听从李三将焕儿带走通奸，杖九十徒三年
宗室喜禄诱拐幼女	喜禄	52岁，镶白	永定门外	喜禄合依诱拐幼女已成，拟以监绞候
宗室秀山声称伊妻被拐	秀山	31岁，正黄	永定门外车站	讯明秀山与李氏苟合，复将李氏转卖，拟杖一百徒三年
宗室常佑斗牌赌钱	常佑	48岁，正蓝	正阳门外南横街	常佑拟以杖一百枷号三个月
宗室清安行窃	清安	镶红	西安市场	依窃盗赃一两以下拟杖六十
爱新觉罗·恩喜等斗牌赌钱	恩喜	50岁，正白	德胜门内大同井	偶然聚赌枷号三个月杖一百，折圈禁六个月罚银六个月
宗室志恒行窃衣服	志恒	镶红	老来街	合依窃盗赃一两以下拟杖六十
宗室桂连偷窃衣服	桂连	31岁，镶白	方家胡同	桂连按初次犯窃拟以杖九十
爱新觉罗·连喜开宝聚赌	连喜	37岁，镶蓝	三官庙	讯明连喜拟以枷号两个月杖一百
张秉荫控诉宗室麟昌窃伊银薄兑条	麟昌	25岁，镶白	正阳门外五广福斜街	麟昌合依窃盗赃一百二十两以上拟以绞监候
马瑞喊告宗室崇海殴伤伊侄马三	崇海	22岁，镶白	崇文门外下二条胡同	崇海合依他物殴人成伤者拟以笞四十
爱新觉罗·广亮偷窃木植	广亮	36岁，正白	德胜门外	广亮按初次犯窃拟杖六十
桂金氏控宗室溥海将伊砍伤	溥海	40岁，镶白	豆芽菜胡同	溥海合依刃伤人者拟以杖八十徒二年
富老喊造宗室溥销将伊子打伤	溥销	34岁，镶白	广渠门外沙子口	溥销合依他物殴人成伤拟以笞四十
宗室敦润奸拐幼女德福儿	敦润	镶红	石头胡同	讯明，将敦润拟以徒三年
爱新觉罗·广铨等偷锯树木	广铨	35岁，正白	广渠门外	广铨合依窃盗赃一两以下拟杖六十

2. 宣统元年王公贵族民事案件一览表

案　由	销案理由	旗　分
敏公府庄头刘玉栋呈告管事殷在田等索诈银两	殷在田等因事未能到院，等该公府将殷在田等送院，再行质讯	镶红
宗室奎喜呈送家人于三顺不将房产租项交出	讯明于三顺并无背主典卖情事	正黄
宗室文龄与僧人意善等因赎地吵闹	意善呈红契验明，为文龄祖母并伊父镇海价卖	镶蓝
宗室恩溥呈控佃户吕广田等抗租不交	该宗室并未呈出确实凭据，无凭办理	镶蓝
宗室宝龄遣告全公府壮丁孙克保霸占地亩	已经咨行东三省总督办理	镶红
石春和呈告镶蓝宗室溥绪等横霸祖产	抄录原呈咨行东三省总督转饬该州从速传讯完结	镶蓝
宗室宝康喊称德全等盗典地亩	讯明德全欲将地亩转租，并未租成，而造悬求息讼	镶蓝
宗室宝吴氏与单文荣因增租分争	单文荣并无拖欠租银情事	镶蓝
和亲王府差地被家丁康德全私行盗典	据宗室溥镘结称，该庄头并无拖欠租项，行顺天府办理	正蓝
德茂公府涿州庙产	据该公门上呈报，本府并无此项庙产	正蓝
宗室毓镘遣告林存礼等盗卖地亩抗租不交	据毓镘结称，该庄头并无盗典抗租呈送情事	正蓝
民人张玉抢告宗室溥书拖欠房租并不腾房	据宗室溥书结称，讨限腾房	正蓝

附二

大清国司法术语解释

《大清律例》

前名为《大清律集解附例》，后于乾隆朝五年（即公元 1740 年）修订完备，后名为《大清律例》。此部律分为：名例律、吏律、户律、礼律、兵律、刑律、工律。共四十七卷，律文四百三十六条，附例一千四百零九条。清王朝专制统治，皇权至上，重"例"轻律。乾隆朝规定："例"五年一小修，十年一大修。

刑部

大清国主要机构的"六部"之一。主定一国"法律刑名"，负责对特大重大案及地方控诉案件的审核。此机构设满汉尚书各一人作为最高权力人，满汉左、右侍郎各一人作次级权力人，再下面就是郎中、员外郎等官职。

都察院

大清国的监察机构。负责"纠察内外百司，辨其治之得失与其人之邪正"，有弹劾、进谏的权利。长官为左右都御史，满汉各一人；副长官为左右副都御史，满汉各二人。下设吏、户、礼、兵、刑、工六科，每科设掌印给事中满汉各一人，给事中满汉各一人。另设有掌印监察御史，分道掌管对各地区及京城衙署的监察；五城科道，主要负责巡视京城东南西北中五城治安等等。

大理寺

掌握复核重大民、刑案件的机关，有权力驳回刑部不当的审判。最高长官称卿，满汉各一人；副长官称少卿，满汉各一人。属官有正、丞、评事等。

三法司

指刑部、都察院、大理寺。一般案件刑部判决后须送大理寺复核，受都察院监督。刑部审理不当，大理寺可驳回复审。如刑部和大理寺都发生错误，都察院有权弹劾。凡重大案件，必须由三个机关的长官联衔会奏。

步军统领衙门

清国官府官名，负责徼巡京城、诘禁奸宄，并掌京城内外的门禁及九门的锁钥，有权受理申诉案件。此机构以满洲亲信大臣兼任统领。

五城指挥

大清国都察院内设兵马司指挥，隶属于五城科道，分中东南西北五城，掌管巡捕盗贼、疏理街道等事务，因而又称五城指挥。

督抚

总督与巡抚合称督抚，也可称之为"封疆大吏"，简称"疆臣"。总督是一省至数省的最高军政长官，正二品，加尚书衔者为从一品。巡抚是一省地方政务的长官，从二品，加侍郎衔者为正二品。凡徒罪以下，由督抚审结后汇案咨部，人命及流以上，专咨由部汇题。各省督抚遇有事涉"书词狂悖"者，立即专折具奏，一经奉旨查办，必视为重大案件，从重定拟罪名，缮折奏闻。皇帝根据情节不同，或批交"该部（刑部）核拟具奏"，或"三法司核拟速奏"，特殊重大案件则交"大学士、九卿会同法司核拟速奏"。及承旨会议，一般照各督抚原拟复奏，议驳者十分罕见。所以各省督抚的定拟是关键一环，因为他们从奏折上的朱批谕旨早已窥知皇帝对本案的意向。（文字狱各案多是经上述司法程序审理的，所以办案效率极高。文字狱正犯一旦判死刑，一般不待秋审，而立即绞决、斩决或凌迟处死。）

藩臬

藩、臬二司的简称。藩司的正式名称是"布政使司布政使"，掌管一省行政，司全省财赋的出纳，为从二品官，与巡抚相同。以其表率各府州县，犹如古时的藩镇，故有藩司之称。臬司的正式名称是"按察使司按察使"，掌管一省刑名按劾之事。"臬"有刑法、法度之意，所以按察使通称臬司。凡遇文字狱重案，各省督抚往往会同藩臬二司审理。

典史

清官府知县的佐官。

刑书

州、县中办理刑事判牍、负责记录的属吏。清政府凡遇人命案件，京城以外，都由州县正印官率领仵作一人、刑书一人、皂隶二人前往检验。

仵作

清朝官府中专门负责勘验伤痕和尸体的官职。

九卿会审

凡特别重大案件奉旨交六部（吏、户、礼、兵、刑、工）、都察院、通政使司和大理寺九个衙门长官会勘者，称九卿会审。如旨命"大学士、九卿会同法司核拟"，则由内阁大学士主持会议。会议的判决由大学士，六部尚书、侍郎，都察院左都御史、左副都御史，通政使、副使和大理寺卿、少卿联衔奏请皇帝审核批准。

朝审

大清朝时期由朝廷派员会审京城死刑案件，称为朝审。朝审是刑部衙门办理的案件，由刑部自定处理意见后，交三法司、九卿、詹事、科道在故宫外金水桥的朝房审核、拟定，奏报皇帝批准。会审后处理方法，与秋审同。

秋审

复审各省死刑案件的制度，因在每年秋季举行，所以称之秋审。秋审前各省督抚将人犯提解省城，经审核定拟具题。各省死刑案件限期汇齐刑部，再经刑部定议，将原案及法司、督抚各勘语刊刷招册，送九卿、詹事、科道各一份。八月内定期在故宫金水桥西会同详核。经过秋审，把死刑案件分为情实、缓决、可矜、留养承祀四类。情实各犯经当朝皇帝朱笔予勾，即执行死刑。缓决、可矜两类，一般减等充军或流、徒。留养承祀者，枷号两个月，责四十板释放。如各省遇情重之案报到刑部虽已超过规定的截止日期，也可声明赶入本年秋审。

凌迟

死刑的一种，亦称"寸磔"、"鱼鳞剐"、"脔割"等，俗称"剐刑"或"千刀万剐"。执行时零砍碎割，使罪犯受尽痛苦而死。清律称之为极刑。

枭首

死刑执行后，砍下罪犯的头颅，悬挂示众。

斩

死刑的一种，砍下罪犯头颅，属于分尸刑。

绞

死刑的一种，用绳索将罪犯绞死，属于全尸刑，轻于斩刑。

刺字

在罪犯鬓下颊上或肘下腕上刺成一定字形，方一寸五分，笔划宽一分半，填上黑色。清政府对判处死刑的人往往"先行刺字"。

立决

判处死刑后，不必等候秋审、朝审，立即可按规定手续执行。亦称："决不待时"。又分"斩立决"和"绞立决"两种。

监候

即监禁等候。凡是被判处斩监候或绞监候的罪犯，一律暂行监禁，等候秋审、朝审时，依照具体情况，分别处理。

流

即流放，轻于死刑的一种刑罚。清王朝的流刑，分二千里、二千五百里、三千里三等，三千里为满流。超过三千里叫充军，四千里以外称"极边"、"烟瘴"之地。流犯的待遇，有种地、当差和给驻防官兵做奴隶三种。清初，流犯的妻子须随夫同配，乾隆八年停止执行。

徒

在一定限期内强制罪犯从事劳役的刑罚，轻于流刑，重于杖刑。分五等：一年、一年半、二年、二年半、三年。三年为满徒。

笞

用小竹板打犯人的腿部或臀部，为五刑（笞、杖、徒、流、死）中最轻的一种刑罚。笞刑从一十至五十，每十笞为一等，共分五等。

杖

用竹板或荆条捶击罪犯的臀、背、腿部。也分五等：六十、七十、八十、九十、一百。清朝执行时用板折，杖一百折合四十大板，称为折责。折责遇有零数时（即不逢十、五），以整数划齐。如杖六十折合二十四板，只算二十；杖七十折合二十八板，只算二十五。判处徒、流而加杖者，至配所后执行。文武官员犯罪应杖者，用罚俸、降级、降调、革职等代替。

枷号

又称枷示，与戒护性质的带枷不同，是揭露所犯罪状、带枷示众的刑罚。清朝时期枷号主要作为附加刑，有时也单独使用，或作为其他刑罚的替代刑。枷号日数，最初不过一月、二月、三月，以后竟有以年论或永远枷号者。枷的重量，初为七十斤及六十斤，乾隆五年（公元1740年）改定二十五斤。嘉庆十七年（公元1812年）又改定为三十五斤。但案例中尚有用百斤重枷者。

死

五刑中最重的一种刑罚——死刑，分斩、绞两种：斩即砍下头颅，使犯人身首异处的死刑；绞即用帛或绳索将罪犯勒死，可保全尸，所以较斩刑为轻。死刑以斩、绞为常刑，此外又有所谓枭首，而凌迟则为死的极刑手段。

比照

也称"比附"，即定罪量刑时没有正式法律条文为根据，以类似的律例比照断案的做法。清律规定，若断罪无正条时，虽允许引律比附，但"应加应减，议定罪名，议定奏闻；若辄决断，致罪有出入，以故失论"。清代文字狱案，《大清律例》中可供引用的法律正条寥寥可数，而且最高刑为斩立决（"妄布邪言，书写张贴，煽惑人心为首者，斩立决"），凡因"书词狂悖"定为逆案的，都是比照大逆律处理的。

夹棍

用于刑讯的一种刑具，由三根木梃和绳索构成。清律规定，中间一根梃木长三尺四寸，两旁木梃各长三尺，上圆下方，圆头各阔一寸八分，方头各阔二寸。自下而上至六寸，于三根木梃四面相合之处，各凿成圆窝四个，用绳索穿起。此种刑具看去是三根木梃，凡条绳索，但夹在犯人小腿上，疼痛难熬，往往造成终身残废，甚至胫骨折断，顿时丧命。

戮尸

将已故犯人的尸骨剁碎，称戮尸。凡恶逆案及强盗应枭重犯未及行刑而死亡者均戮尸。戮尸往往与毁棺、剖坟、枭首、扬灰同时协行。

杖毙

也称"笞杀"、"棰杀"，就是用竹板击打犯人直至命死的一种刑罚，这是法定死刑之外的一种酷刑。